Tom Clancy's O

2650

Eerder verschenen van Tom Clancy

De jacht op de Red October
Operatie Rode Storm
Kardinaal van het Kremlin
Ongelijke strijd
De Colombia Connectie
Golf van ontzetting
De meedogenlozen
Ereschuld
Uitstel van executie
SSN
Uur van de waarheid

Op-Center-serie
Tom Clancy's Op-Center: Contra-Commando
Tom Clancy's Op-Center: Staat van orde
Tom Clancy's Op-Center: Daad van terreur
Tom Clancy's Op-Center: Brandhaard

Power Plays-serie
Politika

Tom Clancy en Steve Pieczenik

Tom Clancy's Op-Center

Zwarte Beertjes

Oorspronkelijke titel
Tom Clancy's Op-Center

Vertaling
Rogier van Kappel

ISBN 90 449 2650 0
NUGI 331

Tweede druk, maart 1999

1

Dinsdag, 16.10 uur
Seoul

Gregory Donald nam een slokje van zijn whisky en keek het drukke café rond.
'Merk je wel eens dat je aan het verleden zit te denken, Kim? Ik bedoel niet aan vanochtend of vorige week, maar... aan lang geleden?'
Kim Hwan, de adjunct-directeur van de Korean Central Intelligence Agency, prikte met een rood plastic stampertje in het schijfje citroen dat in zijn Cola-light dreef. 'Voor mij, Greg, is vanochtend al heel lang geleden. Vooral op zo'n dag als deze. Wat zou ik er niet voor geven om met mijn oom Pak in Yangyang op een vissersboot te zitten.'
Donald lachte. 'Is hij nog steeds zo driftig als vroeger?'
'Nog veel erger. Weet je nog dat hij twee boten had? Nou, hij heeft er een verkocht. Hij zei dat hij het niet kon uitstaan om een compagnon te hebben. Maar soms zou ik liever vissen en stormen confronteren dan bureaucraten. Je weet vast nog wel hoe het was.' Terwijl de twee mannen naast hen hun rekening betaalden en weggingen, hield Hwan hen zijdelings in de gaten.
Donald knikte. 'Ik ben het niet vergeten. Daarom ben ik er destijds mee gestopt.'
Hwan boog zich naar hem toe en keek snel even om zich heen. Hij kneep zijn ogen tot spleetjes en er verscheen een samenzweerderige uitdrukking op zijn welgevormde gezicht. 'Ik wilde niets zeggen terwijl die redacteuren van de *Seoul Press* naast ons zaten, maar weet je dat ik vandaag zelfs mijn helikopters aan de grond moet laten staan?'
Verrast trok Donald zijn wenkbrauwen op. 'Zijn ze nou helemaal gek geworden?'
'Nee, nog erger. Ze worden roekeloos. De persmuskieten zeiden dat al die heen en weer vliegende helikopters de geluidsopnamen zouden bederven. Dus als er iets gebeurt, hebben we geen luchtverkenning.'
Donald dronk zijn whisky op en stak zijn hand in de zak van zijn tweedjasje. 'Het is vervelend, maar het gaat overal zo, Kim. De marketingmensen hebben het overgenomen van degenen die iets kunnen. Zo gaat het bij de inlichtingendiensten, bij de regering, en zelfs bij de Vriendschapsvereniging. Niemand durft nog risico's te nemen. Elk idee moet bestudeerd en geëvalueerd worden tot het nog levenlozer is dan generaal Custer.'
Langzaam schudde Hwan zijn hoofd. 'Ik vond het destijds erg jammer dat

je bij ons bent weggegaan om bij het corps diplomatique te gaan werken, maar het was wel slim van je. Verbeteringen aanbrengen in de manier waarop de organisatie haar werk doet, kunnen we wel vergeten. Ik ben het grootste deel van mijn tijd kwijt aan vechten voor het behoud van de status quo.'

'Maar niemand kan dat beter dan jij.'

Hwan glimlachte. 'Zeker omdat ik zo verknocht ben aan de KCIA?'

Donald knikte. Hij had zijn meerschuimen pijp en een pakje Balkan Sobranie-tabak uit zijn zak gehaald.

'Vertel eens, verwacht je vandaag werkelijk problemen?'

'We hebben dreigementen ontvangen van de gebruikelijke radicalen, revolutionairen en malloten, maar we weten wie het zijn en we houden ze in de gaten. Het zijn net die idioten die elke keer weer naar de Howard Stern-show bellen en telkens precies hetzelfde praatje houden. Maar meestal laten ze het bij woorden.'

Terwijl hij wat tabak in zijn pijp duwde, trok Donald opnieuw zijn wenkbrauwen op. 'Kunnen jullie hier Howard Stern ontvangen?'

Hwan dronk zijn sodawater op. 'Nee, maar verleden week, toen we die bende illegale kopieerders oprolden, heb ik videobanden van hem gezien. Kom op, Greg, je weet hoe het gaat in dit land. Onze regering vindt dat Oprah Winfrey vaak al te gewaagd is.'

Donald lachte, en toen Hwan zich omdraaide om iets tegen de barkeeper te zeggen, speurden zijn blauwe ogen opnieuw langzaam de schimmige ruimte af.

Er zaten een paar Zuidkoreanen, maar zoals altijd in de cafés rondom het regeringsgebouw waren er voornamelijk mensen van de internationale pers: Heather Jackson van CBS, Barry Berk van *The New York Times*, Gil Vanderwald van *The Pacific Spectator*, en anderen aan wie hij liever niet wilde denken en die hij niet wilde spreken. Dat was de reden waarom hij hier al vroeg gekomen was en hij zich schuilhield in een donker hoekje van de bar, en waarom zijn vrouw Soonji nog niet bij hem was komen zitten. Net als Donald vond ze dat de pers hem nooit eerlijk had behandeld: niet toen hij ambassadeur in Korea was, en al evenmin toen hij drie maanden geleden adviseur Koreaanse Zaken was geworden bij het Op-Center. Maar in tegenstelling tot haar man werd Soonji boos over negatieve publiciteit. George had allang geleerd om geheel op te gaan in zijn oude meerschuimen pijp, die hem er op geruststellende wijze aan herinnerde dat een krantekop net zo vergankelijk is als een wolkje rook.

De barkeeper kwam en ging, en met zijn rechterarm plat en gestrekt op de toog keerde Hwan zich van de tapkast af en richtte zijn donkere ogen op Donald.

'Maar wat bedoelde je met die vraag?' vroeg hij. 'Over terugdenken aan het verleden?'
Donald duwde een laatste pluk tabak in zijn pijp. 'Weet je nog wie Yunghill Oh was?'
'Vaag,' zei Hwan. 'Hij gaf vroeger les aan de KCIA.'
'Hij was een van de grondleggers van de afdeling Psychologie,' zei Donald. 'Een fascinerende oudere heer uit Taegu. Toen ik hier in 1952 voor het eerst kwam, stond Oh op het punt te vertrekken. Of liever gezegd: hij werd eruit getrapt. De KCIA deed erg zijn best zich om te vormen tot een vooraanstaande, Amerikaans georiënteerde inlichtingendienst, en als hij geen lezingen over psychologische oorlogvoering hield, was Oh druk bezig met het invoeren van bepaalde aspecten van Chondokyo.'
'Godsdienst in de KCIA? Geloof en spionage?'
'Nee, dat nou ook weer niet. Hij had een soort spirituele benadering ontwikkeld, een soort "hemelse manier" om inlichtingenwerk te doen. Hij beweerde dat we omringd werden door de schaduwen van het verleden en de toekomst en hij geloofde dat we daarmee in contact konden komen door middel van meditatie, door rustig na te denken over mensen en gebeurtenissen.'
'En dan?'
'En dan zou dat ons helpen om het heden duidelijker waar te nemen.'
Hwan grinnikte minachtend. 'Geen wonder dat ze hem ontslagen hebben.'
'Hij paste niet in onze organisatie,' zei Donald instemmend, 'en ik moet eerlijk zeggen dat ik niet denk dat hij ze allemaal op een rijtje had. Maar vreemd genoeg begin ik steeds meer te denken dat er toch wel iets in zat, dat hij op zijn minst in de buurt van iets belangrijks was, en misschien zelfs wel op de drempel stond.'
Donald stak zijn hand in zijn zak om zijn lucifers te pakken en Hwan keek zijn vroegere mentor aandachtig aan.
'Heb je daar een bepaalde reden voor?'
'Nee,' gaf George toe. 'Het is alleen maar een gevoel.'
Hwan krabde langzaam aan zijn rechterarm. 'Je hebt altijd al belangstelling gehad voor ongewone mensen.'
'En waarom ook niet? Je hebt altijd kans dat je iets van ze leert.'
'Zoals die oude taekwondo-meester. De man die je hebt binnengehaald om ons naginata te leren.'
George streek een houten lucifer aan en terwijl hij zijn linkerhand beschermend om de kop hield, stak hij zijn pijp op. 'Dat was een goede cursus. Daar hadden ze op door moeten gaan. Je kunt nooit weten. Ineens ben je ongewapend en moet je je zien te verdedigen met een strak opgerolde krant of een...'

Terwijl hij zich van de barkruk liet glijden, schoot het vleesmes onder Hwans rechterarm vandaan.
Op hetzelfde moment boog Donald zich achterover, en terwijl hij de kop van de pijp nog steeds stevig vasthield, draaide hij zijn pols en zwaaide de rechte steel van de pijp met een grote boog in Hwans richting om de bliksemsnelle messtoot te pareren. Terwijl hij de pijp tegen de klok in om het mes heen werkte, zodat de steel recht naar beneden wees, de vierde wering, duwde hij het mes opzij naar links.
Hwan trok zijn mes terug en stak nogmaals toe; met een snelle polsbeweging weerde Donald opnieuw links af, en toen een derde maal. Daarna zette zijn jonge tegenstander de aanval laag in, met een houw naar rechts; Donalds elleboog schoot opzij, zodat de pijpesteel omlaag geduwd werd, en wist de messteek opnieuw te pareren.
Het delicate 'klak klik klak' van hun schermutseling trok de aandacht van de mensen naast hen en terwijl de mannen duelleerden, draaide een aantal hoofden hun kant uit. Hun onderarmen schoten heen en weer als grote zuigers en hun polsen draaiden met precisie en bedrevenheid.
'Is dit echt?' vroeg een technicus met een CNN-T-shirt aan.
Geen van beiden zei iets. Ze vochten met een uitdrukkingsloos gezicht door en leken iedereen vergeten te zijn, behalve elkaar. Ze hielden hun lichaam volkomen stil, op hun linkerarm na, en terwijl ze elkaar met een strak gezicht in de ogen staarden, ademden ze met samengeknepen lippen snel in en uit door hun neus.
Terwijl de menigte in een brede halve cirkel om hen heen kwam staan, bleven hun wapens heen en weer flitsen. Toen eindigde het gevecht met een oogverblindende uitwisseling: Hwan gaf een wilde stoot, Donald weerde het mes af met de zesde wering en liet Hwans hand toen met behulp van een *prise de fer* een lichte draaiing maken. Donald liet het mes even los, en gaf het toen in de zevende wering een harde klap, zodat het op de grond viel.
Terwijl zijn ogen strak op die van Hwan gericht bleven, maakte Donald met een kleine beweging van zijn rechterhand de nog steeds brandende lucifer uit.
De menigte begon te applaudisseren en wild te roepen, en enkele mensen kwamen naar Donald toe om hem een schouderklopje te geven. Hwan grinnikte en toen hij glimlachend zijn hand uitstak, greep Donald die met zijn beide handen vast.
'Je bent nog steeds fantastisch,' zei Hwan.
'Je hield je in...'
'Alleen bij de eerste aanval, voor het geval je langzaam zou zijn. Maar dat was je niet. Je beweegt je als een spook.'

'Als een spook?' zei een lieve stem achter Donald.
Donald draaide zich om terwijl zijn vrouw zich een weg baande door de zich verspreidende toeschouwers. Haar jeugdige schoonheid trok begerige blikken van de mannelijke journalisten.
'Dat was schaamteloos,' zei ze tegen haar echtgenoot. 'Het was alsof je naar inspecteur Clouseau en zijn bediende zat te kijken.'
Hwan maakte een diepe buiging en Donald sloeg een arm om haar middel, trok haar naar zich toe en gaf haar een kus.
'Het was niet voor jou bedoeld,' zei Donald terwijl hij opnieuw een lucifer aanstreek en er eindelijk in slaagde zijn pijp op te steken. Hij wierp een blik op de neonklok boven de bar. 'Ik dacht dat we over een kwartier hadden afgesproken bij de tribune?'
'Geleden.'
Hij keek haar vragend aan.
'Een kwartier geléden.'
Hij sloeg zijn ogen neer en streek met zijn hand door zijn zilvergrijze haar. 'Sorry. Kim en ik zaten horrorverhalen en diepe persoonlijke overtuigingen uit te wisselen.'
'In veel gevallen is daar trouwens geen verschil tussen,' merkte Hwan op.
Soonji glimlachte. 'Ik had zo'n gevoel dat jullie na al die jaren wel een hoop te bepraten zouden hebben.' Ze keek snel even naar haar man. 'Schat, als je na de ceremonie verder wilt praten of nog met ander keukengerei wilt vechten, kan ik dat etentje bij mijn ouders wel afzeggen...'
'Nee,' zei Hwan snel. 'Doe dat maar niet. Ik moet straks evalueren en dat duurt tot vanavond laat. Bovendien heb ik je vader op de bruiloft ontmoet, en het is een heel stevig gebouwde man. Ik zal proberen om binnenkort eens naar Washington te komen, en dan blijf ik een tijdje bij jullie logeren. En omdat Greg de beste vrouw van Korea heeft ingepikt, ga ik daar dan een Amerikaanse vrouw zoeken.'
Soonji glimlachte dunnetjes. 'Iemand moest hem toch laten zien dat je niet alles zo serieus hoeft te nemen.'
Nadat Hwan tegen de barkeeper had gezegd dat hij de drankjes op de rekening van de KCIA moest zetten, raapte hij het mes op, legde het op de bar en keek zijn oude vriend indringend aan. 'Maar voor ik ga, wil ik nog even zeggen dat ik je heb gemist, Greg.'
Donald wuifde naar het mes. 'Dat doet me genoegen.'
Soonji gaf hem een klap op zijn schouder. Hij legde zijn arm om haar heen en aaide met de rug van zijn hand over haar wang.
'Ik meen het,' zei Hwan. 'Ik heb de laatste tijd veel lopen denken over de jaren na de oorlog, toen je me hebt opgevangen. Zelfs als mijn eigen ouders nog geleefd hadden, had ik me toch geen fijner gezin kunnen wensen.'

Terwijl Hwan een korte buiging maakte en naar buiten liep, zat Donald naar de grond te staren.
Soonji keek hem na en legde toen een smalle hand op de schouder van haar man. 'De tranen stonden hem in de ogen.'
'Dat weet ik.'
'Hij is zo snel weggegaan omdat hij je niet van streek wilde maken.'
Donald gaf een knikje en keek toen op naar zijn vrouw, naar de vrouw die hem had laten zien dat wijsheid en jeugd best kunnen samengaan... en dat je leeftijd tussen je oren zit, ook al kost het je 's ochtends soms verdomd veel tijd om rechtop te gaan staan.
'Dat is wat hem zo bijzonder maakt,' zei Donald terwijl Hwan het felle zonlicht in stapte. 'Kim is hard van buiten en zacht van binnen. Yunghill Oh zei altijd dat zoiets je een goed pantser gaf voor elke gelegenheid.'
'Yunghill Oh?'
Donald nam haar bij de hand en ze liepen weg van de bar. 'Een man die vroeger voor de CIA heeft gewerkt. Ik begin er steeds meer spijt van te krijgen dat ik hem niet wat beter heb leren kennen.'
Met een dun baldakijn van pijprook achter zich liep Donald samen met zijn vrouw naar de brede, drukke Chonggyechonno. Ze sloegen linksaf en liepen hand in hand naar het indrukwekkende Kyongbok-paleis achter het oude Capitool, gebouwd in 1392 en gerestaureerd in 1867. Toen ze dichterbij kwamen, kwam de lange, blauwe VIP-tribune in zicht en zo liepen ze op deze eerste verjaardag van de verkiezing van de eerste president van Zuid-Korea een gebeurtenis tegemoet die een vreemde mengeling van verveling en spektakel beloofde te worden.

2

Dinsdag, 17.30 uur
Seoul

De kelder van het onbewoonbaar verklaarde hotel rook naar de mensen die er 's nachts lagen te slapen; de muskusachtige, met drank bezwangerde geur van de armen en de vergetenen, degenen voor wie deze dag, deze verjaardag, alleen maar een kans was om een paar extra muntjes los te krijgen

van de toeschouwers. Maar hoewel de vaste bewoners nu op straat hun dagelijks brood bij elkaar liepen te bedelen, was de kleine kamer met zijn bakstenen muren niet verlaten.
Een man schoof een raam op straatniveau omhoog en liet zich naar binnen zakken. Hij werd gevolgd door twee anderen. Tien minuten eerder hadden ze alle drie nog in hun eigen suite in het Savoy gezeten, hun operationele basis. Daar hadden ze onopvallende kleding aangetrokken. Ze hadden alle drie een zwarte plunjezak bij zich, zonder labels of etiketten erop. Twee van hen hanteerden hun plunjezakken heel omzichtig, maar de derde, die een zwart lapje voor een van zijn ogen had, ging er nonchalant mee om. Hij liep naar een plek waar de daklozen afgedankte stoelen en gescheurde kleren hadden neergesmeten, zette zijn tas op een oude, kapotte schoolbank en ritste hem open.
Snel trok Ooglapje er een paar laarzen uit en gaf die aan een van de mannen; de volgende kreeg eveneens een paar en het derde paar was voor hemzelf.
Snel trokken de mannen hun eigen schoenen uit, verborgen ze in een stapel oude en trokken de nieuwe aan. Ooglapje stak zijn hand weer in zijn tas, haalde er een fles mineraalwater uit en legde de tas toen in een donkere hoek van de kamer. De tas was niet leeg, maar wat erin zat, hadden ze nu niet nodig.
Maar dat komt nog wel, dacht Ooglapje. En als alles goed gaat, zal het niet lang duren.
Met de fles water in zijn hand – hij had handschoenen aan – liep Ooglapje naar het raam, schoof het omhoog en keek naar buiten.
Toen hij zag dat het steegje leeg was, knikte hij naar de andere twee, en nadat hij zich door de raamopening had gewrongen, draaide hij zich om en hielp hen met hun tassen het raam uit te klimmen. Toen ze alle drie weer in het steegje stonden, maakte Ooglapje de plastic fles open en dronk het grootste deel van het water op. De fles was nog voor een kwart vol, maar hij liet hem op de grond vallen en trapte hem plat, zodat het water alle kanten uit spatte.
Terwijl ze er goed op letten dat ze in de plas water stapten, verlieten de drie mannen met de twee tassen snel het smerige steegje en liepen naar de Chonggyechonno.

Een kwartier voordat de toespraken zouden beginnen, waren Kwang Ho en Kwang Lee – K-één en K-twee, zoals ze door hun vrienden bij de Rijksvoorlichtingsdienst werden genoemd – voor de laatste keer de geluidsinstallatie aan het testen.
De lange en slanke K-één stond op het podium. Zijn rode blazer vormde

een scherp contrast met het statige bouwwerk achter hem.
Driehonderd meter verderop, achter de tribune, zat K-twee, eveneens lang, maar fors gebouwd, in de geluidswagen. Hij zat over een schakelbord gebogen en had een koptelefoon op die alles doorgaf wat zijn partner zei.
K-één ging voor de meest linkse van de drie microfoons staan.
'Er zit een heel dikke dame op de bovenste rij van de tribune,' zei hij. 'Ik ben bang dat hij instort.'
K-twee glimlachte en weerstond de verleiding om zijn collega op het luidsprekersysteem aan te sluiten. In plaats daarvan drukte hij op een knop op het bedieningspaneel vóór hem. Om aan te geven dat de microfoon openstond, ging er een rood lampje branden.
K-één bedekte hem met zijn rechterhand en liep naar de middelste microfoon.
'Kun je je voorstellen hoe het zou zijn om met haar te vrijen?' zei K-één. 'Alleen in haar zweet zou je al verdrinken.'
De verleiding werd sterker, maar in plaats daarvan drukte K-twee op het volgende knopje. Het tweede rode lampje begon te branden.
K-één legde zijn rechterhand op de middelste microfoon en sprak in de derde.
'O,' zei K-één, 'het spijt me vreselijk. Het is je nichtje Ch'un. Dat wist ik niet, Kwang. Echt niet.'
K-twee drukte op het laatste knopje en zag hoe K-één naar de vrachtwagen van CNN liep om te controleren of de kabel naar de vrachtwagen van de pers goed vastzat.
Hij schudde zijn hoofd. Op een dag zou hij het doen. Echt. Hij zou wachten tot de geluidstechnicus iets zei dat echt niet kon, en...
De wereld werd zwart en K-twee zakte over zijn bedieningspaneel heen.
Ooglapje duwde de man van zijn stoel af en schoof de gummiknuppel weer in zijn zak. Terwijl hij de bovenkant van het paneel losschroefde, maakte de andere man snel de plunjezakken open. De derde man bleef met een gummiknuppel bij de deur staan voor het geval dat de andere man terug zou komen.
Ooglapje werkte snel door. Hij trok de metalen bovenplaat los, zette hem tegen de muur en bestudeerde de bedrading. Toen hij de draad had gevonden die hij zocht, keek hij op zijn horloge. Ze hadden nog zeven minuten.
'Opschieten,' grauwde hij.
De andere man gaf een knikje, haalde voorzichtig de grote kneedbommen uit de twee plunjezakken en duwde ze tegen de onderkant van het paneel, zodat ze niet te zien waren. Toen hij klaar was, haalde Ooglapje twee draden uit de tassen en gaf ze aan hem door. De man stak de draden met één uiteinde in de kneedbommen en gaf het andere uiteinde weer aan Ooglapje.

Door het kleine, slechts in één richting doorzichtige raampje keek Ooglapje naar het podium, waar de politici één voor één arriveerden. De verraders en de patriotten zaten gemoedelijk met elkaar te babbelen; het zou niemand opvallen dat er iets mis was.
Nadat hij de drie microfoonschakelaars op 'uit' had gezet, verbond hij snel de draden naar de kneedbommen met de bedrading van het bedieningspaneel en zette toen de metalen plaat er weer op.
Nadat zijn twee ondergeschikten ieder een van de lege plunjezakken hadden gegrepen, vertrokken ze weer. Net zo onopvallend als ze gekomen waren.

3

Dinsdag, 03.50 uur
Chevy Chase, Maryland

Paul Hood draaide zich op zijn zij en keek op de wekker. Toen liet hij zich weer achteroverzakken en streek met zijn hand door zijn zwarte haar.
Nog niet eens vier uur, verdomme.
Het sloeg nergens op; het sloeg nooit ergens op. Er werd geen catastrofe verwacht, er was niets ernstigs aan de hand en nergens dreigde een crisis. Maar sinds ze hierheen waren verhuisd, had zijn actieve geest hem 's nachts regelmatig zachtjes wakker gepord en gezegd: 'Vier uur slaap is genoeg, meneer de directeur! Het wordt tijd dat u opstaat en zich ergens bezorgd over gaat maken.'
Ze konden de boom in. Meestal was hij zo'n twaalf uur per dag met het Op-Center bezig en soms – tijdens een gijzeling of als er iemand in de gaten gehouden moest worden – precies het dubbele. Het was niet eerlijk dat ze hem in de kleine uurtjes ook al gevangen hielden.
Alsof je een keus hebt. Al sinds zijn eerste dagen als bankier, en daarna als assistent-onderminister van Financiën en als burgemeester van een van de meest bizarre en betoverende steden ter wereld, was hij een gevangene van zijn eigen geest geweest. Altijd liep hij zich af te vragen of iets niet op een betere manier gedaan kon worden, of hij niet ergens een bepaald detail over het hoofd had gezien, of hij was vergeten iemand te bedanken, een standje

te geven... of zelfs te kussen.
Afwezig streek Paul met zijn hand over zijn kaak, een stevige kaak met diepe huidplooien eromheen. Toen keek hij naar zijn vrouw, die op haar zij lag.
Die goeie Sharon toch. Ze slaagde er altijd in om de slaap der rechtvaardigen te slapen. Maar ze was dan ook met hem getrouwd en iedereen zou daar moe van worden. Of een advocaat in de arm nemen. Of beide.
Hij weerstond de aandrang om haar rossige haar aan te raken. En haar haren waren nog maar het begin. De volle juni-maan wierp een scherp wit licht op haar ranke lichaam, zodat ze net een Grieks standbeeld leek. Ze was eenenveertig, maar hield zich slank door veel te trainen en zag er wel tien jaar jonger uit... en ze beschikte over de energie van een meisje van nog eens tien jaar jonger.
Sharon was werkelijk verbazingwekkend. Toen hij nog burgemeester van Los Angeles was, kwam hij meestal pas laat thuis en at als de anderen al klaar waren, maar zelfs dan zat hij tussen de salade en de cafeïnevrije koffie meestal nog te telefoneren, terwijl zij de kinderen naar bed bracht. Daarna kwam ze dan naast hem zitten of behaaglijk op de bank liggen en begon dan overtuigend te liegen... er was niets belangrijks gebeurd, haar vrijwilligerswerk op de afdeling Pediatrie van het Cedars-ziekenhuis was gladjes verlopen. Ze hield zich in, zodat hij zijn hart kon luchten en de problemen van de dag over haar kon uitstorten.
Nee, herinnerde hij zich. Er gebeurde nooit iets belangrijks, afgezien van Alexanders vreselijke astma-aanvallen, of Harleighs problemen met de andere kinderen op haar school, of telefonische bedreigingen en pakjes van extreem rechts of van extreem links, en één keer zelfs een expressebestelling die afkomstig was van een tijdelijk samenwerkingsverband van beide. Er was niets gebeurd.
Een van de redenen waarom hij zich niet herkiesbaar had gesteld was zijn gevoel dat de kinderen opgroeiden zonder hem. Of dat hij oud aan het worden was zonder hen... Hij wist niet zeker wat hij het akeligste idee vond. En zelfs Sharon, zijn rots in de branding, begon druk op hem uit te oefenen, omwille van hen allemaal, om iets te zoeken dat een beetje minder beslag op hem zou leggen.
Zes maanden geleden, toen de president hem de post van directeur van het Op-Center had aangeboden, een vrijwel autonome nieuwe instelling die nog niet echt was ontdekt door de pers, was Hood zich er net op aan het voorbereiden om weer een baan in het bankwezen te zoeken. Maar toen hij zijn gezin over het aanbod vertelde, leken zijn zoontje van tien en dochtertje van twaalf het een geweldig idee te vinden om naar Washington te verhuizen. Sharon had familie in Virginia... en zowel Sharon als hijzelf besefte

dat werken bij een geheime dienst waarschijnlijk heel wat interessanter zou zijn dan bij een beleggingsmaatschappij.
Paul ging weer op zijn zij liggen en stak zijn hand zo ver uit, dat die een centimeter of twee boven Sharons naakte, albasten schouder bleef zweven. Geen enkele schrijver van redactionele commentaren in Los Angeles had het ooit begrepen. Het viel hun op dat Sharon charmant en geestig was en iedere week zagen ze op de kabel in het programma *McDonnell Healthy Food Report* hoe ze mensen van hun uitgebakken spek en doughnuts wist af te brengen, maar ze hadden nooit onderkend hoeveel haar kracht en stabiliteit voor zijn succes betekend hadden.
Hij streek met zijn hand door de lucht, langs haar witte arm. Ze zouden dit eens een keer ergens aan het strand moeten doen. Ergens waar ze zich er geen zorgen over hoefde te maken dat de kinderen het zouden horen, of dat de telefoon zou gaan, of dat de UPS-bestelwagen ieder moment langs kon komen. Het was al een tijd geleden dat ze samen ergens naartoe waren geweest. In feite niet sinds ze naar Washington D.C. waren verhuisd.
Als hij zich maar kon ontspannen, zich er even geen zorgen over zou hoeven maken hoe het zou gaan in het Op-Center. Mike Rodgers was buitengewoon capabel, maar het was net iets voor hem om ergens ver weg op vakantie te zijn, op een plek van waaruit het hem weken zou kosten om terug te komen, terwijl het Center voor het eerst een grote crisis kreeg af te handelen. Het zou verschrikkelijk zijn als Rodgers hem na afloop zo'n succes zou kunnen laten zien zonder dat hij er zelf iets aan had kunnen bijdragen.
Daar ga je weer.
Paul schudde zijn hoofd. Daar lag hij dan, naast een van de aantrekkelijkste, aardigste vrouwen in Washington D.C., en hij lag aan zijn werk te denken. Het werd geen tijd voor een uitstapje, zei hij tegen zichzelf, maar voor een lobotomie.
Terwijl hij toekeek hoe Sharon langzaam in- en uitademde, voelde hij een mengeling van liefde en verlangen door zich heen stromen. Haar borsten gingen langzaam op en neer... het leek wel of ze naar hem wenkten. Hij stak zijn hand nog wat verder uit en liet zijn vingers vlak boven het dunne weefsel van haar nachthemd zweven. Nou, dan werden de kinderen maar wakker. Wat viel er te horen? Dat hij van hun moeder hield, en zij van hem?
Zijn vingers streken net over haar zijden nachthemd toen hij in de andere kamer iemand hoorde schreeuwen.

4

Dinsdag, 17.55 uur
Seoul

'Je zou echt wat meer tijd met hem moeten doorbrengen, Gregory. Je straalt van plezier, weet je dat?'
Donald tikte zijn pijp leeg tegen de zijkant van de tribune. Hij keek hoe de as van de bovenste rij omlaag dwarrelde naar de straat onder hen en stopte toen zijn pijp in zijn etui.
'Waarom ga je er niet eens voor een week of twee heen? Ik kan de vereniging wel alleen runnen.'
Donald keek haar in de ogen. 'Omdat ik je nu nodig heb.'
'Je kunt het toch allebei hebben. Hoe ging dat liedje van Tom Jones ook weer? Mijn moeder draaide het altijd. *My heart has love enough for two...*'
Donald moest lachen. 'Soonji, Kim heeft meer voor me betekend dan hij ooit zal beseffen. Hem iedere dag ophalen uit het weeshuis heeft me enorm geholpen om geestelijk gezond te blijven. Er was een bepaald soort karmisch evenwicht tussen zijn onschuld en de moord en doodslag die we aan het voorbereiden waren bij de KCIA en toen ik bij de ambassade werkte.'
Soonji trok haar wenkbrauwen op. 'Wat heeft dat ermee te maken?'
'Toen we samen waren – ik denk dat het deels een cultuurverschil is en deels aan Kim zelf ligt – heb ik hem nooit de gewoonte kunnen bijbrengen die Amerikaanse kinderen zo gemakkelijk aanleren: vergeet je ouwelui en zorg dat je je amuseert.'
'Hoe kun je van hem verwachten dat hij je vergeet?'
'Dat verwacht ik ook niet, maar hij heeft het gevoel dat hij gewoon niet genoeg voor me kan doen, en dat neemt hij heel, heel erg persoonlijk op. De KCIA heeft geen rekening in die bar, maar hij wel. Hij wist van tevoren dat hij dat gevecht niet kon winnen, maar omwille van mij was hij bereid om zich in het openbaar te laten afstraffen. Als hij in mijn gezelschap verkeert, hangt dat gevoel van verplichting als een molensteen om zijn nek, en dat wil ik niet. Het vreet aan hem.'
Soonji gaf hem een arm en streek met haar vrije hand haar haren achterover. 'Je hebt het mis. Als hij daar behoefte aan heeft, moet je hem de gelegenheid geven zijn liefde te tonen...' Plotseling verstijfde ze en kwam overeind.
'Soon? Wat is er?'
Soonji wierp een snelle blik op de bar. 'De oorbellen die je me voor mijn verjaardag hebt gegeven. Ik ben er een kwijt.'

'Misschien heb je hem thuis laten liggen?'
'Nee, in de bar had ik hem nog.'
'Ja, dat is zo. Ik heb hem gevoeld toen ik je over je wang aaide.'
Soonji trok een gezicht. 'Dan zal ik hem toen wel zijn kwijtgeraakt.' Ze stond op en liep haastig naar het andere eind van de tribune. 'Ik ben zo terug!'
'Ik kan ze ook wel even bellen,' riep Donald. 'Er zal hier best iemand zijn die een draagbare...'
Maar ze was al verdwenen. Snel rende ze de trap af en een ogenblik later zag hij haar haastig naar de bar lopen.
Donald liet zich vooroverzakken en leunde met zijn ellebogen op zijn knieën.
De arme meid zou volkomen van de kaart zijn als zou blijken dat een van die oorbellen echt weg was. Hij had ze speciaal laten maken ter gelegenheid van hun tweede huwelijksdag. Er zaten twee kleine smaragdjes op, haar favoriete edelstenen.
Hij zou ze natuurlijk nog een keer kunnen laten maken, maar dat zou niet hetzelfde zijn. En Soonji zou dan met háár schuldgevoel moeten rondlopen.
Langzaam schudde hij zijn hoofd. Hoe kwam het dat hij mensen alleen maar pijn deed als hij hun zijn liefde toonde? Kim, Soonji...
Misschien lag het aan hem. Een slecht karma, zonden in een vorig leven, of misschien bracht hij wel gewoon ongeluk.
Toen de president van de Nationale Vergadering naar de microfoon liep, leunde Gregory weer achterover en richtte zijn blik op het podium.

5

Dinsdag, 18.01 uur
Seoul

Park Duk had het gezicht van een kat: rond en onbezorgd, maar met wijze en waakzame ogen.
Terwijl hij opstond uit zijn stoel en naar het podium liep, begonnen de mensen op de tribune en de menigte die gewoon op de grond stond luid

te applaudisseren. Toen hij zijn handen opstak om zijn erkentelijkheid te tonen, vormde het statige paleis met zijn ommuurde binnenpleinen en oude pagoden uit andere delen van het land, een majestueuze achtergrond. Toen Gregory Donald zichzelf erop betrapte dat hij zijn tanden op elkaar klemde, trok hij snel weer een uitdrukkingsloos gezicht. Als president van de Amerikaans-Koreaanse Vriendschapsvereniging in Washington kon hij zich in zaken die met Zuid-Korea te maken hadden niet politiek opstellen. Als de mensen hereniging met Noord-Korea wilden, moest hij daar in het openbaar in meegaan. Als ze dat niet wilden, moest hij daar in het openbaar eveneens in meegaan.

Persoonlijk was hij een heel sterk voorstander van hereniging. Noord- en Zuid-Korea hadden elkaar en de wereld zeer veel te bieden, zowel in cultureel als in religieus en economisch opzicht, en het resulterende geheel zou groter zijn dan de som van de delen.

Duk, een oorlogsveteraan en een felle anticommunist, wilde er niet eens over praten. Donald kon respect opbrengen voor zijn politieke ideeën – als hij er zijn best voor deed – maar hij kon geen respect hebben voor iemand die een bepaald onderwerp zo weerzinwekkend vond, dat hij er niet eens over wilde praten. Zulke mensen waren in aanleg tirannen.

Na een te langdurig applaus liet Duk zijn handen weer zakken, boog zich naar de microfoon en nam het woord. Hoewel zijn lippen bewogen, was er niets te horen.

Duk deed een stap naar achteren en tikte met een grijns die deed denken aan de Cheshire-kat uit *Alice in Wonderland* op de microfoon.

'Unificationisten!' zei hij tegen de politici op de eerste rij achter hem, en enkelen van hen applaudisseerden licht. Een paar mensen die zich in de menigte vóór hem bevonden en die zo dichtbij stonden dat ze hem hadden kunnen verstaan, begonnen te juichen.

Donald veroorloofde zich een licht bedenkelijke uitdrukking. Die Duk beviel hem echt helemaal niet, en dat lag net zozeer aan zijn gladde manieren als aan zijn groeiende aantal volgelingen.

Donald zag iets roods langsschieten toen iemand in een rode blazer snel van een plek achter het deftige gezelschap naar de geluidswagen rende. Ze zouden dit binnen de kortste keren in orde hebben. Donald was bij de Olympische Spelen van 1988 geweest en hij herinnerde zich nog hoe goed de doelbewuste, handige Koreanen waren in het oplossen van onverwachte problemen.

De bedenkelijke uitdrukking verdween van zijn gezicht toen hij weer in de richting van de bar keek en Soonji naar de tribune zag rennen. Ze hield haar arm triomfantelijk omhoog en hij dankte God dat er vandaag in ieder geval iets goed was gegaan.

Kim Hwan zat in een gewone auto op de Sajingo, aan de zuidkant van het paleis, tweehonderd meter achter de plek waar het podium was neergezet. Vanaf dit punt had hij een onbelemmerd zicht op het plein en op zijn in de vensters en op de daken geposteerde agenten. Hij keek toe hoe Duk naar voren liep en toen een stap achteruit deed.
Een bureaucraat die geen geluid produceerde: dat was nou zíjn definitie van een volmaakte wereld.
Hij pakte de verrekijker van de stoel naast hem en bracht hem naar zijn ogen. Duk stond een beetje naar zijn volgelingen in de menigte te knikken. Tja, zo ging dat nu eenmaal in een democratie, of je het nu leuk vond of niet. Het was beter dan de acht jaar durende staat van beleg, toen generaal Chun Doo Hwan het heft in handen had gehad. Toen Roh Tae Woo in 1987 als zijn opvolger werd gekozen, was Kim daar ook niet blij mee geweest, maar de man was in ieder geval gekózen.
Hij richtte de kijker op Gregory en vroeg zich af waar Soonji uithing.
Als een andere man er met zijn voormalige assistente vandoor zou zijn gegaan, zou Hwan hem tot zijn laatste ademtocht zijn blijven haten. Hij had altijd van haar gehouden, maar bij de KCIA waren relaties tussen medewerkers niet toegestaan; het zou te gemakkelijk zijn om een secretaresse of documentaliste in de staf te laten infiltreren en haar dan een relatie te laten aanknopen met een hoge functionaris.
Hij had erover gedacht om zijn ontslag te nemen, maar dat zou Gregory's hart hebben gebroken. Zijn mentor had altijd gevonden dat Hwan over de geest, de ziel en de gevoelige politieke intuïtie van een geboren KCIA-man beschikte. Hij had er een klein fortuin aan gespendeerd om Kim de opleiding te laten volgen die niet alleen voor een leven in die wereld het meest geschikt was, maar die hem er ook op allerlei andere manieren zo goed mogelijk op voorbereidde. En hoewel de bureaucratie zo nu en dan heel benauwend kon zijn, wist hij dat Gregory gelijk had: dit was voor hem de meest geschikte manier van leven.
Toen hij links van zich iets hoorde piepen, liet Kim de verrekijker zakken. Er zat een radio met breedbandantenne in zijn wagen. Als iemand hem wilde spreken, begon het ding te piepen; bovendien begon er dan een rood lichtje te knipperen boven de knop waarop hij moest drukken om de radio op hun zender af te stemmen.
Het lampje van de agent die boven op het warenhuis Yi's was gestationeerd lichtte op.
Hwan drukte de knop in. 'Hwan hier. Over.'
'Meneer, er holt iemand met een rood jasje aan naar de geluidswagen. Over.'
'Ik zal het controleren. Over.'

Hwan pakte de draagbare telefoon en belde het kantoor van de ceremonie-coördinator in het paleis.
Een gejaagde stem zei: 'Ja... wat is er?'
'Kim Hwan hier. Is de vent die naar de geluidswagen rent iemand van u?'
'Inderdaad. Als u het nog niet gemerkt hebt, het geluid is uitgevallen. Misschien heeft een van uw mannen dat wel gedaan toen ze het podium op explosieven controleerden.'
'Als ze dat gedaan hebben, breek ik hun de benen.'
Er viel een lange stilte.
'De benen van hun honden. We hebben de hondenbrigade erop af gestuurd.'
'Nou geweldig,' zei de coördinator. 'Misschien heeft een van die beesten wel op de leidingen gepist.'
'Een politiek gebaar,' zei Hwan. 'Blijf aan de lijn tot ik iets hoor!'
Er viel opnieuw een lange stilte. Plotseling klonk er een stem door de telefoon, vaag en krakerig, alsof het geluid van ver weg kwam.
'Mijn God! K-twee...'
Hwan zat meteen rechtop. 'Zet uw radio harder. Ik wil horen wat hij zegt.'
Het geluid werd harder gezet.
'K-één, wat is er aan de hand?' vroeg de coördinator.
'K-twee ligt op de vloer, meneer. Zijn hoofd bloedt. Hij moet gevallen zijn.'
'Controleer het schakelbord.'
Er viel een gespannen stilte. 'De microfoons zijn uitgezet. Maar we hebben ze zelf gecontroleerd. Waarom zou hij dat gedaan hebben?'
'Zet ze weer aan.'
'Oké.'
Hwans ogen vernauwden zich. Terwijl hij de telefoon stevig vastklemde, rende hij de deur al uit. 'Zeg dat hij overal af moet blijven!' schreeuwde hij. 'Misschien is er iemand binnengedrongen om...'
Plotseling zag hij een verblindend wit licht, en de rest van zijn zin ging verloren in een enorme ontploffing.

6
Dinsdag, 04.04 uur
Het Witte Huis

Op het nachtkastje begon de beveiligde telefoon, type STU-3, plotseling te piepen. Boven op het apparaat zat een rechthoekig verlicht LCD-schermpje waarop niet alleen de naam en het nummer van de beller te zien waren, maar ook of de lijn wel of niet beveiligd was.
President Michael Lawrence was nog niet helemaal wakker en keek niet naar het scherm toen hij de hoorn opnam.
'Ja?'
'Er is iets ernstigs gebeurd, meneer de president.'
Steunend op zijn elleboog werkte de president zich half overeind en keek toen wèl op het scherm: het was Steven Burkow, de nationale-veiligheidsadviseur. Onder zijn telefoonnummer stond VERTROUWELIJK... Niet 'geheim' of 'top-geheim'.
De president wreef met de palm van zijn vrije hand over zijn linkeroog. 'Wat is er?' vroeg hij terwijl hij met zijn handpalm over zijn andere oog wreef en op de wekker naast zijn telefoon keek.
'Meneer, zeven minuten geleden heeft er zich een ontploffing voorgedaan in Seoul, naast het paleis.'
'Het jubileum,' zei hij slim. 'Hoe erg is het?'
'Ik heb net even naar de videobeelden gekeken. Er lijken honderden gewonden te zijn, en misschien wel tientallen doden.'
'Zijn er mensen van ons bij?'
'Ik weet het niet.'
'Terrorisme?'
'Het lijkt er wel op. Een geluidswagen is volkomen verwoest.'
'Heeft iemand de verantwoordelijkheid al opgeëist?'
'Kalt heeft op dit moment de KCIA aan de lijn, maar voor zover we weten niet.'
De president stond al naast zijn bed. 'Bel Av, Mel, Greg, Ernie en Paul, en zorg dat ze om kwart over vijf in de Situation Room zijn. Was Libby er ook?'
'Nog niet. Ze was nog op weg vanuit de ambassade... ze wilde Duks toespraak liever niet horen.'
'Brave meid. Zeg haar dat ze me opbelt; ik neem beneden wel op. En bel de vice-president in Pakistan en vraag hem om vanmiddag terug te komen.'

Nadat hij had opgehangen drukte de president op de intercom naast de telefoon en vroeg zijn bediende om een zwart pak met een rode das voor hem klaar te leggen. Kleding die gezag uitstraalde, voor het geval dat hij de media te woord zou moeten staan zonder zich eerst te kunnen omkleden.

Terwijl hij haastig over het zachte tapijt naar de badkamer liep, bewoog Megan Lawrence in haar slaap; hij hoorde haar zachtjes zijn naam roepen, maar sloeg er geen acht op en trok de deur van de badkamer achter zich dicht.

7

Dinsdag, 18.05 uur
Seoul

De drie mannen liepen rustig het steegje door. Toen ze bij het raam van het oude hotel kwamen, bleef Ooglapje de straat in de gaten houden terwijl de twee andere mannen zich naar binnen lieten zakken. Toen ze eenmaal binnen waren, kwam hij snel achter hen aan.
Hij liep haastig naar de plunjezak die hij had laten staan en trok er drie bundeltjes uit. Hij hield het Zuidkoreaanse kapiteinsuniform voor zichzelf en wierp de twee anderen ieder een onderofficiersuniform toe. Ze trokken hun schoenen uit, propten ze samen met hun kleren in de plunjezak en trokken snel hun uniform aan.
Toen ze klaar waren, liep Ooglapje weer naar het raam, klom erdoorheen en wenkte de twee anderen dat ze achter hem aan moesten komen. Met hun tas in de hand wandelden ze snel het steegje uit en liepen van het paleis weg naar een zijstraatje, waar een vierde man op hen zat te wachten in een jeep met een lopende motor. Zodra ze zaten, draaide de jeep de Chonggyechonno op en reed weg van de explosie, naar het noorden.

8

Dinsdag, 04.08 uur
Chevy Chase, Maryland

Paul Hood trok zachtjes de deur van de slaapkamer achter zich dicht. Hij liep naar het bed van zijn zoontje, legde een hand over diens ogen en deed het lampje naast het bed aan.

'Papa...' hijgde het jongetje.

'Ik weet het,' zei Hood zachtjes. Nadat hij zijn vingers gespreid had om het licht geleidelijk toe te laten, pakte hij de inhalator onder het nachtkastje vandaan. Het ding was ongeveer zo groot als een lunchtrommeltje. Hood klapte het deksel op, haalde de slang eruit en gaf die aan Alexander. Het jongetje stak het uiteinde in zijn mond terwijl zijn vader wat Ventolin in de sleuf aan de bovenkant van het apparaat liet druppelen.

'Ik neem aan dat je me graag verrot zou willen schoppen terwijl je hiermee bezig bent?'

Het jongetje knikte zwaarwichtig.

'Ik ga je leren schaken.'

Alexander haalde zijn schouders op.

'Het is een spel waarin je mensen figuurlijk verrot kunt schoppen. Dat is een stuk bevredigender.'

Alexander trok een lelijk gezicht.

Nadat hij het apparaat had ingeschakeld liep Hood naar de kleine kleuren-tv in de hoek van de kamer en zette de spelcomputer aan. Terwijl het *Mortal Kombat*-logo op het scherm verscheen, liep hij met een paar joysticks in zijn handen weer naar het bed.

'Niet het wachtwoord voor de bloederige versie intikken, hoor,' zei Hood, voordat hij er een aan het jongetje gaf. 'Ik heb vannacht geen zin om te zien hoe mijn hart eruit wordt gerukt.'

Zijn zoontje zette grote ogen op.

'Precies. Ik weet dat je de A,B,A,C,A,B,B-code moet intoetsen op het *Code of Honour*-scherm. De vorige keer heb ik je het zien doen, en ik heb Matt Stoll gevraagd wat dat allemaal te betekenen had.'

Toen hij op de rand van het bed ging zitten, waren de ogen van het jongetje nog steeds wijd opengesperd.

'Ja... met de technici van het Op-Center valt niet te spotten, jongen, en met hun baas al evenmin.'

Met het mondstuk stevig tussen zijn tanden geklemd drukte Alexander nadrukkelijk alleen maar op de Start-knop. Kort daarna werd de kamer

gevuld met gegrom en scherpe, kletsende geluiden terwijl Liu Kang en Johnny Cage elkaar bevochten op het scherm.
Het leek Hood senior net voor de allereerste keer te lukken om zijn zoon partij te bieden toen de telefoon ging. Op dit uur van de nacht kon dat alleen maar een verkeerd nummer zijn, of een crisis.
Hij hoorde de houten vloer kraken, en een ogenblik later stak Sharon haar hoofd om de deur.
'Het is Steve Burkow.'
Onmiddellijk was Hood klaarwakker. Om deze tijd kon dat alleen maar iets heel groots zijn.
Alexander had van de afleiding gebruik gemaakt om zijn vaders poppetje twee snelle, hoge schoppen te geven, en terwijl Hood opstond, viel Johnny Cage dood neer.
'In ieder geval krijg je nu niet de kans om mijn hart uit te rukken,' zei Hood terwijl hij de joystick neerzette en naar de deur liep.
Nu sperde zijn vrouw haar ogen wijd open.
'Mannenpraat,' zei Hood terwijl hij haastig langs haar heen liep. Toen hij bij de deur was, gaf hij haar snel een tikje op haar billen.
De telefoon in de slaapkamer was beveiligd, en dus niet draagbaar, maar Hood zat er niet langer aan dan de nationale-veiligheidsadviseur nodig had om hem over de ontploffing te vertellen en te zeggen dat hij naar de bijeenkomst in de Situation Room moest komen.
Sharon kwam langzaam de kamer binnenlopen en aan de vechtgeluiden hoorde Hood dat Alexander nu tegen de computer aan het vechten was.
'Sorry. Ik had hem niet gehoord,' zei ze.
Hood stapte uit zijn pyjamabroek en trok zijn pantalon aan. 'Het is in orde. Ik was toch al wakker.'
Ze knikte naar de telefoon. 'Is het belangrijk?'
'Terrorisme in Seoul, een bomontploffing. Dat is alles wat ik weet.'
Ze wreef over haar blote armen. 'Heb je in bed soms aan me gezeten?'
Hood haakte snel zijn witte overhemd van de deurknop van de klerenkast en glimlachte vaag. 'Ik lag erover te denken.'
'Mmmm... het moet invloed hebben gehad op mijn droom. Ik zou gezworen hebben dat je het wel had gedaan.'
Hood ging op bed zitten en trok zijn schoenen aan.
Terwijl hij zijn veters vastmaakte, kwam Sharon naast hem zitten en aaide hem over zijn rug. 'Paul, weet je wat wij nodig hebben?'
'Een vakantie,' zei hij.
'Niet alleen maar een vakantie. We moeten er een tijdje tussenuit... alléén.'
Hij stond op en griste zijn horloge, portefeuille, sleutel en pasje van het

nachtkastje. 'Daar heb ik net over liggen denken.'
Sharon bleef zwijgen; haar scheve glimlach zei al meer dan voldoende.
'Ik beloof het je, dat doen we,' zei hij terwijl hij haar zachtjes op het hoofd kuste. 'Ik hou van je, en zodra ik de wereld heb gered, gaan we er eens iets van bekijken.'
'Bel je me?' zei Sharon terwijl ze achter hem aan de deur uit liep.
'Doe ik,' zei hij terwijl hij in looppas door de hal rende. Daarna liep hij met twee treden tegelijk de trap af en rende het huis uit.
Terwijl hij de Volvo achteruit de oprijlaan af reed, toetste Hood Mike Rodgers' nummer in en zette hem op de luidspreker.
De telefoon ging nauwelijks één keer over. Het bleef stil aan de andere kant van de lijn.
'Mike?'
'Ja, Paul,' zei Rodgers. 'Ik heb het gehoord.'
Hij had het gehoord? Paul keek stuurs voor zich uit. Hij mocht Rodgers graag. Hij koesterde grote bewondering voor de man en was in hoge mate van hem afhankelijk. Maar Hood beloofde zichzelf dat hij met pensioen zou gaan als hij de generaal-majoor ooit op een onachtzaamheid zou kunnen betrappen. Na zo'n hoogtepunt zou de rest van zijn carrière alleen nog maar een anticlimax kunnen zijn.
'Wie heeft het je verteld?' vroeg Hood. 'Iemand op de basis in Seoul?'
'Nee,' zei Rodgers. 'Ik heb het op CNN gezien.'
Hood begon nu echt chagrijnig te kijken. Hijzelf kòn niet slapen, maar het leek wel of Rodgers geen slaap nodig had. Misschien dat vrijgezellen meer energie hadden, of misschien had de man wel een verbond met de duivel gesloten. Antwoord op die vraag zou hij pas krijgen als een van Rodgers' twintigjarige vriendinnetjes hem ooit zo gek kreeg om met haar te trouwen, en anders over zesenhalf jaar.
Omdat de autotelefoon niet beveiligd was, moest Hood zijn instructies omzichtig formuleren.
'Mike, ik ben op weg naar de baas. Ik weet niet wat hij zal gaan zeggen, maar ik wil dat je een Striker Team klaar hebt staan.'
'Goed idee. Heb je reden om te denken dat hij ons nu eindelijk eens een interland zal laten spelen?'
'Geen enkele,' zei Hood. 'Maar als hij besluit dat hij het hard wil spelen, hebben we in ieder geval een goede uitgangspositie.'
'Dat bevalt me wel,' zei Rodgers. 'Zoals lord Nelson zei tijdens de Slag bij Kopenhagen: "Let op mijn woorden, ik zou nergens anders willen zijn, al kreeg ik er heel veel geld voor."'
Op de een of andere vreemde manier zorgde die opmerking van Rodgers ervoor dat Hood zich slecht op zijn gemak voelde toen hij de telefoon

ophing. Maar hij zette het van zich af, belde adjunct-directeur Curt Hardaway, die nachtdienst had, en droeg hem op ervoor te zorgen dat het topteam om half zes in zijn kantoor zou zijn. Hij vroeg hem ook om Gregory Donald op te sporen. Die was bij de ceremonie aanwezig geweest... Hood hoopte maar dat alles goed met hem ging.

9

Dinsdag, 18.10 uur
Seoul

De schokgolf had Gregory Donald drie rijen lager neergesmeten dan de rij waarin hij gezeten had, maar hij was terechtgekomen op iemand die zijn val had gebroken. Zijn weldoenster, een fors gebouwde vrouw, probeerde overeind te krabbelen en Donald deed zijn best om zich van haar af te laten rollen zonder op de jongeman naast haar te belanden.

'Neemt u me niet kwalijk,' zei hij terwijl hij zich over de vrouw heen boog. 'Bent u in orde?'

De vrouw keek niet op, en pas toen hij het haar nog een keer vroeg, viel het Donald op dat hij een luide galm hoorde. Hij duwde zijn vingers in zijn oren; er zat geen bloed aan, maar hij realiseerde zich dat het nog wel even zou duren voordat hij weer duidelijk zou kunnen horen.

Om weer bij zijn positieven te komen, bleef hij een ogenblik zitten. Zijn eerste gedachte was dat de tribune was ingestort, maar dat was duidelijk niet het geval. Toen herinnerde hij zich de brullende knal, die een ogenblik later gevolgd was door een harde klap tegen zijn borst, een klap die hem van zijn stoel had gesmeten en bewusteloos had geslagen.

Zijn hoofd werd nu snel helderder.

Een bom. Het moest een bom zijn geweest.

Met een ruk draaide hij zijn hoofd naar rechts, in de richting van de boulevard.

Soonji!

Hij krabbelde moeizaam overeind, bleef een ogenblik stilstaan om er zeker van te zijn dat hij niet weer van zijn stokje zou gaan, en zocht toen haastig zijn weg naar beneden, de tribune af en de straat op.

Het stof van de ontploffing hing als een dikke mist in de lucht en het zicht was in alle richtingen niet meer dan een halve meter. In het voorbijgaan zag hij zowel op de tribune als op straat mensen die in een shocktoestand verkeerden. Anderen hoestten en kreunden, en zwaaiden hun handen heen en weer voor hun gezicht om de lucht wat helderder te maken. Velen van hen probeerden op te staan, naar beneden te klimmen of zich onder het puin uit te werken. Her en der verspreid lagen bebloede lijken, vol met door de explosie weggeslagen metaalsplinters.
Donald voelde met hen mee, maar kon niet blijven staan. Niet voordat hij wist of Soonji veilig was.
Het gedempte geluid van sirenes scheurde door het galmende geluid in zijn oren, en terwijl hij weer even bleef stilstaan, keek Donald speurend rond naar hun rode zwaailichten; als hij die zag, zou hij weten waar de boulevard was. Toen hij ze ontdekte, baande hij zich er half lopend, half struikelend door de poederige mist een weg naartoe. Zo nu en dan stapte hij plotseling onhandig opzij om een slachtoffer of een groot stuk verwrongen metaal te ontwijken. Toen hij dichter bij de straat kwam, hoorde hij gedempte kreten en zag hij schimmige gedaanten in blauwe politieuniformen en witte doktersjassen druk af en aan lopen.
Donald bleef abrupt stilstaan toen hij bijna tegen het wiel van een vrachtwagen aan liep. Terwijl de zware metalen schijf langzaam ronddraaide, wuifden de flarden rubber die eraan hingen langzaam heen en weer als donker zeewier aan het wrak van een galjoen, en toen hij naar de grond keek, besefte Donald dat hij zich al op de boulevard bevond.
Hij deed een paar stappen naar achteren en keek naar rechts.
Nee, de andere kant. Ze was uit de richting van Yi's warenhuis gekomen.
Donald verstijfde toen iemand hem bij de arm greep. Hij keek naar rechts en zag een jonge vrouw in het wit.
'Alles in orde, meneer?'
Hij wierp haar een zijdelingse blik toe en wees op zijn oor.
'Ik vroeg of u in orde was?'
Hij knikte. 'Zorg maar voor de anderen,' riep hij. 'Ik ben op zoek naar het warenhuis.'
De vrouw keek hem bevreemd aan. 'Weet u zéker dat u in orde bent, meneer?'
Terwijl hij kalm haar hand van zijn arm tilde, knikte hij nog een keer. 'Ik ben prima in orde. Mijn vrouw liep hier en ik moet haar zien te vinden.'
Met een vreemde blik in haar ogen zei de verpleegster: 'Dit is Yi's warenhuis, meneer.'
Toen ze zich omdraaide om iemand te helpen die tegen een brievenbus geleund stond, deed Donald een paar stappen terug en keek omhoog. De

woorden hadden hem geraakt alsof ze een tweede schokgolf waren en hij kon nauwelijks lucht krijgen. Het leek wel of er plotseling een loden last op zijn borst lag. Hij zag nu dat de vrachtwagen niet alleen gekanteld was, maar dwars door de voorgevel van het warenhuis was geslagen. Hij kneep zijn ogen strak dicht, bracht zijn handen naar zijn hoofd en schudde het heftig heen en weer terwijl hij zijn best deed om zich geen beeld te vormen van wat hij aan de andere kant van de muur zou aantreffen.

Er is niets met haar gebeurd, zei hij tegen zichzelf. Ze was iemand die altijd geluk had. Het meisje dat altijd de tombola won, dat haar geld op het winnende paard zette, dat met hèm getrouwd was. Ze was ongedeerd. Dat moest ze wel zijn.

Hij draaide zich snel om toen hij opnieuw een hand op zijn arm voelde. Haar lange zwarte haren waren bedekt met wit stof en haar lichtbruine jurk zat onder het vuil, maar Soonji stond glimlachend naast hem.

'Goddank!' riep hij en gaf haar een stevige omhelzing. 'Ik heb me zo bezorgd gemaakt, Soon! God, wat ben ik blij dat je ongedeerd bent...'

Zijn stem stierf langzaam weg toen hij haar lichaam plotseling voelde verslappen. Hij schoof zijn arm naar beneden, zodat hij haar middel vasthield, en voelde dat de mouw van zijn jasje aan haar rug bleef kleven.

Met een groeiend gevoel van afgrijzen knielde hij neer, met zijn vrouw in zijn armen, en nadat hij haar voorzichtig op haar zij had gelegd, keek hij naar haar rug en snakte naar adem toen hij de plek zag waar haar kleren weggeschroeid waren. Zowel haar donkerrode vlees als haar jurk droop van het bloed, en daardoorheen schemerden witte botten. Terwijl hij zijn vrouw stevig tegen zich aan drukte, hoorde Gregory Donald zichzelf gillen, hoorde het gejammer dat opsteeg vanuit het diepst van zijn ziel.

Een flitslamp lichtte fel op en het bekende gezicht van de verpleegster boog zich over hen heen. Ze wenkte naar iemand achter zich en meteen daarna trokken er andere handen aan de zijne in een poging om Soonji uit zijn omhelzing los te wrikken. Donald stribbelde verwoed tegen, maar gaf het ineens op toen hij besefte dat het niet zijn liefde was waar zijn dierbare vrouw op dat moment behoefte aan had.

10

Dinsdag, 18.13 uur
Nagato, Japan

De pachinkohal was een kleinere versie van de beroemde hallen in Tokyo's Ginza-buurt. Het lange en smalle gebouw was bijna even lang als tien goederenwagons achter elkaar. Aan weerszijden stonden de pachinkomachines in een lange rij langs de muren en overal waren mensen aan het spelen, zodat de hele hal was gevuld met sigaretterook en het oorverdovende gekletter van metalen kogels.
Elk spel bestond uit een rond, verticaal speeloppervlak met een hoogte van bijna een meter, een breedte van vijftig centimeter en een diepte van vijftien centimeter. Achter een glazen plaat zat een kleurige achtergrond waar een aantal stootringen en metalen flippers uit staken. Als er een muntje in werd geworpen, kwam er een aantal kleine metalen balletjes naar beneden vallen. Net als in een flipperkast rolden, ze nadat ze tegen de obstakels aan gebotst waren, alle kanten op. De speler kon aan een knop rechtsonder draaien om ervoor te zorgen dat alle balletjes de bodem van de kast bereikten; hoe meer balletjes er in de gleuf kwamen te liggen, des te meer kaartjes de speler kreeg. Als hij genoeg kaartjes had verzameld, kon hij ermee naar de uitgang lopen om daar een keuze te doen uit de collectie opgezette dieren.
Hoewel gokken in Japan verboden is, was het niet tegen de wet om een opgezet beest dat je net gewonnen had, meteen weer te verkopen. Dat gebeurde in een klein achterkamertje. Kleine beertjes brachten twintigduizend yen op, grote konijnen twee keer zoveel en een opgezette tijger ging voor zestigduizend yen over de toonbank.
De gemiddelde speler spendeerde hier vijfduizend yen per avond, en doorgaans stonden er zo'n tweehonderd spelers aan de zestig machines in deze pachinkohal. Hoewel ze het leuk vonden om te winnen, waren maar weinig mensen echt op het geld uit. De manier waarop de balletjes door de doolhof tuimelden, de spanning van het afwachten of je geluk zou hebben of juist niet... het had iets verslavends. In werkelijkheid gingen de spelers een confrontatie aan met het noodlot, om te bepalen hoe de goden hun gezind waren. Er bestond een wijdverbreid geloof dat als je hier geluk had, je dat in de buitenwereld ook zou hebben. Niemand kon uitleggen waarom, maar het bleek vaak zo te werken.
De pachinkohallen waren overal op de Japanse eilanden te vinden. Sommige werden gedreven door eerbare families, die de hallen al eeuwenlang

in bezit hadden. Andere waren in handen van de georganiseerde misdaad, vooral van de Yakuza en de Sanzoku – de ene groep een moderne misdadigersbende, de andere een oude bandietenclan.
De hal in Nagato, aan de westkust van Honshu, was eigendom van de onafhankelijke familie Tsuburaya, die deze hal en zijn voorgangers al meer dan twee eeuwen exploiteerde. De georganiseerde misdaad deed regelmatig beleefd een bod, maar de Tsuburaya's wilden niet verkopen. Ze gebruikten hun inkomsten om bedrijven op te zetten in Noord-Korea. Het waren potentieel winstgevende steunpunten die ze hoopten te kunnen uitbreiden nadat de unificatie werkelijkheid was geworden.
Twee keer per week, op dinsdag en vrijdag, stuurde Eiji Tsuburaya miljoenen yens naar Noord-Korea. Daarvoor gebruikte hij twee vertrouwde Zuidkoreaanse koeriers. Beide mannen kwamen laat in de middag aan met de veerboot. Ze hadden twee lege, onopvallende koffertjes bij zich en liepen meteen door naar de achterkamer. Even later vertrokken ze dan weer met volle koffertjes en waren terug op de veerboot voordat die omkeerde en aan de meer dan tweehonderd kilometer lange terugtocht naar Pusan begon. Van daaruit werd het geld naar het noorden gesmokkeld door leden van het PVK, de Patriotten voor een Verenigd Korea, een groep mensen uit het Noorden en Zuiden, zakenmensen, douanebeambten en straatvegers. Ze waren van mening dat winst voor ondernemers en grotere welvaart voor het Noordkoreaanse publiek in het algemeen de communistische leiders zouden dwingen tot het aanvaarden van een open markt en dat die op de lange termijn tot hereniging zou leiden.
Zoals altijd liepen de mannen de hal uit, stapten in de gereedstaande taxi en bleven daar tijdens de tien minuten durende rit naar de veerboot rustig in zitten. Anders dan op andere dagen werden ze dit keer echter gevolgd.

11

Dinsdag, 18.15 uur
Seoul

Kim Hwan zag Donald op een stoeprand zitten. Hij liet zijn voorhoofd op zijn handen rusten; zijn jasje en broek zaten onder het bloed.

'Gregory!' riep hij terwijl hij naar hem toe rende.
Donald keek op. Er zaten vegen bloed en tranen op zijn wangen en in zijn warrige zilvergrijze haar. Hij probeerde op te staan, maar zijn benen begonnen te trillen en hij viel achterover; Hwan ving hem op, sloeg zijn armen stevig om hem heen en liet hem langzaam weer op de grond zakken. De agent liet hem net lang genoeg los om zich ervan te vergewissen dat het bloed niet van Donald zelf was, en sloot hem toen opnieuw in zijn armen. Donalds woorden gingen verloren in zijn luide snikken en hij hapte hijgend naar adem.
'Zeg maar niets,' zei Hwan zachtjes. 'Mijn assistent heeft het me verteld.'
Donald leek hem niet te horen. 'Ze... ze was een... door en door... goed mens!'
'Dat was ze. God zal voor haar zorgen.'
'Kim... Hij zou haar niet bij zich moeten hebben... maar ik. Ze zou hier moeten zijn...'
Toen hij zijn wang tegen Donalds hoofd aan drukte, kostte het Hwan de grootste moeite om zijn eigen tranen te bedwingen. 'Dat weet ik.'
'Wie heeft ze... kwaad gedaan? Ze had... geen kwaad in zich. Ik begrijp het niet.' Hij drukte zijn gezicht tegen Hwans borst. 'Ik wil haar terug, Kim... Ik wil... haar...'
Hwan zag dat een verpleger zich omdraaide om naar hen te kijken en wenkte naar hem. Daarna kwam hij langzaam overeind, terwijl hij Donald stevig bleef vasthouden.
'Donald, ik wil dat je iets voor me doet. Ik wil dat je met iemand meegaat, zodat ze kunnen kijken of je echt wel in orde bent.'
De verpleger legde zijn hand op Donalds arm, maar hij wrong zich los.
'Ik wil Soonji zien. Waar hebben ze... mijn vrouw heen gebracht?'
Hwan keek de verpleger aan en die wees naar een bioscoop. Er lagen lijkzakken op de vloer en er werden nog steeds nieuwe binnengebracht.
'Er wordt voor haar gezorgd, Gregory. En jij moet nu voor jezelf zorgen. Je zou gewond kunnen zijn.'
'Mij mankeert niks.'
'Meneer,' zei de verpleger tegen Hwan. 'Er zijn ook nog andere...'
'Natuurlijk. Het spijt me. Dank u wel.'
De verpleger rende gehaast weg en Hwan deed een stap naar achteren. Terwijl hij Donald bij de schouders vast bleef houden, tuurde hij in diens donkere ogen, altijd zo vol liefde, maar nu rood en glazig van verdriet. Hij zou hem niet dwingen om naar het ziekenhuis te gaan, maar hem hier achterlaten was ook niet mogelijk.
'Gregory, wil je iets voor me doen?'
Donald keek recht door hem heen, en stond nu weer te huilen.

'Ik heb hulp nodig bij deze zaak. Ga je mee?'
Donald keek hem aan. 'Ik wil bij Soonji blijven.'
'Gregory...'
'Ik hou van haar. Ze... heeft me nodig.'
'Nee,' zei Hwan zachtjes. 'Je kunt nu niets meer voor haar doen.' Hij greep Donald bij de schouders, draaide hem om en wees naar het theater in het volgende huizenblok. 'Dáár hoor je niet. Jij hoort bij mensen die je wèl kunt helpen. Ga met mij mee en help me bij het zoeken naar de mensen die dit hebben gedaan.'
Donald knipperde een paar keer met zijn ogen en klopte toen verstrooid op zijn beide zakken. Hwan stak zijn hand in Donalds zak.
'Zoek je dit soms?' vroeg hij, en overhandigde hem de pijp.
Donald pakte hem aan. Hij bewoog zich moeizaam en aarzelend en Hwan moest hem helpen om de pijp in zijn mond te stoppen. Toen hij geen aanstalten maakte om zijn tabak te pakken, nam Hwan hem bij de arm en leidde hem door het neerdalende stof over het steeds drukker wordende plein.

12

Dinsdag, 05.15 uur
Het Witte Huis

De Situation Room van het Witte Huis bevond zich op de eerste ondergrondse verdieping, recht onder het Oval Office. In het midden van de helverlichte ruimte stond een langwerpige, mahoniehouten tafel; iedere plaats aan de tafel was voorzien van een STU-3 en een computerbeeldscherm met een uitschuifbaar toetsenbord eronder. Zoals alle computerinstallaties van de overheid vormde dit netwerk een gesloten circuit; van buiten afkomstige software werd eerst op virussen gecontroleerd voor hij op het netwerk werd toegelaten, zelfs als hij van het Ministerie van Defensie of het State Department afkomstig was.
Aan de muren hingen grootschalige kaarten waarop de locaties waren aangegeven van Amerikaanse en buitenlandse troepen. Crisisgebieden waren gemarkeerd met vlaggetjes: rode voor actuele, en groene voor latente. Seoul was al voorzien van een rood vlaggetje.

Paul Hood was bij de westelijke ingang van het Witte Huis aangekomen en nam, nadat hij door de metaaldetector was gelopen, de lift naar beneden. Toen de deur openging, werd zijn identiteitsbewijs gecontroleerd door een schildwacht van het corps mariniers, die hem daarna begeleidde naar een klein tafeltje naast een deur zonder deurkruk. Hood drukte zijn duim zachtjes op een klein schermpje; een ogenblik later klonk er een zoemend geluid en de deur sprong open. Toen Hood naar binnen liep, passeerde hij de wachtpost die zijn duimafdruk had vergeleken met de afdruk die was opgeslagen in de computer; als de twee afdrukken niet met elkaar waren overeengekomen, zou de deur niet zijn geopend. Alleen de president, de vice-president en de minister van Buitenlandse Zaken hoefden deze controle niet te ondergaan.
De deur naar de Situation Room stond open en Hood liep naar binnen. Er zaten al vier andere hoge functionarissen: minister van Buitenlandse Zaken Av Lincoln, minister van Defensie Ernesto Colon, voorzitter van de gezamenlijke chefs van staven Melvin Parker en CIA-directeur Greg Kidd stonden naast de deur met elkaar te praten. Aan een klein hoektafeltje zaten een paar secretaresses. Een van hen zou de notulen maken, in code, op een Powerbook, de andere had tot taak om alle gegevens die ze nodig mochten hebben op de computerschermen te brengen. Een marinier zette thermosflessen koffie, kannen met water en kopjes neer.
Met knikjes en handgebaren lieten de mannen Hood merken dat ze hem herkenden; alleen Lincoln liep meteen na zijn binnenkomst naar hem toe. Hij was bijna één meter tachtig lang, fors gebouwd, met een rond gezicht en een nogal dun wordende, V-vormige haarlok midden over zijn voorhoofd. Vroeger was hij een gevierd honkbalspeler geweest, en zijn overstap van het honkbalveld naar het parlement van Minnesota, en van daaruit naar het Congres, was nog sneller gegaan dan zijn oogverblindend snelle worpen. Hij was de eerste politicus die de kandidatuur van gouverneur Michael Lawrence had gesteund, en daarvoor was hij beloond met het Ministerie van Buitenlandse Zaken; de meeste mensen waren het erover eens dat Lincoln niet over de diplomatieke vaardigheden beschikte die voor die functie vereist waren, en dat hij de gewoonte had om de meest voor de hand liggende dingen als grote openbaringen te behandelen, maar president Lawrence was nu eenmaal heel loyaal.
'Hoe gaat het met jou?' vroeg Lincoln terwijl hij zijn hand uitstak.
'Redelijk, Av.'
'Dat was goed werk van jullie, toen op 4 juli bij de Independence Hall. Heel indrukwekkend.'
'Bedankt, maar het is nooit echt goed werk als er gijzelaars gewond raken.'
Lincoln zwaaide vol weerzin met zijn hand. 'Er is niemand gedood, en

daar gaat het om. Jezus, het is een godswonder dat je erin bent geslaagd om het werk van de plaatselijke politie, de FBI en de mensen van jullie eigen Striker Team te coördineren terwijl de media over je schouder stonden te loeren.' Hij schonk zichzelf een kop koffie in. 'Dit is net zoiets, Paul. Het is al op de televisie geweest, de mediadeskundologen lopen weer te wauwelen, en al voor het ontbijt zullen we opiniepeilingen te zien krijgen waaruit blijkt dat achtenzeventig procent van de Amerikaanse bevolking van mening is dat er helemaal geen troepen van ons gelegerd zouden moeten zijn in Korea, of waar dan ook.'

Hood keek op zijn horloge.

'Burkow heeft gebeld om te zeggen dat ze wat later zouden komen. De president heeft ambassadeur Hall aan de lijn. Hij wil niet dat de ambassade zonder zijn voorafgaande goedkeuring Amerikaanse burgers onderdak biedt of weigert, en dat er ook verder niets gedaan of gezegd wordt dat als teken van paniek gezien zou kunnen worden.'

'Natuurlijk.'

'Je weet hoe gemakkelijk dit soort dingen zichzelf vervullende voorspellingen kunnen worden.'

Hood knikte. 'Is er al iets bekend over wie het heeft gedaan?'

'Nee. Iedereen heeft het veroordeeld, inclusief de Noordkoreanen. Maar de regering spreekt natuurlijk niet namens de radicale voorstanders van de harde-lijnpolitiek, dus wie weet?'

Vanuit de andere hoek van de kamer zei de staatssecretaris van Defensie: 'De Noordkoreanen veroordelen altijd àlle terroristische aanslagen, zelfs die van henzelf. Toen ze dat verdwaalde KAL-vliegtuig hadden neergeschoten, spraken ze een veroordeling uit op hetzelfde moment dat ze in de wrakstukken op zoek waren naar camera's.'

'En die hebben ze ook gevonden,' zei Lincoln van achter zijn hand terwijl hij weer naar de anderen terugliep.

Terwijl hij zich een kop koffie inschonk, dacht Hood peinzend na over het *eerst schieten*-beleid van de Noordkoreanen. De vorige keer dat hij hier was geweest, was het om een Litouws spionagevliegtuig gegaan. De Russen hadden het neergehaald, en de president had besloten om er niet al te moeilijk over te gaan doen. Hij zou nooit vergeten hoe Lincoln toen boos opstond en zei: 'Wat denken jullie dat de wereldleiders zouden zeggen als wij ooit een buitenlands vliegtuig zouden neerschieten? Er zou een enorme hetze tegen ons gevoerd worden.'

Hij had gelijk. Om de een of andere reden golden er voor de VS andere spelregels.

Hood ging aan de noordwestkant van de tafel zitten, zo ver mogelijk uit de buurt van de president. Hij vond het leuk om te zien hoe de anderen elkaar onderuit probeerden te halen, en voor een toeschouwer was dit de beste plaats. De stafpsychologe van het Op-Center, Liz Gordon, had hem verteld hoe lichaamstaal werkte en waarop hij moest letten: het was onderdanig om je handen voor je op tafel over elkaar te leggen. Rechtop zitten was een teken van zelfvertrouwen, maar een voorovergebogen houding wees op onzekerheid – 'Kijk naar me, kijk naar me!' – en het hoofd in de nek leggen was neerbuigend. 'Het is als een bokser die je zijn kin laat zien,' had ze gezegd. 'Daarmee daagt hij je uit om erop te slaan, en dat doet hij omdat hij denkt dat je het toch niet kunt.'

Meteen nadat hij was gaan zitten, hoorde Hood de buitendeur opengaan, en daarna de volle, diepe stem van de president van de Verenigde Staten. Twee jaar geleden, tijdens de campagne, had een columnist geschreven dat het zijn stem was die de doorslag zou geven, omdat hij daarmee de mensen die nog geen mening hadden over de streep zou weten te trekken; het was een stem die vanuit zijn knieën leek op te komen en die tegen de tijd dat hij bij zijn mond was aangeland een Olympische grandeur en kracht had bereikt. En omdat hij ook nog eens één meter negentig lang was, klònk hij niet alleen als een president, maar zag hij er ook zo uit. Jammer genoeg had hij een groot deel van dat krediet verspeeld toen hij zich moest verantwoorden voor twee debâcles in het buitenlands beleid. Het sturen van wapens en voedsel aan de Bhutaanse rebellen was het eerste fiasco geweest. De rebellen hadden zich verzet tegen een onderdrukkend regime, maar de revolutie was uitgelopen op duizenden arrestaties en executies en had het regime sterker achtergelaten dan ooit tevoren. Het met fluwelen handschoenen aanpakken van een grensgeschil tussen Rusland en Litouwen was het tweede fiasco geweest. Het was erop uitgedraaid dat Moskou niet alleen land van de kleine republiek had ingepikt, maar er ook nog soldaten had gestationeerd. Dat had weer tot een enorme uittocht uit de stad Kaunas geleid, wat voedselrellen en honderden doden had opgeleverd.

In Europa was zijn geloofwaardigheid ernstig ondermijnd en tegenover het Congres en het Huis van Afgevaardigden was hij vleugellam. Hij kon zich geen enkele misstap meer veroorloven... en al helemaal niet tegenover een oude getrouwe bondgenoot.

Toen ze de kamer binnenkwamen, trok Burkow, de nationale-veiligheidsadviseur, nog net niet de stoel van de president voor hem onder de tafel uit, maar toen ze waren gaan zitten, schonk hij wel koffie in voor hen beiden.

Nog voordat iedereen aan tafel zat, nam de president al het woord.

'Heren,' zei hij, 'zoals u weet is er een uur en een kwartier geleden recht voor het Kyongbok-paleis in Seoul een geluidswagen ontploft. Enkele tientallen toeschouwers en politici zijn gedood en tot nu toe heeft de KCIA nog geen idee van het wie, wat en waarom. Er is van tevoren geen waarschuwing ontvangen en niemand heeft gebeld om de verantwoordelijkheid voor de aanslag op te eisen. Ambassadeur Hall heeft ons alleen maar verzocht om opnieuw onze steun aan de regering en het volk van Zuid-Korea te betuigen, en ik heb persvoorlichter Tracy opdracht gegeven om dat te doen. Ambassadeur Hall zal onmiddellijk een verklaring uitgeven waarin ze deze daad scherp veroordeelt. Hij leunde achterover. 'Ernie, stel dat het Noord-Korea is. Wat zou ons standaardbeleid dan zijn?'

De minister van Defensie keek naar een van de secretaresses en zei: 'Bestand NK-AS.' Toen hij zich weer omdraaide naar de tafel, stond het bestand NOORD-KOREA – ALARMSITUATIE al op het scherm. Hij vouwde zijn handen over elkaar.

'Kort samengevat, meneer de president, komt ons beleid erop neer dat we Defcon 5 afkondigen. Onze bases in het Zuiden en in Japan worden in hoogste staat van paraatheid gebracht en we vliegen troepen over vanuit Fort Pendleton en Fort Ord. Als de inlichtingendienst ook maar iets vindt dat erop wijst dat de Koreanen hun troepen aan het mobiliseren zijn, gaan we onmiddellijk over naar Defcon 4 en laten we onze schepen op de Indische Oceaan koers zetten naar Korea, zodat de Rapid Deployment Forces in stelling kunnen worden gebracht. Als de Noordkoreanen op onze troepenbewegingen reageren met eigen troepenbewegingen, gaan de dominostenen vallen en werken we de versnelde troepeninzet van Defcon 3, 2 en 1 af.' Hij wierp een snelle blik op het scherm en wees met zijn vinger op het item OORLOGSSIMULATIES. 'Als we het moment hebben bereikt waarna er geen weg terug is, zijn er drie mogelijke scenario's.'

Hood keek van het ene gezicht naar het andere. Iedereen was kalm, behalve Lincoln, die voorovergebogen zat en snel met zijn rechtervoet op de grond tikte. Dit was het soort situatie waarin hij zich het best voelde, het soort situatie waarin hij de harde jongen kon uithangen. De voorzitter van de gezamenlijke chefs van staven bevond zich aan het andere uiteinde van het spectrum. Zijn gezicht en zijn houding waren rustig en beheerst. In situaties als deze waren het nooit de militairen die aandrongen op het gebruik van geweld. Zelfs als de operatie succesvol zou zijn, zou er een prijs voor betaald moeten worden, en zij beseften hoe hoog die prijs zou zijn. Het waren altijd de politici en degenen die door hen aan een baantje geholpen waren, die gefrustreerd raakten of ongeduldig werden en zichzelf op een overwinning wilden trakteren, hoe snel en smerig die ook zijn mocht.

De minister van Defensie zette zijn leesbril op en keek aandachtig naar zijn monitor. Hij streek met zijn vinger over het menu en tikte op het scherm bij het item UPDATE NOTA DEFENSIE.

'Als de Verenigde Staten zich in geval van oorlog beperken tot een ondersteunende rol, valt Zuid-Korea binnen twee of drie weken in handen van het Noorden. Jullie kunnen hier zelf zien hoe de krachtsverhoudingen tussen de twee legers liggen.'
Hood bestudeerde de cijfers. Het Zuidkoreaanse leger stond er inderdaad net zo slecht voor als Colon had gezegd.

De militaire krachtsverhoudingen tussen het Noorden en het Zuiden zijn als volgt:

Troepen en materieel	*Zuiden*	*Noorden*
Leger	*540.000*	*900.000*
Marine	*60.000*	*46.000*
Luchtmacht	*55.000*	*84.000*
Totaal	*655.000*	*1.030.000*
Tanks	*1.800*	*3.800*
Pantserwagens	*1.900*	*2.500*
Stuks Artillerie	*4.500*	*10.300*
Oorlogsschepen	*190*	*434*
Ondersteunende schepen	*60*	*310*
Onderzeeërs	*1*	*26*
Tactische vliegtuigen	*520*	*850*
Ondersteunende vliegtuigen	*190*	*480*
Helikopters	*600*	*290*

Na een paar seconden bracht Colon het menu weer op het scherm en koos US 8TH ARMY, bijgewerkt overzicht.
'In het tweede scenario raken onze troepen in het Zuiden bij de strijd betrokken. Zelfs dan zijn onze kansen niet gunstig.'
Hood keek opnieuw naar het scherm.

Amerikaanse strijdkrachten in Zuid-Korea. Aantal manschappen:

Leger	*25.000*
Marine	*400*
Luchtmacht	*9.500*
Tanks	*200*
Pantserwagens	*500*
Tactische vliegtuigen	*100*

'Als we de Zuidkoreanen te hulp komen, heeft dat maar één voordeel: het kan afschrikwekkend werken. Wil Noord-Korea werkelijk oorlog met de Verenigde Staten?'
CIA-directeur Kidd vroeg: 'Heeft het geen afschrikwekkende werking als we ze alleen maar steun bieden?'
'Jammer genoeg niet. Als Pyongyang denkt dat we het gevecht niet aandurven, zullen ze optrekken naar Seoul, net zoals Bagdad deed in Koeweit toen ze dachten dat we ons afzijdig zouden houden.'
'En wat was dàt een vergissing,' mompelde Lincoln.
De president zei ongeduldig: 'En het derde scenario is de preventieve aanval?'
'Precies,' zei Colon. 'Samen met de Zuidkoreanen schakelen we hun communicatiecentra, toevoerlijnen en nucleaire opwerkingscentra uit. Dat doen we met behulp van conventionele wapens. Als de oorlogssimulaties correct zijn, zal dat de Noordkoreanen naar de onderhandelingstafel drijven.'
'Waarom zouden ze geen steun zoeken bij China en terugslaan?' vroeg CIA-directeur Kidd.
Parker, de voorzitter van de gezamenlijke chefs van staven, zei: 'Omdat ze weten dat onze defensieplannen bijna volledig gebaseerd zijn op de vroegtijdige inzet van nucleaire wapens. Dat is al zo sinds er in 1968 op militaire hulp is bezuinigd en er in 1970 is vastgesteld dat het Zuidkoreaanse leger en de twee Amerikaanse divisies in Korea samen de aanval niet zouden kunnen afslaan.'
'Hebben wij die informatie laten uitlekken?' vroeg de president.
'Nee, meneer. Dat hebben ze in de militaire tijdschriften gelezen. Christus, in 1974 heeft *Time* of *Rolling Stone* of iemand die een hekel aan Nixon had, al een artikel over onze nucleaire plannen met Noord-Korea gepubliceerd.'
Kidd leunde achterover. 'Dat geeft ons nog steeds niet de verzekering dat ze zich niet tot China zullen wenden en dat Peking hun geen nucleaire steun zal geven.'
'We zien dat gewoon niet als reële mogelijkheid.' Colon schakelde weer terug naar het menu en tikte op het item CHINA.
'Mel, de conflictoefeningen zijn jouw afdeling.' Ondanks het feit dat de kamer voorzien was van airconditioning stond het zweet de kleine voorzitter van de gezamenlijke chefs van staven op het voorhoofd. 'Een tijdje geleden hebben we een conflictoefening gehad met een scenario dat hierop lijkt. Dat was nadat Jimmy Carter naar Noord-Korea was gegaan om een praatje te maken met Kim Il Sung. Gezien de militaire situatie in China en de psychologische profielen van de leiders daar – die zijn aangeleverd door

jouw mensen, Paul – kwamen we tot de conclusie dat het niet waarschijnlijk was dat de Chinezen bij dit conflict betrokken zouden raken. We zouden dan wel de beperkende regels op investeringen wat minder stringent moeten toepassen en tegelijkertijd toestemming moeten geven voor wapenleveranties aan anti-Chinese groeperingen in Nepal. Die wapenleveranties zouden via India moeten lopen.'
'Hoe klein is de kans dan?' vroeg de president.
'Er is dan zevenentachtig procent kans dat ze zich afzijdig zullen houden.'
'Onze eigen SAGA-simulaties hebben een iets lager percentage opgeleverd,' zei Colon. 'Ongeveer zeventig procent. Maar het Studies, Analysis and Gaming Agency beschikte niet over recente psychologische profielen, dus ik ben geneigd om op Mels resultaten af te gaan.'
Hood zat aandachtig te luisteren. Hoewel hij met een uitdrukkingsloos gezicht voor zich uit bleef staren, merkte hij dat hij zich niet helemaal op zijn gemak voelde met de resultaten van Liz' onderzoek. Hij had veel respect voor de stafpsychologe, en ook voor zijn chef Operationele Ondersteuning Matt Stoll, maar als puntje bij paaltje kwam hechtte hij meer waarde aan ouderwetse intuïtie dan aan computeranalyses en psychologie. Zijn persvoorlichtster Ann Farris zei vaak spottend dat hij een echt gevoelsmens was, en daar had ze gelijk in.
Na een snelle blik op de klok onder op het scherm van zijn monitor, duwde de president de vingertoppen van zijn beide handen tegen elkaar. Colon gebaarde naar de secretaresse dat ze het scherm leeg moest maken en Hood keek toe hoe de raketten van de screensaver langzaam van rechts naar links en van links naar rechts over het scherm vlogen.
'Heren,' zei de president na een lange stilte, 'voor de duur van deze crisis wil ik dat u allemaal deel uitmaakt van de Crisisgroep Korea, en Paul' – hij keek Paul recht in het gezicht – 'ik wil dat jij de leiding op je neemt.'
Daar was de directeur van het Op-Center totaal niet op voorbereid, net zomin als de andere aanwezigen.
'Ik wil binnen vier uur een overzicht van alle beleidsopties. Zolang er geen verdere terroristische aanslagen of agressieve acties plaatsvinden, kun je ervan uitgaan dat er de eerste vierentwintig uur geleidelijk aan troepen worden ingezet, maar dat er geen militaire actie zal worden ondernomen. Dat geeft jouw mensen en de rest van de Crisisgroep de tijd om het beschikbare feitenmateriaal te evalueren en een addendum voor me te schrijven.' De president stond op.
'Bedankt heren. Av, kom om zes uur naar het Oval Office, zodat we de situatie kunnen bespreken met onze bondgenoten. Ernie, Mel, om zeven uur brengen we het kabinet en de leden van het Armed Services Committee op de hoogte van de situatie. En Paul, jou zie ik om half tien.'

Samen met de minister van Defensie en de voorzitter van de gezamenlijke chefs van staven verliet de president het vertrek. Av Lincoln liep naar Hood toe.
'Gefeliciteerd, Paul. Ik heb zo'n idee dat iemand een flinke douw gaat krijgen.' Hij boog zich naar Paul toe. 'Pas op dat jij die niet krijgt.'
Hij had gelijk. De president had Op-Center nog nooit een buitenlandse crisis laten afhandelen, en dat hij dat nu wel deed, betekende dat hij van plan was om hard en vastberaden terug te slaan als hij daar de kans voor zou krijgen. Als er iets mis zou gaan, zou hij de nieuwelingen de schuld kunnen geven en zijn politieke averij tot een minimum kunnen beperken door het Op-Center op te heffen. Hood zou dan een laagbetaalde baan in het Carter-center of het United States Institute of Peace kunnen nemen en zich als bekeerling tot het pacifisme naar allerlei galadiners en symposia laten sturen om daar het mikpunt van scherpe kritiek te zijn.
Av stak zijn duim omhoog en ging ervandoor, en nadat Hood even zijn gedachten op een rijtje had gezet, liep hij achter hem aan naar de lift. Afgezien van het feit dat hij de verantwoordelijkheid toegeschoven zou krijgen als er iets mis ging, zou hij ook voor scheidsrechter moeten spelen in een verwoed bureaucratisch gevecht om territorium. En dat zou het worden. Tijdens een telefonische conferentie met alle personen die bij de zojuist beëindigde vergadering aanwezig waren geweest, zou hij zes mensen met onderling sterk verschillende belangen en doelstellingen een samenhangende strategie moeten laten formuleren. Het hoorde bij zijn werk, en hij was er goed in, maar hij had er een hekel aan om te zien hoe mensen altijd eerst deden wat het beste was voor hun partij, daarna wat het beste was voor hun eigen organisatie en pas op de derde en laatste plaats wat het beste was voor het land.
Nou ja, er zat ook een vrolijke kant aan: misschien zou het hem allemaal lukken. En toen hij daarover nadacht, begon zijn adrenaline te stromen. Als de president bereid was om een risico te nemen met het Op-Center, zou Hood bereid moeten zijn om nog grotere risico's te nemen, zodat het Op-Center voor eens en altijd zijn internationale reputatie zou kunnen vestigen. Net als een van zijn helden, Babe Ruth: als je aan slag kwam, probeerde je een home run te slaan en geen tweehonkslag, en je dacht er al helemaal niet aan om je na drie slagen te laten uitgooien. Zelfs als dat je, zoals Babe, zestig procent van de keren dat je aan slag was overkwam...

13

Dinsdag, 05.25 uur
Marine-luchtbasis Quantico, Virginia

Het was een harde en langdurige strijd. De stilte van de vroege ochtend werd verstoord door kreten en bevelen, en met vertrokken gezichten ploften overal lichamen neer.

'Wat zijn het toch een halvegaren,' zei Melissa Squires tegen de andere vrouwen aan de picknicktafel. Ze tikte op de achterkant van haar mans semafoon. 'Je zou denken dat ze ook gewoon lol zouden kunnen hebben.'

'De kinderen hebben lol,' zei een andere vrouw. Toen ze haar dochter van haar vaders schouders zag vallen, huiverde ze. 'Oooh... dat bezorgt David voor de rest van de dag een rothumeur. Veronica en hij hebben hier al sinds kwart voor vijf geoefend.'

De andere vrouwen keken toe en plukten wat aan het snel koud wordende eten: uitgebakken spek, eieren en muffins. De dagelijkse zwembadoorlog duurde vandaag langer dan anders, maar ze wisten dat ze hun echtgenoten beter niet aan tafel konden roepen voor ze klaar waren. Dat zou hen alleen maar boos maken en komen zouden ze toch niet; niet als hun eer op het spel stond.

Er waren nog maar twee strijders over: de magere luitenant-kolonel Charlie Squires met zijn spichtige zoontje Billy en de gespierde soldaat David George met zijn zoon Clark. De kinderen veegden het haar uit hun ogen terwijl hun vaders langzaam om elkaar heen cirkelden, loerend op een zwak punt in de verdediging van de tegenstander, op een kind dat zijn evenwicht zou verliezen, een onhandige aanvallende beweging zou maken of zou huiveren en daardoor afgeleid zou worden.

Linda, de vrouw van sergeant Grey, zei: 'Vorige week, toen we op bezoek waren bij mijn familie in Alaska, kwamen Chick en ik vast te zitten in een sneeuwbank en hij wilde beslist geen takelwagen bellen. Hij zei dat ik de wagen in zijn vrij moest zetten, ging er toen achter staan en tilde hem op... eigenhandig. Daarna heeft hij twee dagen krom gelopen van de pijn, en denk maar niet dat hij dat wilde toegeven. Zoiets doe je als krachtpatser nou eenmaal niet.'

Er klonk een schreeuw uit het zwembad toen Clark op Billy af dook. In plaats van achteruit te stappen, zoals meestal, zette overste Squires een paar stappen naar voren, en terwijl Clark zich vooroverboog, greep Billy zijn uitgestrekte arm beet en trok die hard naar beneden, zodat de jongen ruggelings in het water terechtkwam. Soldaat George bleef met een ont-

stelde blik in zijn ogen staan kijken, eerst naar zijn zoon en toen naar Squires. Van de zijkant van de zwembad, waar de andere verslagen strijders de uitslag hadden zitten afwachten, klonk een licht applaus.
'Was dat alles, meneer?' zei George tegen Squires. 'Jeminee, dat duurde nog korter dan het eerste gevecht tussen Clay en Liston.'
'Het spijt me, jochie,' zei Squires met een knipoog. Hij stak zijn handen omhoog en trok zijn zoontje over zijn hoofd het water in.
'Wanneer hebt u dat bedacht, meneer?'
'Toen we ons stonden om te kleden. Het is wel een goed idee, hè? Iemand verwacht dat je achteruit zult stappen, maar in plaats daarvan stap je naar voren... dan moet hij wel in de war raken.'
'Dat is dus gelukt,' mompelde George, die met zijn zoon in zijn kielzog naar het ondiepe deel van het zwembad waadde.
'Mooi gevecht,' zei Clark tegen Billy terwijl hij als een hondje achter zijn vader aan zwom.
'Zoiets moet je niet zeggen,' mompelde George, die met een houding alsof hij Superman zelf was de trap opklom. 'Dan ben je morgen niet scherp genoeg.'
Terwijl Squires achter hem aan het zwembad uit klom, keek hij even naar zijn huis in het voor gezinnen bestemde woongedeelte van de luchtmachtbasis en zag een paar koplampen door het raam van zijn woonkamer schijnen. Toen de lampen werden uitgezet, pakte hij zijn handdoek van de ligstoel en zag een eenzame, scherp tegen de lichtblauwe horizon afstekende gestalte om de bungalow heen lopen. Niemand kon bij zijn huis komen zonder door de poort te moeten die zijn eenheid scheidde van de FBI-academie, en niemand kon door die poort zijn gekomen zonder zijn toestemming.
Tenzij het iemand van het Op-Center was.
Nadat hij de handdoek om zijn schouders had gehangen en zijn sandalen had aangetrokken, liep luitenant-kolonel Squires snel naar zijn huis toe.
'Charlie, je eieren worden koud!'
'Ik ben zo terug, meissie. Zet ze maar naast George, dan blijven ze warm.'
Squires' Striker Team bestond uit twaalf fulltimers plus ondersteunend personeel en was zes maanden geleden opgericht, tegelijk met het Op-Center. Ze vormden de zogenaamde 'zwarte' kant van de organisatie. Hun bestaan werd voor iedereen geheimgehouden, behalve voor degenen die er vanwege hun functie beslist van af moesten weten: de hoofden van de andere spionage- en militaire organisaties, plus de president en de vicepresident in eigen persoon. Hun mandaat was eenvoudig: ze werden ingezet als er offensieve actie nodig was. Ze vormden een elite-eenheid die hard en snel kon toeslaan. Hoewel alle leden van het Striker Team militairen

waren en hun salaris uitbetaald kregen door het wapen waar ze deel van uitmaakten, werkten ze in onopvallende broeken en overhemden, in camouflagekleuren en zonder merktekenen. Als ze hun opdracht verknoeiden, zou niemand hen kunnen traceren... en zou er niemand zijn die voor hun daden verantwoordelijk gesteld kon worden.

Squires glimlachte toen Mike Rodgers de hoek van het gebouw om kwam lopen. De grote, kromme neus, vier keer gebroken in de tijd dat hij op de universiteit basketbal speelde, bood een welkome aanblik, evenals zijn hoge, intelligente voorhoofd en zijn lichtbruine, bijna goudkleurige ogen.

'Ik hoop dat ik blij ben om u te zien,' zei Squires terwijl hij salueerde.

Nadat Rodgers zijn militaire groet had beantwoord, gaven de twee mannen elkaar een hand.

'Dat hangt ervan af of je je begint te vervelen of niet.'

'Heeft Cola-light prik? Jazeker, generaal, we zijn paraat.'

'Mooi zo, want ik heb al een helikopter besteld. Zorg dat nummer één tot en met elf klaar staan en laat Krebs een extra plunjezak meenemen. We vertrekken over vijf minuten.'

Squires wist dat hij niet moest vragen waarheen of waarom er maar elf mannen meegingen in plaats van het hele twaalftal; niet hier in de open lucht waar hun vrouwen of kinderen het zouden kunnen horen. Eén enkele onschuldige opmerking over een onbeveiligde telefoonlijn tijdens een gesprek met een vriend of familielid, kon rampzalige gevolgen hebben. Hij wist ook dat hij beter niet kon vragen wat er in het kleine zwarte koffertje zat dat Rodgers bij zich had, of waarom er een plaatje op genaaid zat van iets wat nog het meest leek op een stuk onkruid dat opbloeide uit een plaat beton. Als hij dat wilde, zou de generaal het hem uit eigen beweging wel vertellen, op een moment dat het hèm uitkwam.

In plaats daarvan zei Squires: 'Ja, generaal.' Hij salueerde opnieuw en rende in looppas terug naar de picknicktafels. De twaalf andere mannen stonden al klaar; de vijandige gevoelens en teleurstellingen van vanochtend waren al weer vergeten.

Na een korte opdracht van Squires renden elf van de twaalf mannen naar hun huizen om hun uitrusting te halen. Geen van hen bleef staan om afscheid te nemen van vrouw en kinderen: een bedroefde uitdrukking, een betraand gezicht, zou hun plotseling te binnen kunnen schieten op het moment dat ze hun leven zouden moeten wagen en hen dan doen aarzelen. Het was beter om zonder afscheid te vertrekken en het later weer goed te maken. De ene man die niet was uitgekozen, ging zitten en boog zich over zijn krant. Soldaat George had bepaald zijn ochtend niet.

Net als zijn manschappen had Squires altijd een gepakte plunjezak klaar staan en binnen vier minuten renden ze over het veld achter de afrastering naar de Bell Jetranger die stond warm te draaien voor de tocht van een half uur naar luchtmachtbasis Andrews.

14

Dinsdag, 19.30 uur
Seoul

De geluidswagen zag eruit als een uitgeholde avocado. Door de kracht van de ontploffing waren de wanden naar buiten gebogen, terwijl er van het interieur niets anders over was dan wat splinters en gestolde druppels metaal.
Kim Hwans team had die droevige restanten meer dan een uur lang doorzocht op mogelijke aanwijzingen. Op wat vroeger de onderkant van het regelpaneel was geweest, waren restanten van een kneedbom aangetroffen, en die waren voor analyse naar het laboratorium gestuurd. Behalve dat was er echter niets... alleen steeds meer namen die van de lijst met gewonden moesten worden overgeplaatst naar de dodenlijst. De mannen op de daken hadden niets ongebruikelijks gezien. Een van de twee videocamera's die ze daar hadden geïnstalleerd was vernietigd door rondvliegende scherven en de andere had op het podium gericht gestaan, en niet op de menigte. Alle tv-camera's waren ingezameld en de banden werden aandachtig bestudeerd om te zien of er iets ongewoons op stond. Omdat het erop leek dat alle cameramensen met hun rug naar de geluidswagen hadden gestaan, betwijfelde Hwan echter of dat iets zou opleveren, en het leek zijn computerexpert onwaarschijnlijk dat een van de camera's in een raam een weerspiegeling van de vrachtwagen zou hebben vastgelegd die goed genoeg was om uitvergroot en bestudeerd te worden.
Terwijl hij bezig was, stond Gregory Donald vlak naast hem, met zijn rug tegen een verkoolde lantaarnpaal en zijn onaangestoken pijp tussen zijn tanden geklemd. Hij had geen woord gezegd en niet van de grond opgekeken. Hij stond niet langer te huilen en leek niet in een shocktoestand te verkeren, maar Hwan kon zich absoluut niet voorstellen wat er op dit moment door hem heen moest gaan.
'Meneer!'

Hwan keek op toen zijn assistent Choi U Gil op een drafje naar hem toe kwam lopen.
'Ri denkt dat hij iets heeft gevonden.'
'Waar?'
'In een steegje naast het Sakong-hotel. Zal ik de directeur erbij roepen? Hij heeft gevraagd of we hem van alles op de hoogte wilden houden.'
Hwan stapte van het chassis van de geëxplodeerde wagen af. 'Laten we eerst maar eens gaan kijken. Ik weet zeker dat hij op dit moment zijn handen vol heeft.' Hij zal nu ongetwijfeld druk bezig zijn om de president uit te leggen waarom de beveiliging zo laks is geweest.
Hwan liep met Choi naar het Nationaal Museum aan de zuidkant van het paleis en merkte verrast op dat Donald langzaam achter hen aan kwam. Hwan bleef niet op hem wachten: hij was al blij dat er iets tot zijn vriend doordrong en wilde geen druk op hem uitoefenen. Ook voor Hwan zelf was bezig blijven het enige wat hij kon doen om niet te gaan piekeren over het verpletterende verlies dat ze hadden geleden.

Het brede W-vormige patroon in de droge aarde was afkomstig van de zool van een Noordkoreaanse legerschoen. Daar bestond geen enkele twijfel over. Dat had 'professor' Ri al verwacht, en Hwan had zijn vermoeden bevestigd.
'Ze zijn uit dat verlaten hotel daar gekomen,' zei de tengere, witharige chemicus.
'Ik heb al een team naar binnen gestuurd,' zei Choi tegen Hwan.
'Het lijkt erop dat de daders hieruit gedronken hebben.' De professor wees op de kapotgetrapte, lege waterfles die op de grond lag. 'En daarna zijn ze naar de geluidswagen gelopen.'
De aarde in het steegje was droog, maar er stond geen wind, zodat het spoor duidelijk zichtbaar was gebleven. Hwan knielde neer en tuurde aandachtig naar de voetafdrukken. Vier ervan waren compleet en twee waren slechts gedeeltelijk bewaard gebleven.
'Is alles gefotografeerd?' vroeg hij.
Choi knikte. 'Zowel de voetafdrukken als de fles. En omdat daar kennelijk iets gebeurd is, zijn we nu de kelder van het hotel aan het fotograferen.'
'Prima. Laat die fles op vingerafdrukken onderzoeken, en laat ze ook goed kijken of er nog iets op de hals zit... speeksel, voedselresten, het maakt niet uit wat.'
De jonge assistent rende naar de wagen, haalde een grote plastic zak en een metalen tang uit een koffertje en kwam er weer mee teruggelopen. Voorzichtig raapte hij de fles op, stopte hem in de zak en noteerde de tijd, datum en plaats op een wit kartonnen kaartje boven aan de zak. Daarna

haalde hij een werkopdracht uit zijn koffertje, vulde hem in, stopte de zak en de tang weer in het koffertje en klom langs de op wacht staande politieman door het raam weer naar binnen.

Hwan bleef de voetafdrukken aandachtig bestuderen en merkte op dat de afdruk aan de voorkant niet dieper was dan elders, wat betekende dat de terroristen niet hadden gehold. Hij probeerde ook uit te maken hoe nieuw de zolen waren en of de afdrukken van één of meerdere laarzen afkomstig waren. Er leken minstens twee verschillende rechtervoeten te zijn, en hij vond het nogal vreemd dat beide schoenzolen absoluut geen tekenen van slijtage leken te vertonen. De Noordkoreanen reikten doorgaans pas na de winter nieuwe laarzen uit, want in dat jaargetijde hadden die veel meer te lijden dan in de zomer.

'Als de fles door de terroristen is gebruikt, zul je er geen vingerafdrukken op aantreffen.'

Hwan keek op en richtte zijn blik op Donald. Donalds stem klonk monotoon en was nauwelijks hoorbaar. Zijn pijp was slordig in de zak van zijn jasje geduwd en zijn gezicht was lijkbleek, maar hij was hier, hij was bij zijn positieven en Hwan was blij hem te zien.

'Nee,' zei Hwan. 'Ik denk ook niet dat we die zullen vinden.'

'Is dat waarom ze die fles niet hebben meegenomen? Omdat ze wisten dat hij toch geen aanknopingspunten zou bieden?'

De professor zei: 'Die conclusie lijkt me gewettigd.'

Donald liep de overschaduwde diepten van het steegje in, maar bleef na een paar meter staan. Zijn armen hingen slap langs zijn lichaam en zijn schouders waren gekromd onder de afgrijselijke last die hij te torsen had. Toen hij zag hoeveel pijn zijn vriend leed, voelde Hwan zich machtelozer dan hij zich ooit had gevoeld.

'Dit steegje, zo dicht bij het hotel,' zei Donald. 'Ik kan me zo voorstellen dat de bedelaars en zwervers er alles weggehaald hebben wat ook maar enige waarde heeft, en daarom zou een fles als deze je zeker opvallen... en als je die eenmaal had gezien, zou je de voetafdrukken zeker ook opmerken.'

'Daar liep ik ook net aan te denken,' zei Hwan. 'We zouden het patroon herkennen en meteen denken te weten wie erachter zat.'

'Dat is mogelijk.' De professor haalde zijn schouders op. 'Maar het zou ook best kunnen dat een slordige jogger hem hier heeft neergesmeten en dat de daders hem niet eens gezien hebben.'

'Maar in dat geval zouden er vingerafdrukken op moeten staan,' zei Hwan.

'Dat is juist,' zei de professor. 'Dus kan ik maar beter aan het onderzoek beginnen. Ik kijk nog even of er iets in het hotel gevonden wordt en dan ga ik weer naar het laboratorium.'

Toen de kleine professor was weggelopen, kwam Hwan naast Donald staan.
'Bedankt voor wat je daarnet hebt gedaan,' zei Donald met trillende stem en neergeslagen ogen. 'Ik hoorde je wel, maar... ik had mezelf niet in de hand.'
'Hoe zou je dat ook gekund hebben?'
'Ik weet zelfs nu nog niet zeker of ik mezelf wel in de hand heb.' De tranen biggelden over zijn wangen terwijl hij zijn blik over het steegje liet gaan. Hij ademde zwaar en wreef met zijn vingers in zijn ogen. 'Deze aanslag, Kim... zo werken ze niet. Als ze ons een boodschap wilden sturen, hebben ze dat in het verleden altijd gedaan door middel van moordaanslagen of incidenten bij de gedemilitariseerde zone.'
'Dat weet ik. En er is nog iets.'
Voordat Hwan verder kon gaan, kwam een zwarte Mercedes met een diplomatiek nummerbord piepend tot stilstand voor de ingang van het steegje. Er stapte een keurige jongeman uit.
'Meneer Donald!'
Donald stapte uit het duister te voorschijn. 'Ik ben Gregory Donald.'
Hwan kwam snel naast hem staan. Hij wist niet wie er vandaag nog meer het doelwit van een aanslag zou worden, en hij nam geen risico's.
'Meneer,' zei de jongeman. 'Er ligt een boodschap voor u in de ambassade.'
'Van wie?'
'Ik moest zeggen dat hij van "een vijand van Bismarck" is.'
'Hood,' zei Donald tegen Hwan. 'Dat had ik al verwacht. Misschien heeft hij informatie voor ons.'
Toen de twee mannen naar de wagen liepen, boog de jonge functionaris zich over het dashboard en liet de elektrische portiersloten openspringen.
'Meneer, ik heb ook opdracht om te kijken hoe mevrouw Donald eraan toe is. Heeft ze misschien iets nodig? Wil ze met ons meekomen?'
Donald klemde zijn lippen op elkaar en schudde zijn hoofd; toen begaven zijn knieën het en met zijn armen over elkaar gevouwen viel hij tegen de zijkant van de wagen.
'Meneer!'
'Het komt wel goed met hem,' zei Hwan, en gebaarde naar de jongeman dat hij weer moest gaan zitten. 'Het komt wel weer goed met jou, Gregory.'
Terwijl hij weer op zijn benen ging staan, gaf Donald een knikje.
'Ik laat het je wel weten als we iets vinden.'
Nadat Hwan met een somber gezicht het portier had geopend, liet Donald zich op de achterbank zakken.

'Wil je iets voor me doen, Kim?'
'Alles.'
'Soonji hield van de ambassade en had veel bewondering voor de ambassadeur. Laat... laat haar daar niet heen brengen. Niet zoals ze er nu uitziet. Ik bel generaal Savran wel. Wil je ervoor zorgen dat...' Hij haalde diep adem. 'Dat ze naar de basis wordt gebracht?'
'Dat zal ik doen.'
Hwan sloeg het portier dicht. De wagen reed weg en verdween al snel in de verwarde massa van toeterende auto's, bussen en vrachtwagens. Door de omleiding rond het paleis was het spitsuur vandaag nog drukker dan anders.
'God zij met je, Gregory,' zei hij, en wierp toen een snelle blik op de rode zon. 'Ik kan niet met hem mee, Soonji, dus alsjeblieft... Pas een beetje op hem.'
Hwan draaide zich om, liep de steeg weer in en keek nog eens naar de voetafdrukken. In het licht van de ondergaande zon was de schaduw nog dieper geworden.
Maar er was nog iets, en dat zat hem meer dwars dan de wat al te toevallige aanwezigheid van de fles en de voetafdrukken.
Nadat hij de bewaker bij het kelderraam opdracht had gegeven om Choi te zeggen dat hij weer naar kantoor was gegaan, liep Hwan haastig terug naar zijn auto. Hij vroeg zich af hoever directeur Yung-Hoon zou willen gaan om deze zaak op te lossen...

15

Dinsdag, 05.55 uur
Washington, D.C.

Zodra hij in zijn auto zat, belde Hood met het Op-Center en zei tegen zijn assistent Stephen 'Bugs' Benet dat hij iedereen moest laten weten dat ze vanaf nú precies vierentwintig uur de tijd hadden. Dat was een idee dat Liz Gordon hem aan de hand had gedaan: onderzoek had uitgewezen dat de meeste mensen beter werken als ze een deadline hebben waarop ze zich kunnen richten. De klok vormde dan een voortdurende herinnering dat je

een marathon moest lopen, dat je nu alles moest geven, maar dat er ook een einde aan de inspanning zou komen.
Het was een van de weinige dingen waarover Liz en Hood het met elkaar eens waren.
Net toen Bugs hem vertelde dat Gregory Donald was gevonden en dat hij nu naar het ambassadegebouw aan de Sejongno werd gebracht, maar twee blokken van het paleis, ging Hoods draagbare telefoon. Hij zei tegen Bugs dat hij er over een kwartiertje zou zijn, verbrak de verbinding en nam de hoorn weer op.
'Paul, met mij.'
Sharon. Op de achtergrond hoorde hij een ping-geluid en gedempte stemmen. Ze was niet thuis.
'Wat is er, schat?'
'Het is Alexander.'
'Gaat het een beetje?'
'Nadat je weg was, begon hij erger te piepen dan ik hem ooit heb horen doen. De inhalator werkte niet, en dus heb ik hem maar naar het ziekenhuis gebracht.'
Plotseling leek het of er een zwaar gewicht op zijn borst lag.
'De artsen hebben hem een epinefrine-injectie gegeven, en ze houden hem nu onder observatie,' zei Sharon. 'Ik wil niet dat je hierheen komt. Ik zal je bellen zodra ik iets weet.'
'Je hoeft dit niet allemaal alleen te doen, Sharon.'
'Ik sta er niet alleen voor – dat weet ik. En wat zou je hier kunnen uitrichten?'
'Je hand vasthouden.'
'Hou de hand van de president maar vast. Ik red me wel. Hoor eens, ik wil Harleigh even bellen om te horen of alles goed gaat. Ik denk dat ze zich een ongeluk is geschrokken toen ze me met Alex door het huis zag rennen.'
'Beloof me dat je meteen belt als er iets is.'
'Beloofd.'
'En zeg ze dat ik van ze hou.'
'Dat zeg ik altijd.'
Hood voelde zich afschuwelijk terwijl hij door het vroege verkeer naar de luchtmachtbasis Andrews reed, waar het Op-Center gevestigd was. Sharon had in de zeventien jaar van hun huwelijk al een hoop te verstouwen gekregen, maar dit was wel het toppunt. Hij had de angst in haar stem gehoord, de zweem van bitterheid in haar opmerking over de president, en hij wilde naar haar toe. Maar hij wist dat ze zich dan alleen maar schuldig zou voelen omdat ze hem van zijn werk had gehouden, en als ze zich schuldig voelde, werd ze boos op zichzelf, en dat kon ze nu niet gebruiken.

Hoewel hij zich er doodongelukkig bij voelde, kon hij op dit moment niets anders doen dan naar het Op-Center gaan. De ironie van het lot, dacht hij. Hier zat hij dan, het hoofd van een van de meest geavanceerde organisaties ter wereld. Ze konden gijzelaars op anderhalve kilometer afstand afluisteren, en met behulp van spionagesatellieten konden ze over de schouder van iemand in Teheran meelezen in zijn krant. Maar er was niets wat hij kon doen om zijn zoontje te helpen... of zijn vrouw.
Met zweterige handpalmen en een droge mond reed hij snel de afrit naar de luchtmachtbasis af. Dat hij zijn gezin niet kon gaan helpen, kwam door de mensen die verantwoordelijk waren voor deze bomaanslag, en hij was vast van plan om hen daarvoor te laten boeten.

16

Dinsdag, 20.00 uur
De Japanse Zee

De boot dateerde nog van vóór de Tweede Wereldoorlog. Het was een veerboot die eerst was omgebouwd tot troepentransportschip en daarna weer tot veerboot.
Terwijl het donker werd boven zee, zaten de twee Noordkoreanen op de banken op het voordek met elkaar te dammen. Ze hadden een magnetisch bord met metalen stenen en gebruikten de twee plat op elkaar gelegde geldkoffers als een provisorisch tafeltje.
Er stak een sterke wind op die een fijne nevel van zeewater met zich meevoerde en het zware dambord licht heen en weer deed rammelen, en toen een van de mannen om zich heen keek, merkte hij dat de meeste passagiers in de kajuit waren gaan zitten, waar het warm, droog en licht was.
'We kunnen beter naar binnen gaan, Im,' zei hij. Het was niet verstandig om alleen te zijn: in een menigte liep je minder kans beroofd te worden.
Ze wachtten niet tot het spel uit was. Een van de mannen tilde het bord op en de andere pakte de handvatten van de koffers vast.
'Zorg dat je het bord niet scheef houdt, Yun. Ik stond...'
Er spatte een wolk bloeddruppeltjes op het bord. Yun keek op en zag een donkere gestalte achter zijn partner staan; uit Ims keel stak de glimmende

punt van een stiletto.
Yun opende zijn mond, maar voor hij kon schreeuwen, sneed een mes vanachteren zijn luchtpijp door. Terwijl hij zijn handen wanhopig tegen zijn keel drukte, gutste het bloed over zijn vingers en vermengde zich met dat van zijn reisgenoot. Het bloed dat in twee grote plassen op het dek lag, werd langzaam verdund door de zacht neervallende druppeltjes zeewater en de wind trok lichte rimpels in het oppervlak.

De twee moordenaars trokken hun messen los en terwijl de een zich over de stervenden heen boog, liep de ander naar het achterschip en ging aan de reling staan. Terwijl zijn collega de beide slachtoffers een pink afsneed, knipte hij met tussenpozen van tien seconden zijn zaklantaarn aan en uit. Alleen Yun slaagde er nog in een gorgelende schreeuw uit te stoten toen het mes door zijn vlees sneed.
Met zijn donkergrijze overjas wapperend in de wind, gooide de moordenaar de vingers overboord; de slachtoffers waren nu voorzien van de handtekening van de Yakuza, en de autoriteiten zouden die wekenlang achternazitten. Tegen de tijd dat ze beseften dat ze op een dwaalspoor gebracht waren, zou het al te laat zijn.
Nadat hij was teruggelopen om de koffers op te halen, verzekerde de moordenaar zich ervan dat ze goed dicht zaten en wierp toen een snelle blik op de kajuit. Achter de patrijspoorten waren geen gezichten te zien. De duisternis en de dichte waternevel zouden het trouwens toch onmogelijk hebben gemaakt om hen te identificeren, en de brug stond ver op het achterschip, boven de kajuit, zodat de bemanning geen goed zicht op het achterdek had. Met een beetje geluk zou er niemand naar buiten komen, en zou er dus ook niemand meer hoeven te sterven.
Zijn maat stond nog steeds te seinen met zijn zaklantaarn. Tegen de tijd dat hij weer naast hem stond, was het brommen van de ververwijderde motor al duidelijk hoorbaar en zagen ze het vage silhouet van het amfibievliegtuig, dat alleen zijn navigatielichten aan had, snel naderbij komen. De LA-4-200-Buccaneer haalde het schip in en kwam naast de laadklep in de achterspiegel varen, zodat de waternevel in de luchtstroom van de propellers veranderde in een wolk kleine pijltjes. De moordenaar richtte zijn zaklantaarn op de cockpit. De piloot duwde het luik achter de knikvleugel open en gooide een opblaasbaar reddingsvlot naar buiten dat via een ring in de boeg met een paar meter staalkabel aan het vliegtuig vastzat. Het smakte in het water en kwam meteen dwars op de wind te liggen.
De bemanning had het vliegtuig inmiddels opgemerkt en op de brug waren nu tekenen van activiteit te bespeuren.
'Schiet op,' zei de man met de zaklantaarn tegen zijn maat.

De man zette de koffers neer en nam een sprong in de richting van het vlot. Meteen nadat hij naast het vlot in het water was beland, greep hij de veiligheidslijn beet, trok zichzelf op het vlot en ging met zijn rug naar het vliegtuig staan. Zijn partner tilde een van de koffers op, gaf hem een zwaai in de richting van het vlot en liet los. De andere man ving de koffer op en stak zijn armen uit naar de tweede. Nadat hij die eveneens had gevangen, trok hij zijn collega aan boord, die inmiddels ook van de boot af gesprongen was.
De piloot was nog bezig om het vlot naar het vliegtuig toe te trekken toen de bemanningsleden het dek bereikten en daar de lijken aantroffen. Snel klommen de twee mannen in het vliegtuig. De boordlichten flitsten aan en binnen een paar seconden verdwenen het geld en het vliegtuig in noordelijke richting. Pas nadat het vliegtuig uit het zicht van het schip was, zou het van koers veranderen en naar het westen vliegen... niet naar Japan en de Yakuza, maar naar Noord-Korea.

17

Dinsdag, 06.02 uur
Het Op-Center

De avondploeg van het Op-Center werd om zes uur 's ochtends afgelost door de dagploeg. Paul Hood en Mike Rodgers namen dan de leiding over van Curt Hardaway en Bill Abram. Het was tegen het beleid om Hardaway en Abram het bevel te laten voeren nadat hun dienst erop zat. Belangrijke beslissingen konden het best genomen worden door frisse geesten, en op de zeldzame momenten dat zowel Hood als Rodgers niet beschikbaar was, werden de taken daarom verdeeld over verschillende leden van de dagploeg.
Medewerkster Politieke Zaken Martha Mackall was al enkele minuten eerder gearriveerd en nadat ze haar elektronische kaart had laten controleren, een pincode had ingetikt en de sombere, bewapende wachtposten achter de Lexan had begroet, bracht haar tegenhanger in het avondteam, Bob Sodaro, haar tijdens de werkoverdracht op de hoogte van wat er was gebeurd sinds 04.11 uur die ochtend, toen het Op-Center voor het eerst

betrokken was geraakt bij de Koreaanse crisis.
Met zelfverzekerde tred en een kaarsrechte rug liep de knappe, negenenveertig jaar oude dochter van de legendarische soulzanger Mack Mackall door het hart van het Op-Center: de grote kooi met zijn doolhof van kleine kantoortjes en met heen en weer hollende werknemers. Omdat Hoods codenummer nog niet op het gecomputeriseerde dienstrooster had gestaan toen ze zich had ingeschreven bij de controlepost boven, op de begane grond, wist ze dat ze voor hem zou moeten invallen tot hij er zelf zou zijn. Toen ze door de grote kooi naar de kantoren van de werknemers op kaderniveau liep, die een ring vormden rondom het hart van het Op-Center, hoorde ze dat haar naam werd omgeroepen over de intercom. Er was een telefoontje uit Korea voor Hood. Ze bleef staan, nam de hoorn van een van de muurtelefoons en vertelde de telefoniste dat ze het telefoontje voor de directeur zou aannemen in diens kantoor.
Ze was er al vlakbij. Het lag in de zuidwesthoek, naast de Tank, en het was het grootste kantoor in het hele gebouw. Dat was echter niet de reden waarom Hood er was gaan zitten. Hij had de kamer ook niet gekozen vanwege het uitzicht, want net als de rest van het gebouw had het vertrek geen ramen. Er was gewoon niemand anders die er had willen zitten. De Tank werd omgeven door elektronische circuits die een statische ruis opwekten om afluisteren tegen te gaan. Nadat was gebleken dat de jongere teamleden zich er enigszins bezorgd over maakten dat de golven hun voortplantingsorganen zouden kunnen beschadigen, had Hood gezegd dat hij de zijne toch nauwelijks meer nodig had en dat hij de beenruimte eigenlijk best kon gebruiken.
Zonder zijn medeweten had Liz Gordon die opmerking in zijn psychologische profielschets opgenomen. Seksuele frustratie zou een ongunstige invloed op zijn werkprestaties kunnen hebben.
Arme paus Paulus, dacht ze. Dat was de meest recente bijnaam die Ann Farris voor hem had bedacht. Martha vroeg zich af of de directeur wel besefte dat hij alleen maar even met zijn vingers naar zijn sexy persvoorlichtster hoefde te knippen om haar veel meer te laten doen dan hele reeksen bijnamen voor hem verzinnen. Dan zou hij een reden hebben om van kantoor te veranderen.
De deur klikte open en Martha liep de van een houten lambrizering voorziene kamer binnen. Ze ging op een hoek van het bureau zitten en griste een van de twee telefoons van het bureau, de beveiligde. Op het LCD-schermpje stonden de cijfers 07-029-77, wat betekende dat de beller zich in de Amerikaanse ambassade in Seoul bevond. Als het eerste cijfer een '1' was geweest in plaats van een '0', zou dat hebben betekend dat de ambassadeur zelf aan de lijn was. Een derde lijn, bestemd voor telefonische con-

ferenties en eveneens beveiligd, was geïntegreerd in het computernetwerk. Voordat ze begon te praten, zette ze het digitale bandopname-apparaat aan; het kon gesproken woorden verbazingwekkend nauwkeurig uittypen. Tijdens het gesprek verscheen er bijna gelijktijdig een transcriptie op de monitor die naast de telefoon op het bureau stond.
'Directeur Hood is op dit moment niet bereikbaar. U spreekt met Martha Mackall.'
'Hallo, Martha. Met Gregory Donald.'
Aanvankelijk lukte het haar niet om de langzame, zachte en aarzelende stem aan de andere kant van de lijn te herkennen. 'Ja, meneer... Directeur Hood is nog niet gearriveerd, maar hij wilde graag weten hoe u eraan toe was.'
Er viel een korte stilte. 'Ik was... erbij, natuurlijk. Daarna hebben Kim en ik de plek van de explosie bekeken.'
'Kim...?'
'Hwan, de adjunct-directeur van de KCIA.'
'Hebt u iets gevonden?'
'Een waterfles en een paar schoenafdrukken... van Noordkoreaanse legerschoenen.' Zijn stem sloeg over. 'Neem me niet kwalijk.'
Er viel een veel langere stilte. 'Meneer, bent u wel in orde? U bent toch niet gewond?'
'Ik ben gevallen... niets gebroken. Het is mijn vrouw... zij is degene die gewond is geraakt.'
'Niet ernstig, hoop ik?'
Zijn stem sloeg opnieuw over toen hij zei: 'Ze hebben haar vermoord, Martha.'
Martha sloeg snel haar hand voor haar mond. Ze had Soonji maar één keer ontmoet, op het eerste kerstfeest van het Op-Center, maar haar charme en gevatheid hadden indruk op haar gemaakt.
'O, wat ontzettend, meneer Donald. Waarom praten we later niet...'
'Nee. Ze wordt overgebracht naar de legerbasis, en als ik hier klaar ben, ga ik daar ook heen. We kunnen beter nu praten.'
'Ik begrijp het.'
Hij had nog even tijd nodig om zijn zelfbeheersing te hervinden en ging toen met een wat luidere stem verder. 'Er zijn... voetafdrukken gevonden, in een steegje. Ze zijn afkomstig van één of meer Noordkoreaanse legerschoenen, maar Kim en ik geloven niet dat ze door Noordkoreanen gedragen zijn. En als dat wel het geval is, dan vermoeden we dat ze zonder toestemming van hun regering hebben gehandeld.'
'Waarom denkt u dat?'
'De aanwijzingen waren veel te gemakkelijk te vinden. Er was geen poging

gedaan om ze te verbergen. Een professional zou zoiets niet doen. En de Noordkoreanen hebben nog nooit zo'n ongerichte aanval als deze uitgevoerd.'
Tijdens het telefoongesprek kwam Hood zijn kantoor binnen lopen. Martha drukte op een toets, liet de transcriptie enkele regels terugrollen en wees Hood waar hij moest kijken. Nadat hij het stuk over Soonji had gelezen, knikte hij met een ernstig gezicht, ging toen stilletjes aan zijn bureau zitten en wreef met twee vingers over zijn voorhoofd.
'Dus u hebt het idee dat iemand dit op een Noordkoreaanse aanslag wil laten lijken,' zei Martha. 'Ze hebben iedere betrokkenheid ontkend.'
'Ik zeg alleen maar dat het een mogelijkheid is die we grondig moeten bestuderen voordat we met wapengekletter tegenover Pyongyang beginnen. Voor deze ene keer zouden ze wel eens de waarheid kunnen spreken.'
'Dank u wel, meneer. Kunnen we... iets voor u doen?'
'Generaal Norbom op de legerbasis is een vriend van me, en ambassadeur Hall heeft beloofd dat ze hier zal doen... wat ze kan. Dus ik lijk in goede handen te zijn.'
'Goed. Maar als u hulp nodig hebt...'
'Dan bel ik wel.' Zijn stem klonk krachtiger toen hij zei: 'Doe Paul de groeten van me, en zeg hem... zeg hem dat ik hierbij betrokken wil worden. Welke rol het Op-Center in deze kwestie ook zal gaan spelen, ik wil erbij betrokken worden. Ik wil de beesten vinden die dit op hun geweten hebben.'
'Ik zal het hem zeggen,' zei ze terwijl Donald ophing.
Meteen toen hij de pieptoon hoorde, sloeg de computer het gesprek op onder vermelding van de tijd waarop het gevoerd was en veegde het scherm schoon voor het volgende gesprek.
Martha legde de hoorn weer op de haak en liet zich van het bureaublad glijden. 'Zal ik ambassadeur Hall bellen en haar op het hart drukken dat ze alles voor Donald moet doen wat ze maar kan?'
Hood knikte even.
'Je hebt wallen onder je ogen. Een wilde nacht gehad?'
'Alex heeft een zware astma-aanval gehad. Hij ligt in het ziekenhuis.'
'O, dat is naar om te horen.' Ze deed een stap naar voren. 'Wil je hem bezoeken? Ik handel de zaken hier wel af.'
'Nee. De president heeft ons gevraagd om een overzicht van de verschillende beleidsopties in deze zaak en daarom wil ik de meest recente gegevens hebben over de financiële banden tussen Noord-Korea en Japan, China en Rusland, zowel de officiële als de officieuze. Als dit echt op een ernstige crisis uitloopt, denk ik dat de president een militaire oplossing zal zoeken, maar laten we eerst eens kijken wat we met sancties kunnen bereiken.'

'Oké. En maak je geen zorgen over Alex. Hij redt het wel. Kinderen kunnen wel tegen een stootje.'
'Dat moet ook wel, als ze ons willen overleven,' zei Hood terwijl hij de telefoon opnam. Hij belde zijn assistent Bugs en gaf hem opdracht om Liz Gordon naar de Tank te laten komen.
Terwijl ze de kamer uit liep, hoopte Martha dat haar aanbod om voor Hood waar te nemen niet te vrijpostig was geweest. Ze nam het zichzelf kwalijk dat ze misbruik had gemaakt van Alexanders narigheid om haar cv wat op te peppen en nam zich voor om hem door haar secretaresse een paar ballonnen te laten sturen. Maar toch... Ann Farris had haar ambities op de directeur zelf gericht, maar Martha mikte op zijn functie. Ze mocht Hood graag en had veel respect voor hem, maar ze wilde niet eeuwig medewerkster Politieke Zaken van het Op-Center blijven. Daar was ze met haar vloeiende beheersing van maar liefst tien talen en haar grondige kennis van de wereldeconomie toch echt te veel voor waard.
Samen met Hood een internationale crisis als deze leiden zou een belangrijke nieuwe ervaring aan haar cv toevoegen en haar een promotie kunnen opleveren binnen het Op-Center of zelfs, met een beetje geluk, een overplaatsing naar het State Department.
Morgen is er weer een dag, zei ze in zichzelf terwijl ze door het smalle gangetje tussen de grote kooi en de omringende kantoortjes liep. Toen ze Liz Gordon langs zag komen, viel het haar op dat die eruitzag alsof ze op springen stond en wanhopig op zoek was naar een gelegenheid om stoom af te kunnen blazen...

18

Dinsdag, 06.03 uur
Luchtmachtbasis Andrews

'Dat de baas ontploft, kan u echt helemaal niets verdommen, hè?'
Luitenant-kolonel Squires en Mike Rodgers renden in looppas over het veld. De nog geen minuut geleden gelande Jetranger was alweer opgestegen om terug te vliegen naar Quantico. Voor de eveneens hollende Strikermanschappen uit renden de twee officieren naar de C-141B die op de start-

baan stond warm te draaien. Naast zijn uitrusting had Squires ook een van een speciaal ontworpen laserprinter voorziene Toshiba-laptopcomputer bij zich die vliegroutes bevatte naar 237 verschillende bestemmingen, plus gedetailleerde kaarten en mogelijke actieplannen.
'Waarom zou Hood ontploffen?' vroeg Rodgers. 'Ik ben een bedaard man... ik kan goed luisteren, en als ik mijn mening geef, doe ik dat beleefd en met alle respect.'
'Neemt u me niet kwalijk, generaal, maar u hebt dezelfde maten als Krebs, en u hebt hem een extra uitrusting laten meebrengen. Onze scenario's zijn allemaal ontworpen voor een peloton van twaalf man. U bent van plan om de plaats van George in te nemen, hè?'
'Precies.'
'En ik durf er mijn maandsalaris om te verwedden dat meneer Hood daar nog niet mee akkoord is gegaan.'
'Waarom zou ik hem met zulke details lastigvallen? Hij heeft al genoeg aan zijn hoofd.'
'Nou, generaal... denk eens aan een stoommachine. Er zijn twee manieren waarop zo'n ding kan ontploffen. Te hoge druk of een onderdeeltje dat ergens zit waar het niet hoort. In dit geval bent u dat... hier.'
Rodgers haalde zijn schouders op. 'Ach, hij zal best wel nijdig zijn, maar dat blijft hij niet lang. Hij heeft daar in het Op-Center een heel capabel team zitten, en we zijn het toch bijna nooit ergens over eens. Hij zal me niet missen.'
'Dat doet me ergens aan denken, generaal. Mag ik vrijuit spreken?'
'Kom maar op.'
'Ik heb hier ook een heel capabel team. Neemt u de leiding op u of neemt u de plaats van soldaat George in?'
'Ik zal niet op mijn strepen staan, Charlie. Jij hebt de leiding en ik zal alles doen wat er gedaan moet worden. Jij en die kleine laptop van je hebben twaalf uur de tijd om me van alles op de hoogte te brengen.'
'Dus dit uitstapje van u is gewoon een manier om een paar leuke dagen te hebben. Een kans om eens achter uw bureau weg te komen?'
'Zoiets,' zei Rodgers terwijl ze het enorme zwarte transportvliegtuig bereikten. 'Je weet hoe het gaat, Charlie. Apparatuur die je niet zo af en toe eens gebruikt, wordt roestig.'
Squires moest lachen. 'U, generaal? Roestig? Dat denk ik niet. Dit soort stunts zit de familie Rodgers al in de genen sinds... was het de Spaans-Amerikaanse Oorlog?'
'Precies,' zei Rodgers. 'Mijn betovergrootvader, kapitein Malachai T. Rodgers.'
De officieren stonden stil aan weerszijden van het luik, en terwijl Squires

'Go! Go! Go!' begon te brullen, sprongen de manschappen zonder hun vaart in te houden in het toestel.
Rodgers' hart begon harder te kloppen van trots. Dat overkwam hem altijd als hij Amerikaanse soldaten zag rènnen om hun plicht te gaan doen. Hoe jong, bang en onervaren ze ook waren, ze gingen tòch en dat was een gezicht dat hem altijd weer met geestdrift vervulde. Tijdens zijn eerste stationering in Vietnam was hij een van hen geweest. Terwijl hij in Fort Dix was gestationeerd, was hij aan Temple University gepromoveerd tot doctor in de geschiedkunde, maar daarna was hij teruggekeerd om in de Perzische Golf hele bataljons van zulke jongens aan te voeren.
Tennyson had ooit geschreven dat de aanblik van Lady Godiva genoeg was om een oude man weer jong te maken, en vrouwen hadden op Rodgers inderdaad een dergelijke uitwerking. Maar dit ook. Binnen één minuut viel er zesentwintig jaar van hem af, en toen hij achter de laatste soldaat, maar vóór Squires, het vliegtuig in klauterde, voelde hij zich weer negentien.
In weerwil van zijn eigen nogal lichtzinnige geruststelling wist Rodgers heel goed dat de overste gelijk had. Hood zou het beslist niet op prijs stellen dat hij meeging. Ondanks zijn grote intelligentie en zijn vaak verbazingwekkend grote vaardigheden als bemiddelaar, had Hood er een enorme hekel aan om de controle over dingen te verliezen, en door zelf aan de andere kant van de wereld het veld in te gaan, onttrok Rodgers zich in wezen aan elke controle. Maar Hood was in de eerste plaats een teamspeler: als er heimelijke actie nodig was, zodat het Striker Team moest worden ingezet, zou hij zich er niet door zijn ego van laten weerhouden om het team – ook met Rodgers erbij – zijn werk te laten doen en met de eer te laten gaan strijken... of als zondebok te laten dienen.
Meteen nadat ze aan boord waren, gingen de mannen op de stoelen langs de wanden van de verder lege cabine zitten, terwijl het grondpersoneel het toestel vliegklaar maakte. De Lockheed C-141B-Starlifter, met zijn aan de bovenzijde van de fuselage bevestigde achtenveertig meter lange vleugels, was in 1982 geïntroduceerd als opvolger van het roemruchte type C-141A uit 1964. Tijdens de jarenlange, dagelijkse non-stopvluchten naar Vietnam had dat vliegtuig bewezen over uitzonderlijke kwaliteiten te beschikken, en dat maakte het tot een van de vele verzwegen successen van de oorlog daar. Er was geen enkel ander leger dat over zo'n betrouwbaar troepentransportvliegtuig beschikte, en dat gaf de Verenigde Staten een voorsprong.
Met zijn lengte van eenenvijftig meter was de C-141B maar liefst zeven meter langer dan zijn voorganger. Het vliegtuig bood plaats aan 154 manschappen, 123 para's, 80 brancards en 16 zittende gewonden, en kon ook

als vrachtvliegtuig gebruikt worden. Achter in het vliegtuig was apparatuur geïnstalleerd die het vliegtuig in staat stelde om bij te tanken in de lucht, waardoor de normale actieradius van 6500 kilometer nog eens vijftig procent groter werd, en als het vliegtuig minder dan de maximale lading van dertigduizend kilo aan boord had, zoals nu, was die normale actieradius bovendien aanzienlijk groter. De jet zou Hawaii zonder enig probleem kunnen bereiken, waar hij zou worden opgewacht door een KC-135-tankvliegtuig. Nadat ze in de lucht hadden bijgetankt, resteerde er alleen nog een gemakkelijke vlucht naar Japan, en dan een snelle helikoptertocht van een half uur naar Noord-Korea.
Terwijl de bemanning de checklist afwerkte, controleerden de manschappen van het Striker Team hun eigen uitrusting. Naast zijn eigen spullen – een camouflage-uniform zonder merktekenen, een mes met een lemmet van 22 centimeter en een automatisch 9-mm-pistool van het type Beretta 92-F, eveneens zonder merktekenen – had elke man de taak om een aantal dingen mee te nemen die het hele team nodig zou hebben: van kartonnen dozen met broodjes ham en marsrepen tot veldtelefoons. Het allerbelangrijkste uitrustingsstuk dat op deze wijze werd meegevoerd was echter de TAC SAT-radio met een voor satellietverbindingen geschikte parabolische antenne.
Squires en Rodgers lieten de mannen achter in de cabine en liepen naar de cockpit, op de voet gevolgd door sergeant Chick Grey. Het Striker Team had geen speciale behoeften, maar het was de taak van de sergeant om te vragen of de bemanning van het vliegtuig speciale eisen aan het Striker Team stelde: van gewichtsverdeling – die nu trouwens geen probleem zou zijn; de cabine was vrijwel leeg – tot het gebruik van elektronische apparatuur.
'Wilt u hem zijn instructies geven?' vroeg Squires aan Rodgers. De generaal vond hem een beetje geïrriteerd klinken, maar misschien moest hij alleen maar schreeuwen om boven de vier lawaaierige Pratt & Whitney TF33-P7-Turbofan-motoren van bijna tienduizend kilo per stuk uit te komen.
'Charlie, ik heb het je al gezegd... jij bent de kok. Ik kom hier alleen maar eten.'
Squires grijnsde terwijl ze door de van spanten voorziene cabine naar de cockpit liepen, waar ze zich voorstelden aan de piloot, de co-piloot, de navigator en de marconist.
'Captain Harryhausen?' Sergeant Grey herhaalde de naam terwijl de overste de computer aanzette; de navigator keek mee over zijn schouder. 'Captain, bent u soms toevallig dezelfde captain Harryhausen die vorige week een DC10 naar Alaska heeft gevlogen?'

'Dat ben ik, ja. Ik ben niet alleen vlieger in de burgerluchtvaart, maar ook in de U.S. Air Force Reserves.'
Er verscheen een brede grijns op het vlezige gezicht van de sergeant. 'Nou, wat een ongelooflijk toeval. Ik zat samen met mijn vrouw en kinderen in dat vliegtuig. Tjee, dat is een kans van één op...?'
'Eigenlijk is het helemaal niet zo toevallig, sergeant,' zei de captain. 'Ik vlieg nu al zeven maanden op het traject Seattle-Nome en ik heb me opgegeven voor deze opdracht om eindelijk eens ergens heen te kunnen vliegen waar de zon schijnt en waar je alleen maar ijs tegenkomt in een glas ijsthee.'
Terwijl de captain sergeant Grey begon te vertellen wat hij allang wist – dat zijn manschappen tot nader order geen Discmans en Gameboys mochten gebruiken – trok Squires een kabel uit de laptop en sloot die aan op het instrumentenbord van de navigator. Daarna drukte hij een toets op zijn eigen computer in en downloadde de relevante bestanden naar de navigatiecomputer van de C-141B. Het hele proces nam zes seconden in beslag, en voordat hij de Toshiba had dichtgeklapt, was de boordcomputer al bezig de vliegroute te koppelen aan de weerberichten die om de vijftien minuten binnenkwamen vanuit naburige Amerikaanse bases.
Squires keek naar de captain en tikte liefkozend op zijn computer.
'Captain, als we dit ding weer kunnen gebruiken, wilt u me dat dan alstublieft meteen laten weten?'
De captain knikte en beantwoordde het saluut van de overste.
Vijf minuten later taxieden ze over de startbaan en nog twee minuten later vlogen ze met een schuine bocht weg van de rijzende zon naar het zuidwesten.
Terwijl hij onder de heen en weer zwaaiende gloeilampen in de cabine zat, merkte Rodgers dat hij ondanks zichzelf zat te denken aan de negatieve kanten van wat hij aan het doen was. Het Op-Center was net een half jaar oud, en hun bescheiden jaarlijkse budget werd gefinancierd uit de begrotingen van de CIA en het Ministerie van Defensie. In de boekhouding bestonden ze niet eens, zodat het de president weinig moeite zou kosten om ieder spoor van hun bestaan uit te wissen als ze ooit eens iets belangrijks zouden verknoeien. Lawrence was tevreden geweest over de manier waarop ze hun eerste klus hadden aangepakt: het opsporen en ontmantelen van een bom aan boord van de space-shuttle *Atlantis*. Hij was zelfs zeer onder de indruk geweest. Hun techneut, Matt Stoll, had toen echt heel goed werk geleverd, tot grote trots en frustratie van directeur Hood, die een diep en chronisch wantrouwen koesterde tegen alle technologie. Waarschijnlijk omdat hij met Nintendo altijd werd ingemaakt door dat zoontje van hem.

Maar de president was razend geweest toen er in Philadelphia twee gijzelaars waren neergeschoten... hoewel de schoten toch waren afgevuurd door de plaatselijke politie, die hen voor terroristen had aangezien. De president was van mening dat het Op-Center de situatie niet in de hand had weten te houden, en daar had hij gelijk in.
Nu hadden ze een nieuwe missie, hoewel nog te bezien viel in welke mate het werkelijk hun opdracht zou blijven. Hij zou moeten wachten tot Hood hem daar nadere inlichtingen over had gegeven. Maar één ding wist hij heel zeker: als het Striker Team zijn boekje ook maar enigszins te buiten ging terwijl de nummer twee van het Op-Center daarbij aanwezig was, zou de hele organisatie zo snel worden opgeheven, dat Hood niet eens de tijd zou krijgen om nijdig te worden.
Terwijl hij zijn vingers liet kraken, moest Rodgers denken aan de onsterfelijke woorden die astronaut Alan B. Shepard had gesproken voordat hij gelanceerd zou worden: 'Lieve Heer, alstublieft, zorg ervoor dat ik niet alles verknal.'

19

Dinsdag, 20.19 uur
Seoul

De Amerikaanse legerbasis in Seoul vormde voor veel inwoners van die stad een voortdurende bron van ergernis.
De basis lag in het hart van de stad en nam bijna acht hectare eerste keus bouwgrond in beslag. Anderhalve hectare daarvan was bestemd voor de huisvesting van tweeduizend militairen, en de opslag van militaire voorraden en materieel nam nog eens bijna één hectare in beslag. De resterende vijfenhalve hectare was ingericht om de troepen aangenaam bezig te houden: diverse supermarkten, twee bioscopen waar de nieuwste films gedraaid werden, en meer bowlinghallen dan in de meeste grote Amerikaanse steden. Omdat het overgrote deel van haar effectieve militaire sterkte vijfenvijftig kilometer zuidelijker was gestationeerd, in de gedemilitariseerde zone, vormde de basis toch niet meer dan een zeer bescheiden steunpunt. Haar rol was deels politiek en deels ceremonieel: ze was een

teken van duurzame vriendschap met de Republiek Korea, en ze verschafte de Verenigde Staten een basis van waaruit Japan in de gaten kon worden gehouden. Een lange-termijnstudie van het Ministerie van Defensie had uitgewezen dat het onvermijdelijk was dat Japan tegen het jaar 2010 herbewapend zou zijn; als de Verenigde Staten daar ooit hun bases zouden kwijtraken, zou de basis in Seoul de belangrijkste in het Aziatische deel van de Pacific worden.

Maar de Zuidkoreanen hechtten meer waarde aan de handel met Japan en velen van hen vonden dat het terrein geschikter was voor een paar hotels en dure winkels dan voor een uitgestrekt Amerikaans legerkamp.

Majoor Kim Lee van het Zuidkoreaanse leger behoorde niet tot degenen die het terrein aan Zuid-Korea wilden teruggeven. Kim was een patriot. Tijdens de oorlog was zijn overleden vader een belangrijke generaal geweest. Zijn moeder was wegens spionage ter dood gebracht, en Kim zelf zou het liefst nog veel meer Amerikaanse troepen in Zuid-Korea hebben gezien. En niet alleen meer troepen, maar ook meer bases en vliegvelden tussen de hoofdstad en de gedemilitariseerde zone. De toenaderingspogingen die de Noordkoreanen de afgelopen maanden hadden gedaan vertrouwde hij voor geen cent, en vooral hun plotselinge bereidheid om inspecties door het Internationaal Atoomagentschap IAEA toe te staan en zich aan het non-proliferatieverdrag te houden wekte zijn wantrouwen. In 1992 hadden ze zes kerninstallaties laten inspecteren, maar toen het IAEA hun opslagplaatsen voor nucleair afval wilde bekijken, hadden ze ineens gedreigd om zich uit het non-proliferatieverdrag terug te trekken. De onderzoekers waren van mening dat Noord-Korea door het opwerken van nucleair afval op zijn minst negentig gram plutonium had verzameld en van plan was om er wapens mee te fabriceren. Hiervoor maakten de Noordkoreanen gebruik van een kleine thermische reactor met grafietmoderator.

Noord-Korea ontkende dat en had erop gewezen dat de Verenigde Staten de IAEA niet nodig hadden om erachter te komen of ze kernwapenproeven hadden uitgevoerd. Daarop hadden de Verenigde Staten weer gezegd dat Noord-Korea ook zonder zulke proeven wel kon bepalen of een kernlading werkelijk tot ontploffing te brengen was. Ontkenningen en beschuldigingen vlogen heen en weer; de Democratische Volksrepubliek Korea had haar opzegging van het non-proliferatieverdrag op de lange baan geschoven, en de daaropvolgende impasse was jaren blijven voortduren.

En nu was die voorbij. Kort geleden hadden de Noordkoreanen de wereld verrast door hun nucleaire opwerkingsfabriek in Yongbyon open te stellen voor de 'speciale inspectie' waar al zo lang op aangedrongen was, maar hoewel Rusland, China en Europa deze concessie begroet hadden als een echte stap in de goede richting, dachten veel mensen in Seoul en Washington daar anders over. Ze waren van mening dat het Noorden gewoon ergens anders kleine, met lood beklede 'hot rooms' had opgesteld – die dingen konden bijna overal worden neergezet – en dat ze alle militaire research in Yongbyon beëindigd hadden. Net als Saddam Hussein en zijn melkfabriek, die tijdens de Golfoorlog door de Verenigde Staten was platgegooid, hadden de Noordkoreanen hun illegale installaties waarschijnlijk aangelegd onder scholen en kerken. De functionarissen van de IAEA zouden in gelukzalige onwetendheid blijven van het bestaan ervan en de zaak niet op de spits willen drijven. Nu de Noordkoreanen hun eerste verzoek hadden ingewilligd, zou het tamelijk onredelijk lijken om te blijven aandringen op nog meer 'speciale inspecties'.

De gekwetste gevoelens van Noord-Korea konden majoor Lee niets schelen, net zomin als de uitbundige loftuitingen van Moskou, Peking en Parijs, die al een paar minuten nadat Pyongyang zijn – naar eigen zeggen – 'grote concessie omwille van vrede en stabiliteit' had gedaan, geestdriftig waren gaan applaudisseren. Hij ontleende dan ook een pervers genoegen aan de ontploffing in het paleis: de Noordkoreanen waren niet te vertrouwen. Als de wereld dat tot op heden nog niet had begrepen, dan moest het nu toch wel duidelijk zijn.

De vraag die majoor Lee en de andere officieren in Seoul dwarszat, was hoe de regering hierop zou reageren. Ze zou bestraffend met haar vingertje zwaaien en de terroristen vermanend toespreken; de Verenigde Staten zouden zich erop voorbereiden om troepen naar de regio over te brengen. Maar daar zou het waarschijnlijk bij blijven.

Lee wilde meer dan dat.

Nadat hij het rekwisitiebevel had uitgeprint, begaf de majoor zich samen met twee lagere officieren van het Zuidkoreaanse commandocentrum in het noordelijke deel van de basis naar het Amerikaanse voorraaddepot. Een vierde officier ging een vrachtwagen halen. Nadat ze langs twee controleposten waren gekomen, waar hun identiteitsbewijzen werden bestudeerd en het wachtwoord van de dag werd gevraagd, kwamen ze bij de GMK, de gevaarlijke-materialenkluis. De met rubber beklede ruimte had muren van een halve meter dik en een deur die slechts met behulp van twee sleutels tegelijk geopend kon worden. Buiten medeweten van de meeste mensen op de basis werd deze van geen enkel opschrift voorziene ruimte gebruikt als opslagplaats voor chemische wapens; inwoners van Seoul die al ontevreden waren over de bowlinghallen en bioscopen, zouden razend worden als ze dat ooit te weten kwamen. Maar het was bekend dat het Noorden over dergelijke wapens beschikte, en als het tot een oorlog zou komen, wilden de Verenigde Staten en Seoul liever niet de eerlijke verliezer zijn.

Op het rekwistiebevel van de majoor stond 'Uitsluitend ter inzage' en de officier die de GMK onder zijn beheer had, kreeg het dan ook alleen maar even te zien. Terwijl hij een paar deuren verder aan zijn bureau zat en het rekwisitieformulier voor vier vaten van honderddertig liter tabun doorlas, wreef majoor Charlton Carter over zijn kin. Majoor Lee stond met zijn handen op zijn rug naar hem te kijken, met achter zich zijn twee assistenten.

'Majoor Lee, ik moet bekennen dat ik verbaasd ben.'

Lee verstrakte. 'Waarover...'

'Ik zit hier nu vijf jaar en dit is het eerste rekwisitieformulier dat ik onder ogen krijg.'

'Maar alles klopt.'

'Tot in de puntjes. En ik neem aan dat ik ook eigenlijk niet al te verrast hoef te zijn. Natuurlijk wil niemand met lege handen komen te staan na wat er vandaag in de stad is gebeurd.'

'Zo is dat.'

Majoor Carter las voor uit het formulier. 'In de zuidwestelijke hoek van de gedemilitariseerde zone is de staat van groot alarm afgekondigd.' Hij schudde zijn hoofd. 'En laat ik nou gedacht hebben dat de betrekkingen de laatste tijd aan het verbeteren waren.'

'Kennelijk is dat wat het Noorden ons wilde doen geloven. Maar we hebben bewijzen dat ze bezig zijn om hun ondergrondse voorraden chemicaliën op te graven.'

'Werkelijk? Verdomme. En deze vier blikken zijn voldoende?'

'Als we ze efficiënt gebruiken. We zullen de vijand er niet mee op zijn kop gaan slaan.'

'Daar hebt u gelijk in.' Majoor Carter kwam overeind en wreef met zijn hand over zijn nek. 'Ik neem aan dat u weet hoe u met tabun moet omgaan. Zolang het in het blik zit, is het niet bijzonder vluchtig...'

'Maar in verdampte of vernevelde vorm is het gemakkelijk te verspreiden. Het is vrijwel reukloos en zwaar giftig. Het werkt heel snel als het door de huid wordt opgenomen en nog sneller bij inademing. Ja, majoor Carter. Ik heb een eerstegraads diploma. Het klasje van kolonel Orlando, 1993.'

'En hebt u er ook zo een?' Carter klopte op zijn borst.

Lee maakte een knoopje onder zijn das los, stak zijn hand onder zijn hemd en haalde de sleutel te voorschijn.

Carter gaf een knikje. De twee mannen trokken de ketting om hun nek over hun hoofd en liepen samen naar de kluis. De sleutelgaten zaten links en rechts in de deur, zodat het voor één man absoluut onmogelijk was om beide sloten tegelijk te openen. Nadat ze de sleutels hadden omgedraaid, schoof de deur naar beneden totdat hij nog maar dertig centimeter boven

de drempel uit stak. Dit obstakel had min of meer dezelfde functie als de hobbels die soms in de openbare weg worden aangebracht. Het was bedoeld om ervoor te zorgen dat soldaten niet snel met de chemicaliën zouden wegrennen, omdat ze dan misschien zouden kunnen vallen.
Nadat hij de sleutel weer om zijn nek had gehangen, liep majoor Carter terug naar zijn kantoor om een bewijs van uitgifte te halen, terwijl majoor Lee een van de zestig centimeter hoge blikken voorzichtig op een pallet liet zetten. Deze pallets, die speciaal waren ontworpen voor vaten van verschillende afmetingen, hingen aan een rek aan de achterwand; als een vijand er ooit in zou slagen om door de beveiliging heen te breken en de opslagruimte te bereiken, zou hij misschien niet weten dat de pallets van een speciale chip waren voorzien die een alarmsignaal liet afgaan zodra ze meer dan tweehonderd meter uit de buurt van de GMK werden gebracht.
De vaten werden vastgezet op de pallets en daarna één voor één naar de gereedstaande vrachtwagen gebracht en ingeladen. Het laden geschiedde onder toezicht van een bewapende vrouwelijke militair van de GMK, die telkens als Lee en zijn mannen een nieuw blik gingen halen, samen met de Koreaanse chauffeur bij de wagen achterbleef.
Toen ze klaar waren, liep Lee weer naar binnen en ondertekende het bewijs van uitgifte.
Carter overhandigde Lee zijn exemplaar. 'U weet toch dat u dit in het kantoor van generaal Norbom moet laten afstempelen? Anders komt u er het terrein niet mee af.'
'Ja, dank u wel.'
'Veel geluk,' zei Carter terwijl hij zijn hand uitstak. 'Mensen zoals u zijn van groot belang voor ons.'
'Insgelijks,' zei Lee droog.

20

Dinsdag, 06.25 uur
Het Op-Center

Paul Hood en Liz Gordon arriveerden tegelijkertijd bij de Tank. Hood gebaarde dat ze vóór kon gaan en liep toen achter haar aan naar binnen. De zware deur kon worden bediend met een knopje op de zijkant van een grote ovalen conferentietafel, en toen hij binnen was, drukte hij het in. De kleine ruimte werd verlicht door een grote batterij tl-buizen boven de tafel. Aan de muur tegenover Hoods stoel hing de aftelklok die met zijn onophoudelijk verspringende rij cijfers het aantal uren telde dat hen nog scheidde van hun deadline.

De muren, de deur en het plafond van de Tank waren allemaal bekleed met het geluidabsorberende Acoustix. Onder dit vlekkerige, zwartgrijze materiaal waren verscheidene lagen kurk aangebracht. Daarna kwam er dertig centimeter beton, en daarna weer Acoustix. Diep in het beton, aan alle zes kanten van de kamer, zaten een paar metalen roosters die voortdurend wisselende pulsen genereerden; geen enkel elektronisch signaal kon de ruimte verlaten zonder hopeloos vervormd te worden. Als een afluisterapparaat er toch op de een of andere manier in zou slagen om een signaal op te vangen, zouden de volstrekt willekeurig gemoduleerde pulsen ervoor zorgen dat het gesprek niet meer te reconstrueren viel.

Hood ging aan het hoofd van de tafel zitten en Liz nam links van hem plaats. Hij zette de monitor die naast een toetsenbord aan zijn kant van de tafel stond wat minder fel. Boven op de monitor was een kleine fiberoptische camera bevestigd, en op de plaats van Mike Rodgers, aan het andere eind van de tafel, stond een apparaat van hetzelfde type opgesteld.

Met een klap legde Liz haar gele schrijfblok op tafel. 'Hoor eens, Paul. Ik weet wat je wilt gaan zeggen, maar ik heb het niet mis gehad. Hij had hier niets mee te maken.'

Hood keek zijn stafpsychologe diep in de ogen. Haar bruine haar was van gemiddelde lengte en werd naar achteren getrokken door een zwarte haarband; de witte veeg op een van de revers van haar jasje was afkomstig van wat achteloos weggeveegde as van de Marlboro's die ze in haar kantoor aan één stuk door had zitten roken.

'Ik was niet van plan om te zeggen dat je het mis had,' antwoordde Hood rustig. 'Maar ik wil wel weten hoe zeker je van je zaak bent. De president heeft mij de leiding gegeven over de Crisisgroep Korea, en ik heb geen zin om bij hem aan te komen met een verhaal dat zijn Noordkoreaanse evenknie tot elke prijs vrede wil, terwijl hij ons in werkelijkheid zo ver probeert te krijgen dat we de gedemilitariseerde zone binnentrekken.'

'Negenentachtig procent,' zei ze met haar schorre stem. 'Zo zeker ben ik van mijn zaak. En als we ervan uitgaan dat Bob Herbert ons deugdelijke informatie heeft verschaft, wordt dat zelfs tweeënnegentig procent.' Ze haalde een stukje Wrigley's kauwgom uit haar zak en peuterde de verpakking eraf. 'De president van Noord-Korea wil geen oorlog. Om het kort samen te vatten: hij vindt het geweldig dat de bevolkingsgroei van de arbeidersklasse in zijn land zo sterk toeneemt, en hij beseft dat zijn kansen om aan de macht te blijven optimaal zijn als hij die klasse tevreden kan blijven houden. De beste manier om dat te bereiken is om het isolement dat het land zichzelf heeft opgelegd te doorbreken. En je weet wat Herbert daarvan denkt.'

Dat wist hij maar al te goed. Zijn inlichtingenmedewerker was ervan overtuigd dat als de Noordkoreaanse generaals het niet eens waren met het beleid van de president, ze hem er allang uit gesmeten zouden hebben. De plotselinge dood van Kim Il Sung in 1994 had een machtsvacuüm geschapen dat groot genoeg was om hen tussenbeide te laten komen als ze niet tevreden waren met de gang van zaken.

Liz vouwde het stukje kauwgom dubbel en stopte het in haar mond. 'Ik weet best dat u de psychologische afdeling bepaald niet wetenschappelijk verantwoord vindt, en dat u zou lopen knorren van tevredenheid als we zouden worden opgeheven. Oké, we hadden niet ingeschat dat de politie van Philadelphia zo extreem zou reageren, maar we zijn al jaren met die Noordkoreanen bezig, en ik weet zeker dat we het nu wèl bij het rechte eind hebben!'

Links van hem begon een computer te piepen. Hood wierp een snelle blik op het E-mailbericht van Bugs Benet: de andere leden van de Crisisgroep zaten klaar voor de teleconferentie. Hood drukte op de Alt-toets om de ontvangst van het bericht te bevestigen en keek Liz toen indringend aan. 'Ik geloof in eerste indrukken, niet in psychologie. Maar ik heb de Noordkoreaanse leiders nooit ontmoet, en dus móet ik me wel op jou verlaten. Hier is wat ik nodig heb.'

Liz haalde de dop van haar pen en begon te schrijven.

'Ik wil dat je je gegevens nog eens doorkijkt en een nieuw profiel maakt van de hoogste Noordkoreaanse leiders, waarbij je uitgaat van de volgende vraagstelling: zelfs als ze die aanval níet goedgekeurd hebben, hoe zullen ze dan reageren op een Defcon 5-mobilisatie van onze kant en op mogelijke Zuidkoreaanse vergeldingsmaatregelen in Pyongyang? En ik wil graag weten of je denkt dat de een of andere Noordkoreaanse generaal gek genoeg zou kunnen zijn om zoiets als dit zonder presidentiële goedkeuring te organiseren.

'Ik wil ook dat je het rapport over China dat je voor CONEX hebt geschreven, nog eens doorkijkt. Je zei dat de Chinezen niet in een oorlog op het schiereiland verzeild willen raken, maar dat een paar hoge functionarissen er wel sterk op zouden kunnen aandringen. Schrijf op wie en waarom en stuur een exemplaar naar ambassadeur Rachlin in Peking, zodat hij kan doen wat hij nodig acht.'

Toen ze klaar waren – zoals altijd werd dat aangegeven doordat de directeur geërgerd zijn adem begon uit te blazen, iets waarvan hij zichzelf waarschijnlijk niet eens bewust was – stond Liz op, waarna Hood op de knop drukte die de deur bediende. Voordat die weer dicht was geschoven, was Darrell McCaskey, Op-Centers verbindingsman met Interpol en de FBI, de kamer binnen gestapt. Hood knikte naar de korte, pezige, voortijdig grijze FBI-man, en toen McCaskey was gaan zitten tikte Hood op de Control-toets. Het beeld op het scherm splitste zich op in zes vakken van gelijke grootte, in twee horizontale rijen van drie. Vijf ervan waren live-beelden van de anderen die vanochtend bij de vergadering aanwezig waren geweest; de zesde was Bugs Benet, die de automatisch getranscribeerde notulen van de bespreking in de gaten zou houden. Onder op het scherm zat een zwarte balk die bestemd was voor mededelingen; als het nodig was om Hood op de hoogte te stellen van de recente ontwikkelingen in Korea, zou de Situation Room van het Op-Center daar een kort bericht op laten afdrukken.

Hood begreep niet waarom het nodig was om de mensen met wie hij in gesprek was ook te zien, maar als er high-tech-voorzieningen beschikbaar waren werden ze altijd gebruikt, of het nu nodig was of niet. De hele gang van zaken deed hem altijd denken aan de intro van *The Brady Bunch.*

Het geluid van elk afzonderlijk beeld kon aan en uit worden gezet met behulp van de functietoetsen, en voordat hij de anderen aanzette, drukte hij de F6 in om even met Bugs te overleggen.

'Is Mike Rodgers er al?'

'Nog niet. Maar het team is al vertrokken, dus hij zal zo wel komen.'

'Stuur hem dan direct hierheen. Heeft Herbert nog iets voor ons?'

'Nee. Onze inlichtingenmensen in Noord-Korea zijn net zo verrast door al dit gedoe als wij. Hij heeft contact opgenomen met de KCIA, en ik laat het u weten als ze iets gevonden hebben.'

Nadat Hood hem had bedankt, keek hij aandachtig naar de gezichten van zijn collega's en drukte de toetsen F1 tot en met F5 in.

'Kunt u me allemaal verstaan?'

Vijf verschillende hoofden gaven een knikje.

'Prima. Heren, ik kreeg de indruk – als ik het mis heb, moet u het maar zeggen – dat de president deze crisis met voortvarendheid wenst af te handelen.'

'En met succes,' voegde het kleine beeld van Av Lincoln eraan toe.

'En met succes. Dat betekent dat de wortels die we de betrokkenen zullen moeten voorhouden, veel minder groot hoeven te zijn dan de stokken waarmee we gaan zwaaien.'

De nationale-veiligheidsadviseur draaide zijn hoofd iets opzij om op een andere monitor in zijn kantoor te kunnen kijken. 'Ons beleid ten aanzien van het schiereiland dient natuurlijk wel aan te sluiten bij ons verdrag met

Zuid-Korea. Binnen dat kader hebben we ons vastgelegd op de volgende punten: politieke stabilisatie van beide partijen; denuclearisatie van het Noorden, zo mogelijk binnen het kader van het non-proliferatieverdrag; een Noord/Zuid-dialoog in stand houden; de historisch gegroeide consultatieprocedure met Japan en China blijven volgen en onmiddellijk en actief reageren op alle initiatieven die door een van beide partijen worden genomen. Bovendien willen we er zeker van kunnen zijn dat geen enkele derde partij actiever bij het verwezenlijken van deze doelstellingen betrokken raakt dan de Verenigde Staten.'
'Kort samengevat,' zei de minister van Buitenlandse Zaken, 'we willen een stevige vinger in de pap houden.'
Hood nam de tijd om de anderen één voor één even aan te kijken. Het was niet nodig om verder nog om commentaar te vragen; als iemand iets te zeggen had, zou hij dat heus wel uit zichzelf doen.
'Dan komen we dus bij de strategie,' zei hij. 'Mel, wat vinden de gezamenlijke chefs van staven dat we moeten doen?'
'We hebben er niet lang over gesproken,' zei Mel, terwijl hij met twee vingers zijn dunne snorretje gladstreek. 'Maar toen jij binnenkwam, stonden Ernie, Greg en ik er in het Witte Huis net over te praten en we zijn het erover eens dat we de gevolgen van deze aanslag via diplomatieke kanalen binnen de perken moeten zien te houden. Dat staat los van de vraag of deze aanslag officieel is goedgekeurd door de Noordkoreaanse regering. We zullen de Democratische Volksrepubliek Korea ervan verzekeren dat de bilaterale besprekingen gewoon voortgang zullen vinden, dat het handelsvolume opgevoerd zal worden en dat we zullen helpen om het huidige regime in het zadel te houden.'
'Mijn enige voorbehoud,' zei Gregg Kidd, de blonde, jeugdig uitziende directeur van de CIA, 'is dat ik er niet zeker van ben dat economische en politieke beloningen genoeg zullen zijn om ze te weerhouden van een invasie. Zuid-Korea is een soort Heilige Graal voor die mensen, vooral sommige generaals daar zullen misschien met niets minder genoegen willen nemen. Door het Zuiden te bezetten, kunnen ze zich bovendien een fortuin besparen; het kernwapenprogramma vormt een zware belasting voor hun economie, en als ze zich geen zorgen hoeven te maken over onze kernwapens in het Zuiden, kunnen ze daar flink op bezuinigen.'
'Dus misschien zullen we worden geconfronteerd met een situatie waarin het voor hen voordeliger is om een conventionele oorlog te voeren dan om zich in een nucleaire bewapeningswedloop te storten.'
'Juist, Paul. Vooral omdat ze technisch op gelijk niveau moeten zien te komen met de Verenigde Staten.'
'Als geld in deze kwestie zo'n belangrijke rol speelt,' vervolgde Hood, 'wat

kunnen we dan doen om ze op financieel gebied de duimschroeven aan te leggen?'
Av zei: 'Ik heb de staatssecretaris van Buitenlandse Zaken contact laten opnemen met Japan. Hij is op dit moment aan het telefoneren. Maar het ligt allemaal erg gevoelig. Vanwege de Japanse oorlogsmisdaden in de Tweede Wereldoorlog staan de beide Korea's nog steeds heel vijandig tegenover Japan, maar zowel het Noorden als het Zuiden is ook handelspartner van dat land, dus als de Japanners zich niet afzijdig kunnen houden, zullen ze heel hard hun best doen om met beide zijden normale relaties te onderhouden.
'Typerend,' mompelde Mel.
'Begrijpelijk,' wierp Av tegen. 'De Japanners zijn doodsbenauwd voor een oorlog op het schiereiland die zich mogelijk zou kunnen uitbreiden.'
Gregg Kidd zei: 'Er is nog iets waarmee we rekening moeten houden. Als het niet neutraal kan blijven, zou Japan best eens de kant van Noord-Korea kunnen kiezen.'
'Tegen ons?' vroeg Hood.
'Tegen ons.'
'Typerend,' zei Mel opnieuw.
'De financiële banden tussen Japan en Noord-Korea zijn sterker dan de meeste mensen zich realiseren. De Japanse onderwereld heeft een groot deel van haar drugs- en gokwinsten in het Noorden geïnvesteerd... en we vermoeden dat dat met de stilzwijgende goedkeuring van Tokyo is gedaan.'
'Waarom zou de regering dat sanctioneren?' vroeg Hood.
'Omdat ze bang zijn dat de Noordkoreanen over Nodong Scud-raketten beschikken die in staat zijn om de zee over te steken. Als er oorlog komt en de Koreanen besluiten om hun troefkaart uit te spelen, zouden ze de Japanners een paar enorme slagen kunnen toebrengen. In weerwil van onze PR hebben onze Patriot-raketten tijdens de Golfoorlog maar heel weinig Scuds weten uit te schakelen. De Japanners zullen alleen achter ons blijven staan als ze ervan overtuigd zijn dat ze zich afzijdig kunnen houden.'
Hood zweeg even. Het was zijn taak om aan draadjes te trekken en te kijken waar ze heen leidden, hoe bizar die bestemming op het eerste gezicht ook mocht lijken. Hij richtte zich tot adjunct-directeur McCaskey.
'Darrell, hoe heten die extreme nationalisten in Japan ook weer, die de effectenbeurs van Mexico City hebben opgeblazen toen Bush zich inzette voor het NAFTA?'
'De Liga van de Rode Hemel.'
'Die bedoel ik. Zoals ik het me herinner, zijn ze tegen nauwe banden tus-

sen de Verenigde Staten en Japan.'
'Dat is zo, maar tot nu toe hebben ze altijd meteen de verantwoordelijkheid opgeëist voor alles wat ze gedaan hebben. Maar er zit wel iets in: er zou een derde partij achter kunnen zitten. Wapenhandelaars uit het Midden-Oosten misschien, die een hoop geld willen verdienen met leveranties aan het Noorden. Ik zal er een paar mensen op zetten.'
De voormalige FBI-agent liep naar de computer aan de andere kant van de kamer om E-mailberichten te versturen naar zijn bronnen in Azië en Europa.
'Dat is een interessant idee,' zei Gregg Kidd, 'en bij mij was het ook al opgekomen. Maar er zou iets anders achter kunnen steken dan wapenhandel. Ik heb een paar van mijn mensen opdracht gegeven om uit te zoeken of het een of andere land ons in een oorlog probeert te betrekken, zodat het zelf ergens anders de boel op stelten kan zetten. Irak of Haïti bijvoorbeeld. Ze weten heel goed dat het Amerikaanse publiek nooit zal toestaan dat onze soldaten in twee oorlogen tegelijk moeten vechten. Als ze ons tot over onze oren in Korea weten te verwikkelen, geeft hun dat de speelruimte om zelf een oorlog te beginnen.'
Hood keek naar het kleine beeld van Bugs Benet. 'Zet dat als voetnoot onder het kopje PROBLEEM in de nota Beleidsopties. Als Rodgers eindelijk hier is, kan hij er samen met Martha een addendum van maken.' Hij richtte zijn blik weer op de monitor. 'Av, waar staan de Chinezen in deze kwestie?'
'Net voor deze vergadering heb ik hun minister van Buitenlandse Zaken gesproken. Ze verklaren heel stellig dat ze geen oorlog aan hun grens met Mantsjoerije willen, maar we weten ook dat ze al evenmin een verenigd Korea willen. Dat zou na verloop van tijd kunnen uitgroeien tot een kapitalistische krachtcentrale die jaloezie en onrust zou kunnen wekken onder de Chinese bevolking. In het eerste geval zullen er grote stromen vluchtelingen China binnentrekken; in het tweede geval zullen grote aantallen Chinezen naar Korea proberen te vluchten om ook een stuk van de koek te bemachtigen.'
'Maar Peking geeft nog steeds financiële en militaire steun aan het Noorden?'
'In betrekkelijk bescheiden mate.'
'En als het tot een oorlog komt, zal die hulp dan opgevoerd of stopgezet worden?'
Av gooide een onzichtbare munt op. 'Politiek gezien zou het allebei heel goed kunnen.'
'Jammer genoeg moeten we het hier allemaal over eens zijn voor we dit aan de president voorleggen. Wil iemand zich erop vastleggen?'

'Wat vind jij ervan?' vroeg Burkow.
Hood dacht even aan Liz Gordons psychologische profiel en besloot er maar op te vertrouwen. 'We gaan ervan uit dat ze hun steun aan het Noorden op het huidige niveau zullen houden, zelfs als er een oorlog uitbreekt. Zo kunnen ze hun oude bondgenoten blijven steunen zonder de Verenigde Staten al te veel tegen zich in het harnas te jagen.'
'Dat klinkt redelijk,' zei nationale-veiligheidsadviseur Burkow, 'maar ik denk dat je iets belangrijks over het hoofd ziet. Als de Chinezen hun steun wèl opvoeren, en de president gaat op onze beleidsnota af, dan staan wij voor schut. Maar als we hem adviseren om een groot aantal troepen naar de Gele Zee over te brengen – die klaar staan voor een aanval op Noord-Korea, maar duidelijk ook een oogje op China houden – zal hij erg opgelucht zijn als Peking zich koest houdt.'
'Tenzij ze die legermacht van ons als een bedreiging zien,' zei minister van Defensie Colon. 'Dan zouden ze zich misschien genoodzaakt zien om tussenbeide te komen.'
Hood dacht enkele seconden na. 'Ik stel voor dat we niet al te veel nadruk leggen op de mogelijke rol van China.'
'Daar ben ik het mee eens,' zei Colon. 'Ik kan me nauwelijks omstandigheden voorstellen waaronder wij reden zouden hebben om bevoorradingsroutes in China zelf aan te vallen, dus is er ook geen reden om een grote gewapende macht in hun buurt te stationeren.'
Hood was blij, maar nauwelijks verrast dat Colon het met hem eens was. Hood was nooit in dienst geweest – in 1969 was hij uitgeloot – en een van de eerste dingen die hij over officieren had geleerd was dat ze meestal de laatsten waren om op het gebruik van geweld aan te dringen. En als ze het deden, wilden ze heel duidelijk weten hoe hun troepen zich weer uit de strijd zouden kunnen terugtrekken.
'Daarin ga ik met je mee, Ernie,' zei Av. 'De Chinezen weten al bijna een halve eeuw te leven met onze militaire aanwezigheid in Noord-Korea. Als er een oorlog uitbreekt, zullen ze gewoon even de andere kant uit kijken, en daar moeten we gebruik van maken. Ze willen hun status als begunstigde handelsnatie niet verliezen, niet nu hun economie net op gang begint te komen. En bovendien, ze zullen het wel leuk vinden om in het conflict te bemiddelen. Dan kunnen zij ook eens de rol van Grote Witte Vader spelen.'
Hood drukte op de F6-knop, en daarna op Control-F1 om het actieve document te zien. Terwijl Bugs Benet de transcriptie langs had zien rollen, had hij de ter zake doende gegevens eruit gepikt en die ingevoegd in een blanco nota Beleidsopties. Die ruwe eerste versie hoefde Hood straks alleen nog maar even door te lezen, en nadat hij naar goeddunken passages

toegevoegd of geschrapt had, zou het stuk rechtstreeks naar de president gaan.
Hij keek het document snel even door en zag dat alles wat ze nodig hadden erin stond, op twee onderwerpen na: de militaire opties en de mening van de Crisisgroep over de noodzaak daarvan.
'Oké,' zei hij. 'Goed werk. Laten we nu de rest nog even uitwerken.'
Het team ging daarbij vooral af op de meningen van de minister van Defensie Colon en de voorzitter van de gezamenlijke chefs van staven Parker, en onder verwijzing naar bestaande beleidsdocumenten adviseerde het een kalme opbouw tot volledige gevechtssterkte: een voortdurende geleidelijke inzet van extra troepen, tanks, artillerie en Patriot-raketten, plus het in staat van paraatheid brengen van een aantal nucleaire, chemische en bacteriële wapendepots.
Zonder nieuwe informatie van de KCIA of de uitslag van McCaskeys snelle onderzoek naar internationale terroristen af te wachten, deed de Crisisgroep de president de aanbeveling om de crisis via diplomatieke kanalen te bedwingen en tot een oplossing te brengen.

Voordat hij aan de definitieve versie begon, gaf Hood de teamleden dertig minuten om de eerste ruwe versie van de nota Beleidsopties door te kijken en aanvullende opmerkingen toe te voegen. Meteen nadat hij de vergadering had gesloten, schraapte Bugs zijn keel.
'Meneer, adjunct-directeur Rodgers wil u spreken.'
Hood keek op de aftelklok; Rodgers had al bijna drie uur niets van zich laten horen. Hood hoopte maar dat hij daar een goede verklaring voor had.
'Stuur hem maar naar binnen, Bugs.'
Bugs keek alsof hij zijn boord wilde losknopen; zijn ronde gezicht liep rood aan.
'Dat gaat niet, meneer.'
'Waarom niet? Waar is hij dan?'
'Aan de telefoon.'
Hood moest ineens denken aan het vreemde gevoel dat hij had gehad toen hij Rodgers Lord Nelson had horen citeren, en zijn gezicht betrok. 'Waar hangt hij dan uit?'
'Hij zit ergens boven de grens tussen Virginia en Kentucky, meneer.'

21

Dinsdag, 21.00 uur
Seoul

Nadat hij de ambassade had verlaten, bleef Gregory Donald eerst een tijdje over straat lopen. Hij wilde graag naar de basis om de gang van zaken rond zijn vrouw te regelen en om haar ouders te bellen met het afschuwelijke nieuws. Maar om dat te kunnen moest hij eerst wat tot rust komen. Hij had tijd nodig om na te denken. Haar arme vader en haar jongere broer zouden buiten zichzelf zijn van verdriet.
Bovendien had hij een idee dat hij even kalm moest laten rijpen.
Langzaam liep hij over de oude Chongjinweg, langs de markten met hun bontgekleurde lantaarns, spandoeken en luifels die allemaal heen en weer wiegden in het licht van de straatlantaarns. Het was drukker dan anders; de straten waren afgeladen met nieuwsgierige toeschouwers die de plek van de ontploffing kwamen bekijken om er foto's en video's van te maken, en om metaalsplinters en aan scherven geslagen bakstenen mee te nemen als aandenken.
Bij een van de stalletjes kocht hij wat tabak, een Koreaans merk. Hij zocht een smaak en een geur die hij met dit moment in verband kon brengen, die hem altijd het intense, kwellende gevoel van liefde dat hij voor Soonji koesterde in herinnering zouden brengen.
Zijn arme Soonji. Ze had een baan als hoogleraar politicologie opgegeven om met hem te kunnen trouwen en Koreanen in ballingschap in de Verenigde Staten te gaan helpen. Hij had er nooit aan getwijfeld dat zijn vrouw hem graag mocht, hoewel hij zich altijd had afgevraagd in hoeverre haar besluit om met hem te trouwen was voortgekomen uit liefde. Had het feit dat ze in zijn gezelschap veel gemakkelijker de Verenigde Staten binnen kon komen ook niet een rol gespeeld? Zelfs nú voelde hij zich niet schuldig over die gedachte. Als het al zo was geweest, dan had ze het gedaan om anderen te helpen. En dat ze bereid was geweest om daarvoor een carrière op te geven die belangrijk voor haar was en een man te nemen die ze nauwelijks kende, maakte haar in zijn ogen zelfs nog meer waard. Als hij in zijn tweeënzestig jaar op deze wereld iets had geleerd, dan was het wel dat relaties tussen mensen niet beoordeeld dienden te worden door de maatschappij maar door de betrokkenen zelf. En dat hadden Soonji en hij zeker gedaan.
Terwijl hij verder liep en zijn pijp opstak, flikkerde het schijnsel van de vlam over zijn betraande ogen. Hij hoorde nu gewoon terug te kunnen

lopen naar de ambassade, zodat hij daar de telefoon op kon nemen om haar te bellen en te vragen wat ze aan het lezen was, en wat ze had gegeten. Hij vond het onvoorstelbaar, onnatuurlijk zelfs, dat dat niet zou gaan, en huilend bleef hij staan wachten tot hij kon oversteken.
Zou hij ooit nog om iets of iemand kunnen geven?
Op dit moment zag hij niet hoe dat ooit nog zou kunnen. Hoe diep de liefde die ze samen gedeeld hadden ook gegaan mocht zijn, ze hadden in ieder geval een diepe en oprechte bewondering voor elkaar gekoesterd. Zelfs op momenten dat niemand anders waardering had gehad voor hun streven, hadden Soonji en hij altijd van elkaar geweten waar ze mee bezig waren en wat ze wilden bereiken. Ze hadden samen gelachen en gehuild, gediscussieerd en geruzied, en het dan weer bijgelegd, en zich alle twee intensief beziggehouden met het moeilijke lot van de hardwerkende Koreanen die het in de Amerikaanse steden zo zwaar te verduren hadden. Hij zou hun werk alleen kunnen voortzetten, maar het vuur leek verdwenen te zijn. Het zou zijn verstand zijn dat hem voortdreef, en niet zijn hart. Zijn hart was vanavond kort na zessen gestorven.
Maar toch voelde hij in zijn innerlijk nog iets branden, iets dat oplaaide toen hij aan de gebeurtenis zelf dacht. De ontploffing. In zijn leven had hij verliezen en tragedies gekend; hij had vele vrienden en collega's verloren door auto-ongelukken, vliegrampen en zelfs moordaanslagen. Maar dat was blind toeval, of doelbewuste opzet geweest: een lotsbestemming of een daad die tegen één specifieke persoon gericht was omdat hij iets symboliseerde, iets had gedaan of een bepaalde denkwijze had uitgedragen. Hij kon zich eenvoudig niet voorstellen welke schokkende onverschilligheid mensen tot zo'n daad van blind geweld als deze kon brengen. Hoe iemand de levens van Soonji en vele anderen zo achteloos kon beëindigen. Welk doel was zo belangrijk en dringend dat de dood van onschuldigen de beste manier was om er aandacht voor te vragen? Wie hield er zo'n sterk ego, zulke heftige ambities of zo'n eigenaardige wereldbeschouwing op na dat een daad als deze hem gerechtvaardigd leek?
Donald wist het niet, maar hij wilde er vreselijk graag achter komen. Hij wilde dat de daders gevangen genomen en terechtgesteld zouden worden. Vroeger werden moordenaars in Korea onthoofd, en hun hoofden werden op staken gezet om als voedsel voor de vogels te dienen, zodat hun zielen blind, doof en stom door de eeuwigheid moesten dwalen. Dat was wat hij deze mensen toewenste. Dat, en dat ze daar in het hiernamaals Soonji niet zouden tegenkomen, want in haar grenzeloze barmhartigheid zou ze hen misschien zelfs bij de hand nemen om hen naar een plek te brengen waar het veilig en prettig was.
Toen hij opnieuw aan de voetafdrukken en de waterfles dacht, bleef hij

even stilstaan voor een bioscoop en merkte dat hij wilde dat hij lid van Hwans team was. Niet alleen om de schuldigen voor het gerecht te brengen, maar ook om naast zijn verdriet nog iets anders te hebben waarop hij zijn aandacht kon richten.
Maar misschien was er toch nog een taak voor hem weggelegd, een taak die hem sneller achter de waarheid zou doen komen dan de mensen van de KCIA. Om te slagen zou generaal Norbom hem niet alleen moeten helpen, maar ook vertrouwen in hem moeten stellen, en op de een of andere manier zou hij de zekerheid moeten hebben dat Soonji, zijn Soonji, zijn plannen zou goedkeuren.
Toen hij aan Soonji dacht, begonnen de tranen weer over zijn wangen te biggelen. Donald liep naar de stoeprand, hield een taxi aan en gaf de chauffeur opdracht om naar de Amerikaanse basis te rijden.

22

Dinsdag, 07.08 uur
De grens tussen Virginia en Kentucky

Rodgers drukte de koptelefoon stevig tegen zijn oren. Hoewel het geluid zo hard mogelijk stond, kostte het hem nog steeds de grootste moeite om Paul Hood te verstaan. Dat was trouwens maar goed ook: toen hij de gele oordopjes uit zijn oren had getrokken om het radiobericht te kunnen horen, had hij geweten dat het geen gezellig en vaag gesprek zou worden, en daar had hij gelijk in gehad.
Het zou beter geweest zijn als Hood had zitten schreeuwen. Dan had hij de man in ieder geval kunnen verstaan. Maar Hood was geen schreeuwer. Als hij boos werd, begon hij langzaam te spreken en zorgvuldig te formuleren, alsof hij in zijn woede iets verkeerds zou kunnen zeggen. Om de een of andere reden zag Rodgers ineens een beeld voor zich van Hood met een schort voor en een grote spatel in zijn handen, die even zorgvuldig met zijn woorden omsprong als met de pizza's die hij een voor een de oven in schoof.
'... met een gevaarlijk tekort aan mensen,' zei hij. 'Martha fungeert nu als mijn rechterhand.'

'Ze is góed, Paul,' brulde hij in de microfoon. 'Ik vond dat mijn plaats hier bij het team was. Dit is de eerste keer dat ze overzee worden ingezet.'
'Die beslissing was niet aan jou! Je had je reisplannen eerst aan mij moeten voorleggen!'
'Ik wist dat je je handen vol zou hebben en ik wilde je niet storen.'
'Je wilde niet dat ik "nee" zou zeggen, Mike. Wees in ieder geval eerlijk, anders word ik echt pisnijdig.'
'Oké, ik geef het toe.'
Rodgers wierp een snelle blik op luitenant-kolonel Squires, maar die deed alsof hij niets had gehoord. De generaal trommelde op de radio en hoopte maar dat Hood wist wanneer hij moest ophouden. Hij was net zo'n professional als Hood zelf, van militaire zaken wist hij zelfs heel wat meer, en hij was niet van plan om genoegen te nemen met meer dan een eenvoudige schrobbering van het ik-moest-het-even-kwijt-soort. En al helemaal niet van een vent die samen met types als Tom Cruise en Julia Roberts geld had staan inzamelen terwijl híj in de Perzische Golf het bevel voerde over een gemotoriseerde brigade.
'Goed Mike,' zei Hood. 'Je bent er nu eenmaal. Hoe kunnen we optimaal van je aanwezigheid gebruik maken?'
Mooi. Hij weet wanneer hij moet ophouden.
'Voorlopig,' zei Rodgers, 'hoef je me alleen maar op de hoogte te houden van de laatste ontwikkelingen en ervoor te zorgen dat mijn staf de simulaties door de computer haalt als we in actie moeten komen.'
'Ik zal erop letten, en de enige nieuwe ontwikkeling is dat de president ons de leiding over de Crisisgroep heeft gegeven. Hij wil het hard spelen.'
'Prima.'
'Daar hebben we het later nog wel eens over, als het allemaal achter de rug is, met een pizza en een biertje erbij. Voorlopig heb je opdracht om verder te reizen naar je bestemming. We nemen radiocontact met je op als de plannen veranderd worden of als zich nieuwe ontwikkelingen voordoen.'
'Begrepen.'
'En, Mike?'
'Ja?'
'Laat die jongens het zware tilwerk maar doen, man van middelbare leeftijd.'
Nadat beide mannen over en uit gezegd hadden, leunde Rodgers grinnikend achterover. Die verwijzing naar hun favoriete typetje uit *Saturday Night Live* was leuk, maar wat hem echt had getroffen was die opmerking over pizza. Misschien was het alleen maar toeval, maar Hood had een angstaanjagend goede intuïtie voor wat andere mensen dachten. Rodgers had zich al vaak afgevraagd of Hood dat talent had ontwikkeld in de poli-

tiek of dat hij zich vanwege dat talent tot de politiek aangetrokken had gevoeld. Telkens als Rodgers zin kreeg om Hood een schop voor zijn kont te geven, bracht hij zichzelf in herinnering dat de man niet voor niets de allerhoogste functie binnen het Op-Center had gekregen... hoe graag hij ook wilde dat die positie hemzelf aangeboden was.
Hij wilde ook dat Hood eens met hem mee zou gaan naar de renbaan in plaats van voortdurend de Beste Vader van het Jaar uit te hangen. Samen zouden ze waarschijnlijk een fortuin kunnen verdienen, en hij kende een paar meisjes die er misschien voor zouden kunnen zorgen dat Hood een beetje loskwam... dat zou de sfeer tussen hen een stuk minder gedwongen maken.
Nadat hij de koptelefoon had afgezet, leunde Rodgers weer tegen de koude, trillende aluminiumrib van het transportvliegtuig en streek met zijn hand over zijn zwarte, grijzende, pas gemillimeterde haar.
Rodgers wist heel goed dat Hood er net zomin als hijzelf iets aan kon doen dat hij was wie hij was, en dat dat waarschijnlijk helemaal zo erg nog niet was. Wat had Laodamas ook weer gezegd tegen Odysseus? 'Doe mee aan onze spelen; leg uw hart te ruste.' Waar zouden ze blijven zonder competitie en onderlinge rivaliteit om hen aan te sporen? Als Odysseus niet had gewonnen met het discuswerpen zou hij niet zijn uitgenodigd in het paleis van Alkinoös, waar hij de geschenken had ontvangen die van zo'n groot belang waren gebleken voor zijn thuisreis.
'Generaal,' zei Squires, 'wilt u ons draaiboek doornemen? Dat kost wel een paar uur.'
'Zeker,' zei Rodgers. 'Ik zal mijn hart te ruste leggen.'
Terwijl hij over de bank wat dichter naar de overste toe schoof en zijn blik op de grootformaat ordner richtte, keek Squires hem verbaasd aan.

23

Dinsdag, 07.10 uur
Het Op-Center

Liz Gordon zat in haar kleine kantoortje. Het enige wat er aan de muur hing, was een gesigneerde foto van de president en een visitekaartje van

Freud. Op de deur van de kast hing nog een dartboard met een foto van Carl Jung erop, een cadeautje van haar tweede ex-man.
Tegenover het Spartaanse metalen bureau zaten adjunct-stafpsycholoog Sheryl Shade en assistent-psycholoog James Solomon druk te werken op hun laptops, die op Liz' Peer-2030-computer waren aangesloten.
Terwijl ze naar het scherm van haar monitor zat te staren, stak Liz met haar oude Marlboro een nieuwe aan en blies een grote rookwolk uit. 'Uit onze gegevens maak ik op dat de president van Noord-Korea een degelijk type is. Hoe denken jullie daarover?'
Sheryl knikte. 'Alles wijst op een gemiddelde of meer dan gemiddelde aanpassing. Hij heeft een sterke band met zijn moeder... een stabiele relatie met zijn vriendin... hij onthoudt verjaardagen en jubilea... geen seksuele afwijkingen... normaal voedingspatroon... een zeer bescheiden alcoholconsumptie. En dan is er dat citaat van doctor Hwong, dat hij het prettiger vindt om effectief te communiceren dan om zijn omgeving te imponeren met zijn grote woordenschat.'
'En in de dossiers van zijn stafleden is niets te vinden dat erop wijst dat ze buiten hem om iets zullen ondernemen,' voegde Sheryl eraan toe. 'Als we met een terrorist te maken hebben, komt die niet uit de naaste omgeving van de president.'
'Oké,' zei Liz. 'Jimmy, wat heb jij gevonden?'
De jongeman schudde zijn hoofd. 'In de *Zjongwa Renmin Gongè Kwo* hebben we geen agressieve artikelen aangetroffen. En in de privé-gesprekken die sinds ons vorige rapport door onze eigen organisatie en door de CIA zijn afgeluisterd – het meest recente heeft gisterochtend om zeven uur plaatsgevonden – hebben de president, de premier, de algemeen secretaris van de Communistische Partij en andere leidende figuren in de Volksrepubliek China unaniem de wens uitgesproken om niet betrokken te raken bij een confrontatie op het schiereiland, ongeacht de vorm die zo'n crisis zou kunnen aannemen.'
'Dat alles betekent dus dat we het bij het rechte eind hadden,' zei Liz door een grote rookwolk heen. 'De methodologie klopt, de conclusies kloppen en onze resultaten staan als een huis.' Ze nam opnieuw een enorme trek van haar sigaret en gaf Solomon toen opdracht om ambassadeur Rachlin in Peking een lijst met de namen van de meest militante Chinese leiders te faxen. 'Ik denk niet dat we van die mensen iets te vrezen hebben, maar Hood wil zich volledig indekken.'
Solomon salueerde met twee vingers, trok het snoer van zijn laptop uit haar computer en liep haastig naar zijn kantoor. Hij deed de deur achter zich dicht.
'Ik denk dat we nu alles gedaan hebben wat Paul wilde,' zei Liz, en terwijl

ze aandachtig keek hoe Sheryl haar computer dichtklapte en eveneens de stekker eruit trok, nam ze opnieuw een stevige trek van haar sigaret. 'Wat hebben we hier, Sheryl... achtenzeventig mensen?'
'In het Op-Center bedoel je?'
'Ja. We hebben hier achtenzeventig mensen, plus nog eens tweeënveertig man ondersteunend personeel die we delen met het Ministerie van Defensie en de CIA, de twaalf leden van het Striker Team en de mensen die ze van luchtmachtbasis Andrews hebben geleend. Dat is ongeveer honderdveertig mensen in totaal. Dus waarom kan het me, met al die mensen om me heen – van wie de meesten niet alleen vriendelijk en onbevooroordeeld zijn, maar ook nog heel erg goed in hun werk – ook maar iets schelen wat Paul Hood van ons vindt? Waarom kan ik niet gewoon mijn werk doen, hem geven waarom hij gevraagd heeft, en daarna een dubbele espresso gaan drinken?'
'Omdat wij op zoek zijn naar de zuivere waarheid, en hij een manier zoekt om die waarheid naar zijn hand te zetten, om er macht mee uit te oefenen.'
'Zou het?'
'Het is op zijn minst een gedeeltelijke verklaring. Je raakt ook gefrustreerd door die mannelijke geesteshouding van hem. Je weet hoe zijn psychologische profiel eruitziet. Hij is een atheïst, hij heeft de pest aan opera en heeft in de jaren zestig nooit geestverruimende middelen gebruikt. Als het voor hem niet tastbaar is, als hij er in zijn alledaagse produktieve leven geen gebruik van kan maken, is het de moeite niet waard. Hoewel dat in één opzicht juist weer een heel goede eigenschap is.'
'Hoezo?' Er verscheen een vermoeide uitdrukking op Liz' gezicht toen haar computer plotseling begon te piepen.
'Mike Rodgers is net zo. Als ze dat niet gemeen hadden, zouden ze elkaar het leven onmogelijk maken met schuine blikken en steken onder water... het zou nog veel erger zijn dan het nu al is.'
'De Bligh en Christian van het Op-Center.'
De broodmagere blondine zwaaide met haar vinger. 'Goed gevonden.'
'Maar weet u, doctor Shade, ik denk dat er iets anders achter zit...'
Sheryl keek geïnteresseerd. 'Werkelijk? Wat dan?'
Liz glimlachte. 'Sorry, Sheryl. Dank zij het wondermiddel E-mail zie ik dat Ann Farris en Lowell Coffey II me dringend willen spreken. Misschien komen we er later nog wel eens op terug.'
Met die woorden draaide de stafpsycholoog de sleutel in haar computer om, liet hem in haar zak glijden en liep de deur uit... terwijl haar assistente verward achterbleef.

Terwijl ze snel door de gang naar het kantoor van de persvoorlichtster liep

en nog een pakje kauwgum openmaakte – nog meer puur kauwgenot – moest Liz moeite doen om niet te glimlachen. Het was niet eerlijk om zo tegen Sheryl te doen, maar het was een goede oefening. Sheryl was nieuw. Ze kwam regelrecht van New York University en liep over van boekenwijsheid, kilobytes meer dan Liz op haar leeftijd, tien jaar geleden. Maar ze had niet veel levenservaring en ze dacht veel te rechtlijnig. Ze moest nodig eens wat geestelijk terrein verkennen, maar dan zonder landkaart, zodat ze haar eigen weg zou moeten vinden. En zo'n puzzel als die waarmee Liz haar nu had achtergelaten – waarom kan het mijn chef zoveel schelen wat haar chef denkt – zou haar daarbij helpen, zou haar een bepaalde gedachtengang laten volgen: Is ze verliefd op hem? Is haar eigen relatie niet goed? Wil ze promotie maken, en als dat zo is, wat betekent dat dan voor mij? Zo'n gedachtengang zou haar langs een groot aantal interessante plekken brengen, en dat zou haar goeddoen.
De waarheid was dat Liz heel erg genoot van haar espresso's en niet aan Hood dacht terwijl ze die zat te drinken. Zijn onvermogen – of onwil – om de wetenschappelijke waarde van haar werk te onderkennen, liet haar koud. Ze hadden Jezus aan het kruis genageld en Galilei verbrand, maar dat had de waarheid van hun leer niet aangetast.
Nee, wat haar irriteerde was de behendige manier waarop hij politiek bedreef, zelfs als de hel ieder moment kon losbreken. Hij hoorde haar altijd beleefd en nauwgezet aan en nam zo nu en dan iets van haar onderzoeksresultaten op in zijn beleidsadviezen en strategische verkenningen. Niet omdat hij dat wilde, maar omdat hij dat volgens Op-Centers mandaat verplicht was. Maar omdat hij geen vertrouwen in haar werk stelde, was zij altijd de eerste die hij op het matje riep als er iets misging. Daar had ze de pest over in, en ze had plechtig gezworen dat ze zijn goddeloze psychologische profiel ooit nog eens aan Pat Robertson zou toespelen.
Nee, dat doe je toch niet, zei ze tegen zichzelf terwijl ze op de deur van het kantoor van Ann Farris klopte, maar erover fantaseren hielp haar om haar kalmte te bewaren als hij haar het vuur weer eens na aan de schenen legde.

De *Washington Times* had Ann Farris ooit eens beschreven als een van de vijfentwintig begeerlijkste gescheiden vrouwen in de nationale hoofdstad. Drie jaar later was ze dat nog steeds.
Ze was één meter zevenenzestig lang en had haar bruine haren samengebonden met een modieus sjaaltje. Maar ondanks haar blinkend witte tanden en haar donkerbruine ogen, was ze ook een van de minst begrepen vrouwen in Washington. Nadat ze aan Bryn Mawr een Bachelor's Degree Journalistiek en een Master of Arts-diploma Openbaar Bestuur had gehaald, had haar aristocratische, in Greenwich, Connecticut, wonende

familie van haar verwacht dat ze eerst bij haar vader in Wall Street zou gaan werken en daarna adjunct-directeur zou worden bij de een of andere gerenommeerde firma. Dan nog een positie als onderdirecteur en daarna zouden haar mogelijkheden onbegrensd zijn.

In plaats daarvan was ze politiek verslaggeefster bij *The Hour* geworden, in het nabijgelegen Norwalk. Nadat ze er twee jaar had gewerkt, werd ze perschef van de onconventionele gouverneur van de deelstaat, een individualist die tegen alle heilige huisjes aan schopte en die geen lid was van een van de twee grote partijen. Na haar huwelijk met een ultra-linkse commentator bij de publieke omroep in New Haven was ze thuisgebleven om hun zoontje op te voeden. Twee jaar later had ze hem verlaten... nadat hij door bezuinigingen op de overheidsbijdrage aan zijn omroeporganisatie zijn baan had verloren en uit wanhoop zijn toevlucht had gezocht in de armen van een rijke dame uit Westport. Ann was naar Washington verhuisd en had een baan gevonden als persvoorlichtster voor een pas gekozen senator uit Connecticut. De senator was een intelligente, attente, getrouwde man en kort na haar aankomst in Washington was ze een verhouding met hem begonnen. Het was de eerste van een hele reeks heftige, bevredigende verhoudingen met intelligente, attente, getrouwde mannen, van wie er één zich nog hoger in de ambtelijke hiërarchie bevond dan de vice-president.

Dat laatste stond niet in haar vertrouwelijke psychologische profiel, maar Liz wist het omdat Ann het haar had verteld. Ze had ook opgebiecht – het was trouwens overduidelijk – dat ze verliefd was op Paul Hood en een paar hoogst erotische fantasieën over hem had gehad. De statige schoonheid was opmerkelijk openhartig over haar relaties, in ieder geval tegen Liz. Ann deed haar denken aan een katholiek schoolmeisje dat ze ooit had gekend, Meg Hughes, die tegenover de nonnetjes altijd zo beleefd en op haar hoede was als ze maar kon, maar die zodra ze weg waren altijd meteen haar duisterste geheimen begon te onthullen.

Liz vroeg zich vaak af of Ann haar in vertrouwen nam omdat ze psychologe was of omdat ze haar niet als rivale zag.

Met haar omfloerste stem zei Ann dat Liz binnen kon komen.

De geur die in haar kantoor hing, was uniek: een mengeling van haar flauw naar dennen ruikende, niet op dieren geteste parfum *Faire* en de vage muskuslucht van de ingelijste, zuurvrij gemaakte krantevoorpagina's die her en der verspreid aan de muren hingen. De oudste dateerde van voor de Amerikaanse revolutie, de nieuwste van kort geleden. In totaal waren het er meer dan veertig, en Ann zei dat het een interessante oefening was om de artikelen te lezen en erover te denken of zij die crises anders aangepakt zou hebben.

Liz glimlachte snel even naar Ann en gaf Lowell Coffey II een langzame

knipoog. Toen ze binnenkwam, was de jonge advocaat opgestaan, en zoals altijd stond hij nu aan iets duurs te frunniken. Dit keer was het een van zijn diamanten manchetknopen.
Hij staat gewoon op zijn geld te geilen, dacht Liz. Anders dan Ann, had het slappe rijkeluiszoontje Coffey de Beverly Hills-levensstijl en de studentikoze ballerigheid van zijn rijke advocatenouders kritiekloos overgenomen. Hij had altijd iets in zijn handen dat zijn familie meer geld had gekost dan hij in een heel jaar verdiende: een das van Armani, een gouden Flaggevulpen, een Rolex-horloge. Ze kwam er niet achter of het hem plezier deed of dat hij alleen maar wilde laten merken hoe dik zijn portemonnee was, maar het was uiterst doorzichtig en bijzonder irritant, net als dat goed gekapte, met een scheermes bijgewerkte donkerblonde haar, de gemanicuurde en gepolijste vingernagels en het perfecte driedelig grijs van Yves Saint-Laurent. Ze had Hood ooit eens gesmeekt om een kijkgaatje in zijn kantoor te installeren, zodat ze het raadsel voor eens en altijd zouden kunnen oplossen; dat raadsel was niet òf hij werkelijk iedere keer dat hij de deur achter zich dichttrok snel de pluisjes van zijn kostuum borstelde, maar hoe lang hij daarmee bezig was.
'Een vrolijke en goede morgen gewenst,' zei Coffey.
'Hallo, nummer twee. Goeiemorgen, Ann.'
Ann glimlachte en wuifde met haar vingers. Ze zat aan haar grote antieke bureau, in plaats van op de voorste rand, zoals meestal. Waarschijnlijk om wat afstand te scheppen tussen Coffey en zichzelf, bedacht Liz. Het chique studentje was te slim of te laf voor openlijke ongewenste intimiteiten, maar de manier waarop hij voortdurend naar Ann liep te lonken had hem bij de pr-mensen en de psychologen nog minder populair gemaakt dan een loonmatiging.
'Bedankt voor je komst, Liz,' zei Ann. 'Het spijt me dat ik je erbij moest slepen, maar Lowell stond erop.' Ze draaide haar monitor om. 'Paul wil om acht uur een persbericht uitgeven, en ik heb je paraaf nodig voor een inschatting van de Noordkoreaanse leiders.'
Met gestrekte armen leunde Liz op het bureau. 'Is dat niet Bob Herberts terrein?'
'Strikt genomen, ja,' antwoordde Coffey met zijn zalvende, fluweelzachte stem. 'Maar Ann heeft een paar uitdrukkingen gebruikt die grenzen aan smaad. Omdat ik niet zeker weet of we die hard kunnen maken, wil ik inschatten of het slachtoffer met succes een proces tegen ons zou kunnen aanspannen.'
'Je bedoelt dat de president van Noord-Korea ons zou kunnen laten vervolgen?'
'Ariel Sharon heeft het ook gedaan.'

'Dat was *Time* en niet de Amerikaanse regering.'
'Ja, maar nu Noord-Korea er zo benard voor staat, zou een proces tegen de Amerikaanse regering een geweldige manier zijn om sympathie te winnen.' Coffey ging zitten, maakte zijn manchetknopen los en begon aan de knoop van zijn zwarte das te frunniken. 'Zou u ontdekt willen worden, dames? Zodat u gedwongen zou worden om uw bronnen, uw manier van werken en dergelijke te onthullen? Ik niet.'
'Je hebt gelijk, hoewel het niet tot een rechtszaak zou komen. Je kunt geen rechtszaak aanspannen tegen een soevereine regering. Maar toch, het kan riskant zijn.'
Hij trok een gezicht alsof hij wilde zeggen: doe het nou maar gewoon, en wees naar het scherm. Hoewel ze het niet leuk vond om die aanwijzing op te volgen, keek Liz naar de monitor.
'Dank je wel,' zei Ann en streek zachtjes even over de rug van Liz' hand.
Terwijl ze de tekst doorlas, kauwde Liz hard op haar kauwgom. De gemarkeerde passage was kort maar krachtig:

> *We zijn van oordeel dat de regering van de Democratische Volksrepubliek Korea geen oorlog wenst, en we hechten geen waarde aan de geruchten dat de president in eigen persoon opdracht zou hebben gegeven tot deze terreuraanslag. Er is geen bewijs voor de bewering dat hij onder druk staat van officieren die iedere vorm van compromis afwijzen en die sterk gekant zijn tegen hereniging.*

Liz keek naar Coffey. 'Nou?'
'Ik heb het nagezocht. Die geruchten zijn nergens anders uitgezonden of gepubliceerd.'
'Dat komt omdat de explosie zich nog maar drie uur geleden heeft voorgedaan.'
'Precies. En daarom zouden wij met dit document de eersten zijn die de geruchten in druk laten verschijnen, en dat komt op zijn minst voor een deel omdat Bob Herbert de enige is die dergelijke verdenkingen heeft uitgesproken.'
Liz krabde aan haar voorhoofd. 'Maar we hechten er geen waarde aan.'
'Dat doet niet ter zake. Alleen al door er melding van te maken, zelfs in ontkennende zin, lopen we wettelijk gezien een risico. We moeten kunnen aantonen dat we dat zonder boos opzet doen.'
Ann legde haar handen over elkaar. 'Ik heb die alinea nodig, Liz, of anders iets dat min of meer op hetzelfde neerkomt. Als de president van Noord-Korea en zijn militaire adviseurs hierachter zitten, willen we ze laten weten dat we ze doorhebben, en als ze er niets mee te maken hebben, moet ons

persbericht gewoon letterlijk genomen kunnen worden en zijn we dus buitengewoon verontwaardigd over deze geruchten.'
'En je wilt dat ik je vertel hoe hij zal reageren als hij dit leest?'
Ann gaf een knikje.
Liz begon langzamer te kauwen. Ze misgunde Coffey zelfs de kleinste overwinning, maar kon haar oordeel daardoor niet laten beïnvloeden. Ze las de passage nog eens door.
'De president is niet zo naïef om te verwachten dat we geen verdenkingen tegen hem zullen koesteren, maar hij heeft ook voldoende trots om zich gekrenkt te voelen door de manier waarop je de verdenking speciaal op hèm richt.'
Ann keek teleurgesteld, en Coffey ging nog wat rechter zitten.
'Suggesties?' vroeg Ann.
'Twee. In de regel "... en we hechten geen waarde aan de geruchten dat de president in eigen persoon opdracht zou hebben gegeven", zou ik president vervangen door regering. Dat maakt het wat minder persoonlijk.'
Ann keek haar even indringend aan. 'Oké, daar kan ik mee leven. En de tweede?'
'Die is wat ingewikkelder. Waar je hebt geschreven: 'Er is geen bewijs voor de bewering dat hij onder druk staat van officieren die iedere vorm van compromis afwijzen en die sterk gekant zijn tegen hereniging', zou ik iets zetten in de zin van: *We zijn van mening dat de president weerstand blijft bieden aan de druk van de zijde van officieren die iedere vorm van compromis afwijzen en die sterk gekant zijn tegen hereniging.* Op die manier laten we de Volksrepubliek Korea weten dat we beseffen dat er voorstanders van een harde lijn zijn, maar dat we wèl een gunstig beeld van de president hebben.'
'Maar wat als dat beeld helemaal niet zo gunstig is?' vroeg Ann. 'Slaan we dan geen flater als blijkt dat hij wel bij die aanslag betrokken is?'
'Ik denk het niet,' zei Liz. 'Omdat wij vertrouwen in hem hadden, zal hij in de ogen van de wereld een nog grotere rotzak lijken.'
Ann keek van Liz naar Coffey.
'Ik ben het ermee eens,' zei Coffey. 'We sturen in wezen dezelfde boodschap, maar zonder negatieve ondertonen.'
Ann dacht nog een ogenblik na en tikte toen de verandering in. Ze sloeg het document op en gaf Liz de muis aan. 'Je bent goed. Zullen we een tijdje van baan wisselen?'
'Nee, dank je wel,' zei Liz terwijl ze stiekem naar Coffey keek. 'Ik geef de voorkeur aan mijn eigen gekken.'
Ann knikte toen Liz de muis gebruikte om haar persoonlijke code op te roepen en die toen in de marge van het document zette. Hoewel hij niet in

de geprinte versie van het persbericht zou verschijnen, zou haar code een permanent onderdeel van het bestand gaan vormen en naast de veranderingen komen te staan.

Net toen Liz het geannoteerde bestand wilde opslaan, werd het blauwe scherm zwart en viel de ventilator achter in de computer stil.

Ann stak haar hoofd onder het bureau om te zien of ze op de een of andere manier de stekker uit de externe spanningsbuffer had getrokken. Het snoer zat nog steeds precies waar het hoorde te zitten en het groene lampje stond aan.

Buiten het kantoor klonken gedempte kreten. Coffey liep met grote stappen naar de deur en trok hem open.

'We lijken,' zei hij, 'niet de enigen te zijn.'

'Hoe bedoel je?' vroeg Ann.

Met een ernstige uitdrukking op zijn gezicht keek Coffey haar aan. 'Het schijnt dat alle computers in het Op-Center zijn uitgevallen.'

24

Dinsdag, 21.15 uur
Seoul

Nadat de taxi hem had afgezet bij de toegangspoort van de Amerikaanse basis, liet Gregory Donald de wachtpost zijn Op-Center-schildje zien, en na een telefoontje met generaal Norbom werd hij binnengelaten.

Howard Norbom was als majoor in Korea gestationeerd geweest toen Donald daar ambassadeur was. Ze hadden elkaar ontmoet op een feestje ter gelegenheid van het twintigjarig jubileum van de wapenstilstand en hadden elkaar meteen graag gemogen. Ze hielden er beiden nogal vrijzinnige opvattingen op na, ze zochten allebei naar een leuk en aardig meisje om mee te trouwen, en ze waren allebei grote liefhebbers van klassieke pianomuziek, vooral die van Frédéric Chopin. Dat laatste had Donald ontdekt toen de tingeltangelpianist even pauze nam en de majoor aan de piano ging zitten om een verdienstelijke *Etude* ten beste te geven

Twee weken later, toen hij Diane Albright van UPI ontmoette, had majoor Norbom zijn leuke en aardige meisje gevonden. Drie maanden daarna

waren ze getrouwd en kort geleden hadden ze hun vierentwintigjarig huwelijksfeest gevierd. De generaal en Diane hadden twee geweldig leuke kinderen: Mary Ann, een biografe die voor de Pulitzer Prize was genomineerd, en Lon, die voor Greenpeace werkte.
Nadat een ordonnans hem naar het kantoor van de generaal had begeleid, vielen de mannen elkaar in de armen. Donald begon opnieuw te huilen.
'Ik vind het zo erg,' zei de generaal terwijl hij Donald omhelsde. 'Ik vind het zo ontzettend erg. Diane zit voor haar werk in Soweto, anders zou ze er ook wel zijn geweest. Ze komt hierheen.'
'Bedankt,' zei Donald met verstikte stem, 'maar ik laat Soonji naar de Verenigde Staten overbrengen.'
'Werkelijk? Haar vader heeft...'
'Ik heb hem nog niet gesproken.' Donald lachte vreugdeloos. 'Je weet wat hij van ons huwelijk vond. Maar ik weet hoe Soonji over de Verenigde Staten dacht, en ik denk dat ze daar haar laatste rustplaats zou willen hebben.'
Norbom gaf een knikje en liep toen om zijn bureau heen. 'De ambassade zal de formaliteiten moeten regelen, maar ik zal ervoor zorgen dat die snel worden afgehandeld. Kan ik verder nog iets voor je doen?'
'Ja, maar zeg eens... is ze er al?'
Norbom tuitte zijn lippen en knikte nogmaals.
'Ik wil haar zien.'
'Niet... nu,' zei Norbom terwijl hij op zijn horloge keek. 'Ze komen zo het eten brengen, en tijdens het eten kunnen we even praten.'
Donald keek in de staalgrijze ogen van zijn vriend. Het verweerde gelaat van de tweeënvijftig jaar oude commandant van de legerbasis boezemde vertrouwen in en Donald had hem dat vertrouwen altijd snel geschonken. Als Norbom wilde dat hij het lijk van zijn vrouw nog niet te zien kreeg, zou Donald zich daarin schikken. Maar al te lang moest het niet gaan duren. Hij wilde dat haar ziel hem leiding zou geven, hem zou vertellen dat hij met zijn plannen op de juiste koers zat.
'Goed,' zei Donald zachtjes. 'Dan praten we even. Hoe goed ken je generaal Hong-Koo?'
Norbom fronste zijn wenkbrauwen. 'Wat een vreemde vraag. Ik heb hem één keer ontmoet, in 1988, in de gedemilitariseerde zone.'
'En herinner je je nog wat je eerste indruk van hem was?'
'Jazeker. Een arrogante, botte, emotionele man, die op zijn eigen verwrongen manier heel betrouwbaar is. Als hij zegt dat hij op je gaat schieten, dan doet hij dat ook. Ik ken hem minder goed dan generaal Schneider, maar ik zit dan ook niet de hele dag met een geweer in de aanslag over de gedemilitariseerde zone heen naar hem en zijn manschappen te staren. En ik hoef ook al niet naar die Noordkoreaanse volksliedjes te luisteren die hij in het

holst van de nacht via grote luidsprekers over de grens laat dreunen, of telkens weer te kijken met hoeveel centimeter hij zijn vlaggemast vandaag weer heeft laten verlengen, zodat die altijd iets groter is dan die van ons.'
Donald stopte zijn pijp. 'Komt er dan geen hardrock meer uit onze luidsprekers, en maken we onze vlaggemast ook niet telkens weer iets langer?'
'Alleen als hij het eerst doet...' Norbom veroorloofde zich een klein glimlachje. 'Wat ben je toch een communistenvriendje. Maar waarom wil je eigenlijk weten hoe ik over Hong-Koo denk?'
'Ik wil met hem overleggen, Howard.'
'Geen sprake van. Het kost generaal Schneider al de grootste moeite om een afspraak met hem te maken...'
'Hij is een militair en ik ben een diplomaat. Dat zou wel eens verschil kunnen maken. Ik zoek zelf trouwens wel uit hoe ik contact met hem moet opnemen, maar ik heb jouw hulp nodig om de gedemilitariseerde zone binnen te komen.'
Norbom leunde achterover. 'Christus, Greg. Wat heeft Mike Rodgers met je uitgevoerd? Een bloedtransfusie uit zijn eigen rechterarm? Hoe wil je dat doen? Gewoon door Checkpoint Charlie heen wandelen? Een briefje aan een baksteen binden?'
'Ik denk dat ik een radio gebruik.'
'Een radio! Daar laat Schneider je niet eens bij in de buurt komen. Dat kost hem zijn kop. En trouwens, zelfs al krijg je hem te zien, wat dan nog? Hong-Koo is de agressiefste militaire malloot die ze hebben. Pyongyang heeft hem daar gestationeerd als waarschuwing aan het adres van Seoul: als jullie niet met een grote zak geld en een vrijgevig hart naar de onderhandelingstafel komen, krijgen jullie met hèm te maken. Als er iemand is die een ongecontroleerde actie als deze bedacht zou kunnen hebben, is het Hong-Koo wel.'
'En wat als hij het niet heeft gedaan, Howard? Wat als Noord-Korea hierbuiten staat?' Donald hield de uitgedoofde pijp in zijn hand en boog zich voorover. 'Hij mag dan hartstikke gek zijn, maar hij heeft ook zijn trots. Hij zou niet met de eer willen gaan strijken van een operatie waarbij hij niet betrokken is, en al evenmin met de schuld opgezadeld willen worden.'
'Denk je dat hij je dat gaat vertellen?'
'Misschien niet met zoveel woorden, maar ik heb mijn hele leven voortdurend aandachtig gekeken en geluisterd om erachter te komen wat de mensen met wie ik te maken heb nu eigenlijk in hun schild voeren. Als ik hem te spreken kan krijgen, kom ik vanzelf wel te weten of hij hierbij betrokken is of niet.'
'En als je daarachter komt, wat dan? Wat ga je eraan doen?' Hij wees op de pijp. 'Ga je hem daarmee van kant maken? Of heeft het Op-Center je

nieuwe ideeën aan de hand gedaan?'
Donald klemde de pijp weer tussen zijn tanden. 'Als hij het heeft gedaan, Howard, zal ik hem zeggen dat hij mijn vrouw heeft vermoord, dat hij mij van mijn toekomst heeft beroofd en dat zoiets niemand anders mag overkomen. Met behulp van Paul Hood vind ik vast wel een manier om een eind aan deze waanzin te maken.'
Norbom staarde zijn vriend aan. 'Je meent het werkelijk. Denk je echt dat je daar gewoon naar binnen kunt lopen om hem tot rede te brengen?'
'Dat geloof ik uit de grond van mijn hart, voor zover daar nog iets van over is.'
De oppasser klopte op de deur en kwam binnen met het eten. Hij zette het dienblad tussen hen in, tilde de metalen stolpen op en liep de kamer weer uit. Toen hij weg was, zat Norbom Donald nog steeds aan te staren.
'Libby Hall en het grootste deel van de regering in Seoul zullen niet willen dat je daarheen gaat.'
'De ambassadeur mag het niet te weten komen.'
'Maar ze komen er gegarandeerd achter. Het Noorden zal je bezoek zeker voor propagandistische doeleinden gebruiken, net als toen Jimmy Carter erheen ging.'
'Tegen die tijd ben ik allang klaar.'
'Je meent het werkelijk!' Norbom streek met zijn hand door zijn haar. 'Jezus, Greg, over dat plan van je moet je nog maar eens lang en diep nadenken. Het is verdomme niet eens een plan, het is alleen maar een vage hoop. Met zo'n ongecoördineerde actie kun je eventuele onderhandelingen doorkruisen, en je loopt het risico dat je niet alleen jezelf daarmee te gronde richt, maar ook het Op-Center.'
'Ik heb alles wat belangrijk voor me was al verloren. De rest mogen ze hebben.'
'En reken maar dat ze dat zullen nemen, en meer dan dat. Dat kan ik je op een briefje geven. Ongeautoriseerd contact met de vijand... Washington en Seoul zullen ons tot pulp vermalen: niet alleen jou, maar ook Paul Hood, Mike Rodgers en mijzelf.'
'Ik weet dat ik je hiermee zal beschadigen, Howard, en dat doe ik niet lichtvaardig. Maar ik zou het je niet vragen als ik niet dacht dat ik misschien iets zou kunnen uitrichten. Denk eens aan de levens die gespaard zullen worden.'
Alle kleur leek uit het verweerde gezicht van de commandant verdwenen te zijn. 'Verdomme, ik zou alles voor je doen... maar ik heb mijn hele beroepsleven in deze basis geïnvesteerd. Als ik dat nu zomaar ga weggooien om in een cel van drie bij vier meter mijn memoires te gaan schrijven, wil ik dat je daar op zijn minst een nachtje over slaapt. Je bent gewond en mis-

schien denk je wel minder helder dan anders.'
Donald stak zijn pijp op. 'Ik zal iets beters doen, Howard. We gaan nu eerst eten en daarna ga ik Soonji even bezoeken. Ik blijf een tijdje bij haar zitten, en als ik er daarna anders over denk, zal ik het je laten weten.'
De generaal pakte langzaam zijn vork en mes en begon in stilte zijn biefstuk te snijden. Donald legde zijn pijp naast zich op het bureau en begon eveneens te eten. Toen werd de zwijgende maaltijd onderbroken door een klop op de deur. Er kwam een man de kamer binnen, een man met een norse, dreigende uitdrukking op zijn gezicht en een glanzend zwart ooglapje.

25

Dinsdag, 07.35 uur
Het Op-Center

'Dit kàn niet, dit kàn niet, dit kàn niet!'
Het doorgaans zo onverstoorbare, engelachtige gezicht van Matt Stoll, de medewerker Operationele Ondersteuning, was zo bleek als een onrijpe perzik en er zaten grote rode vegen op zijn wangen. Terwijl hij koortsachtig bezig was zijn computer aan te sluiten op de back-up-batterij die hij altijd in zijn la bewaarde, stond hij binnensmonds te kreunen en te steunen. Hij kon er niet achter komen waarom het hele systeem was uitgevallen tot hij het weer on-line had en tussen het puin gekropen was – dat was wat hackers zonder grappig te willen zijn het black-box-systeem noemden; je kon het vliegtuig er niet mee redden, maar door te kijken naar wat er was gebeurd, kon je er wel voor zorgen dat het andere vliegtuigen niet zou overkomen.
Er liep zweet in zijn wenkbrauwen en in zijn ogen. Hij knipperde het weg, zodat zijn brilleglazen onder de zweetdruppeltjes kwamen te zitten. Hoewel het systeem pas een paar seconden geleden was uitgevallen, voelde Stoll zich alsof hij in die tijd een jaar ouder was geworden... en daar kwam nog een jaar bij toen hij Hoods stem hoorde.
'Matty...!'
'Ik ben ermee bezig!' snauwde hij terwijl hij de aandrang bedwong om

eraan toe te voegen dat dit gewoon niet kòn gebeuren. En het had ook niet mógen gebeuren. Het sloeg helemaal nergens op. Er stond nog steeds spanning op de van de luchtmachtbasis Andrews afkomstige hoofdleiding. Alleen de computers waren uitgevallen. Het was onmogelijk om zoiets van buitenaf te doen; het moest ergens in de software zitten. De computers van het Op-Center vormden een op zichzelf staand netwerk, dus het moest een softwarecommando zijn dat hier gegeven was. Alle inkomende software werd gecontroleerd op virussen, maar de meeste die werden aangetroffen waren onschuldig – zoals het virus dat het woord 'zondag' aan en uit liet flitsen op het scherm om de mensen die aan werk verslaafd waren te laten weten dat ze eens even iets anders moesten gaan doen; of *Tappy*, dat de speaker bij iedere toetsaanslag een klikkend geluid liet maken; of *Talos*, dat op 29 juni je computer stilzette tot het commando *Happy birthday, Talos* was ingetikt. Er waren ook een paar kwaadaardige virussen, zoals *Michelangelo*, dat op 6 maart, de verjaardag van de maker, alle gegevens op de harde schijf uitwiste. Maar dit was iets nieuws, iets dat ongelooflijk geavanceerd was... en vreselijk gevaarlijk.

Stoll was niet alleen ontzettend van streek, maar ook heel erg verbaasd en geïntrigeerd, en die gevoelens werden nog sterker toen het scherm net voordat hij zijn nieuwe batterij wilde aansluiten weer oplichtte.

Zoemend kwam de computer weer tot leven, en terwijl het speciaal op zijn behoeften ingestelde centrale-controleprogramma begon te booten, hoorde Stoll het vertrouwde, ratelende geluid van de harde schijf en zag hij het DOS-scherm voorbijflitsen. Het logo van zijn controleprogramma verscheen op het scherm en uit de luidspreker klonk de synthetische stem van Mighty Mouse die hem toezong met een geluid dat in een opera niet zou hebben misstaan:

'Zijn er andere programma's actief, Matty?'

'Nee,' zei Stoll somber terwijl Hood snel zijn kantoor weer binnen liep.

'Hoe lang ben je bezig geweest om de storing op te heffen?'

'Negentien komma acht-acht seconden.'

De computer was klaar met het laden van het programma en het vertrouwde blauwe scherm werd weer zichtbaar, klaar voor de start. Stoll tikte op F5/Enter om de directory te controleren.

Hood boog zich over de rugleuning van Stolls stoel en keek naar het scherm. 'Het is er weer...'

'Het lijkt er wel op. Ben je iets kwijt?'

'Ik denk van niet. Bugs had alles al opgeslagen. Goed dat je het systeem zo snel weer aan de gang hebt gekregen. Mooi werk.'

'Ik heb niets gedaan. Ik heb hier alleen maar een beetje zitten jammeren.'

'Je bedoelt dat het systeem zichzelf weer heeft ingeschakeld?'

'Nee, daar moet het een commando voor gekregen hebben.'
'Maar dat was niet van jou afkomstig.'
'Nee.' Stoll schudde zijn hoofd. 'Dit kan helemaal niet.'
Vanuit de deuropening zei Lowell Coffey: 'En Amelia Mary Earhart had een landkaart.'
Stoll negeerde de advocaat en ging verder met het controleren van zijn directory: alle bestanden waren aanwezig. Hij vroeg er een op, en toen hij geen foutmelding kreeg, leek het hem aannemelijk dat de bestanden zelf niet gewist waren.
'Alles lijkt in orde te zijn. De gegevens zijn in ieder geval intact.' Zijn dikke wijsvingers vlogen razendsnel over het toetsenbord. Stoll had zijn rampenprogramma geschreven als een soort geintje, zonder te verwachten dat hij het ooit zou moeten gebruiken. Nu liet hij snel het rampendiagnoseprogramma op het systeem los om het van top tot teen te laten onderzoeken. Naderhand zou hij een gedetailleerder diagnostisch onderzoek moeten doen. Daarvoor beschikte hij over geheime software die hij achter slot en grendel bewaarde, maar eventuele grote problemen zou hij met dit noodprogramma alvast kunnen signaleren.
Hood kauwde op zijn onderlip. 'Hoe laat ben je begonnen, Matty?'
'Ik ben om kwart voor zes langs de controlepost gekomen, en twee minuten later was ik hier.'
'Heeft Ken Ogan iets ongebruikelijks gerapporteerd?'
'*Nada*. De nachtdienst is zonder enig probleem verlopen.'
'De *Titanic* had ook geen problemen, totdat ze ineens op een ijsberg stootte,' zei Coffey.
Hood leek het niet gehoord te hebben. 'Maar dat wil niet zeggen dat er niet ergens in het gebouw iets gebeurd kan zijn. Iedereen die aan een werkstation heeft gezeten had toegang tot het systeem.'
'Ja, en niet alleen vandaag. Dit kan net zo goed een tijdbom zijn geweest; het kan al tijden geleden zijn ingevoerd met de instructie om vandaag in werking te treden.'
'Een bom,' zei Hood peinzend. 'Net als bij de aanslag in Seoul.'
'Kan het geen ongeluk zijn geweest?' vroeg Coffey. 'Zou iemand niet gewoon een verkeerde toets ingedrukt kunnen hebben?'
'Dat is vrijwel onmogelijk,' zei Stoll terwijl hij toekeek hoe het diagnoseprogramma zijn toverwerk begon te doen. Lange rijen getallen en letters schoten bliksemsnel van boven naar beneden over het scherm terwijl het alle bestanden controleerde op commando's die niet thuishoorden in de bestaande programmatuur of die niet regelmatig gebruikt werden.
Hood trommelde op de rugleuning van de stoel. 'Je denkt dus dat er misschien een mol actief is.'

'Het zou kunnen.'
'Hoe lang zou het iemand kosten om een programma te schrijven dat het hele systeem kan laten vastlopen?'
'Op zijn minst een paar uur, en misschien een paar dagen. Dat hangt ervan af hoe goed hij is. Maar het programma hoeft helemaal niet hier in huis geschreven te zijn. Het kan overal in elkaar zijn gezet en met de software die we gebruiken zijn binnengekomen.'
'Maar die wordt toch gecontroleerd...'
'We controleren op dingen die er uitspringen. Dat is in wezen waar ik nu ook mee bezig ben.'
'Alleen maar dingen die er uitspringen?'
Stoll knikte. 'We voorzien onze gegevens van een code die met vaste intervallen wordt opgeslagen, om de twintig seconden of om de dertig woorden. Als we de code niet vinden, controleren we of de gegevens wel van ons afkomstig zijn.'
Hood gaf hem een stevige klap op zijn schouder. 'Doorzetten, Matty.'
Er droop zweet in zijn rechteroor. 'O, ik ga wel door, hoor. Ik hou er niet van om op deze manier te grazen genomen te worden.'
'Lowell, laat jij de officier van dienst alle video-opnamen van gisternacht heel grondig doorlopen, van alle camera's. Ik wil weten wie er allemaal in het gebouw zijn geweest. Laat ze alle identiteitsschildjes uitvergroten en vergelijken met de foto's in het archief, zodat we zeker weten dat ze echt zijn. Laat Alikas dat maar doen. Die heeft een goed oog voor dat soort dingen. Als ze niets ongewoons vinden, laat je ze de opnamen van gisteren controleren en dan die van eergisteren.'
Coffey peuterde aan zijn dure ring. 'Dat gaat tijd kosten.'
'Dat weet ik. Maar we zijn onverhoeds aangevallen, en we kunnen er maar beter achter zien te komen wie ons dat geflikt heeft.'
De twee mannen liepen net de kamer uit toen Bob Herbert binnen kwam rijden. Zoals altijd was de achtendertig jaar oude inlichtingenmedewerker zeer in zijn wiek geschoten. Die boosheid werd voor een deel veroorzaakt door wat er was misgegaan, wat het dan ook mocht zijn, maar was voor negentig procent afkomstig van de gril van het noodlot die hem in een rolstoel had doen belanden.
'Wat is er mis, techneutje? Zijn we zwanger?' In zijn stem was nog steeds iets te horen van zijn jeugd in Mississippi, vermengd met de eeuwige gedrevenheid die het gevolg was van zijn tien jaar bij de CIA, plus de voortdurende verbittering over de bomaanslag op de Amerikaanse ambassade in Beiroet, die hem in 1983 invalide had gemaakt.
'Ik probeer de mate en de aard van de penetratie vast te stellen,' zei Stoll. Hij klemde zijn lippen stijf op elkaar voordat hij er in gedachten aan toe-

voegde: lul de behanger. Herbert was een koppige, vasthoudende man die dat soort opmerkingen van Hood en Rodgers wel wilde slikken, maar verder van niemand, en al helemaal niet van iemand die nooit een uniform had gedragen, die bij verkiezingen meestal op de Libertaire Partij stemde en die desalniettemin binnen het Op-Center over net zoveel status beschikte als Hood zelf.

'Misschien is het wel handig voor je, techneutje, om te weten dat we niet de enigen zijn die te grazen zijn genomen. '

'Wie dan nog meer?'

'Een deel van Defensie is ook uitgevallen...'

'Twintig seconden lang?'

Herbert knikte. 'En delen van de CIA.'

'Welke delen?'

'De crisismanagementsectoren. Alle instanties die gegevens van ons betrekken.'

'Shit...'

'Dat mag je wel zeggen, jongen. We hebben een heleboel mensen genaaid en nu willen ze bloed zien.'

'Shit,' zei Matt opnieuw. Toen de eerste stroom cijfers tot stilstand kwam, draaide hij zich weer naar het scherm.

'De eerste directory is onaangetast,' riep Mighty Mouse. 'Ik begin met de tweede.'

'Ik zeg niet dat het jouw schuld is,' zei Herbert. 'Als goeie mensen niet zo nu en dan onverhoeds werden aangevallen, zou ik nu nog kunnen lopen. Maar ik moet wel wat inlichtingen hebben van het NRO.'

'Dat gaat niet zolang het diagnoseprogramma draait, en ik kan het niet uitschakelen zolang het met een bestand bezig is.'

'Dat weet ik,' zei Herbert. 'Dat heeft junior-techneut Kent me al verteld. Daarom kom ik je gezelschap houden tot dat verdomde systeem weer toegankelijk is en me de informatie kan geven die ik moet hebben.'

'Welke informatie?'

'Ik moet weten wat er in Noord-Korea aan de hand is. We zitten daar met een stapel lijken die allemaal een dodenmasker op hebben met *Made in Democratic People's Republic of North-Korea* erop. Er is een vliegtuig vol met jongens van het Striker Team onderweg en de president wil weten wat de troepen daar aan het doen zijn: de huidige status van hun raketten, of er iets aan de hand is bij de kerncentrales... dat soort dingen. Dat kunnen we niet te weten komen zonder satellietobservatie, en...'

'Dat kunnen jullie niet zonder de computers. Ik weet het.'

'De tweede directory is onaangetast,' rapporteerde Mighty Mouse. 'Ik begin met...'

'*Cancel*,' zei Matt, en het programma sloot zichzelf af. Met behulp van het toetsenbord ging hij naar DOS, voerde het wachtwoord in dat hij nodig had om verbinding te krijgen met het National Reconnaissance Office, sloeg zijn armen over elkaar en ging zitten wachten, terwijl hij vurig hoopte dat datgene wat de computers was binnengedrongen zich niet via een telefoonlijn kon verspreiden.

26

Dinsdag, 07.45 uur
Het National Reconnaissance Office

Het was een van de geheimste en zwaarst bewaakte delen van een van de geheimzinnigste gebouwen ter wereld.

Het National Reconnaissance Office in Washington was een kleine ruimte zonder plafondverlichting. Het enige licht was afkomstig van de schermen van de werkstations, tien keurige rijen van tien stuks, die op dezelfde manier stonden opgesteld als in een controleruimte van de NASA: vanuit de ruimte gaven honderd verschillende lenzen voortdurend rechtstreekse beelden door naar de aarde, wat resulteerde in zevenenzestig live zwartwitbeelden per minuut. De vergroting was afhankelijk van het doel waarop de satelliet gericht werd. Ieder beeld werd voorzien van een tot op de honderdste seconde nauwkeurige tijdcode, zodat de snelheid van een raket of de kracht van een kernontploffing bepaald kon worden door middel van een vergelijking tussen opeenvolgende beelden of door die beelden te combineren met andere factoren, seismografische gegevens bijvoorbeeld.

Elk werkstation was voorzien van een monitor, en onder die monitor stonden een toetsenbord en een telefoon. Elke rij werd beheerd door twee operators, die voortdurend nieuwe coördinaten invoerden om de satellieten op nieuwe gebieden te richten en om het Pentagon, het Op-Center, de CIA en Amerika's bondgenoten te voorzien van afdrukken van de doorgeseinde beelden. De mannen en vrouwen die hier werkzaam waren, hadden een opleiding en een reeks psychologische tests moeten doorstaan die bijna net zo grondig waren als die van de mensen die in de controlecentra van kernraketlanceerbases werkten. Ze mochten niet verdoofd raken door de gestage vloed zwart-witbeelden. Ze moesten binnen enkele seconden kunnen zien of een vliegtuig, tank of soldatenuniform afkomstig was uit Cyprus, Swaziland of de Oekraïne. En ze moesten de verleiding kunnen weerstaan om een van de satellieten even op hun ouderlijk huis te richten, op de boerderij in Colorado of de flat in de Bronx waar ze waren opgegroeid. De ogen in de ruimte konden op iedere plek op de hele wereld gericht worden, tot op de centimeter nauwkeurig. Ze waren sterk genoeg om mee te kijken over de schouder van iemand die ergens op een bankje in het park de krant zat te lezen, en de operators moesten de verleiding kunnen weerstaan om er spelletjes mee te doen. Nadat je de hele dag naar dezelfde bergketen, vlakte of oceaan had zitten kijken, werd de aandrang om er wèl een spelletje van te maken heel sterk.

Vanuit een glazen controlepost die een hele muur in beslag nam, hielden twee opzichters de stille kamer in de gaten. Ze stelden de operators op de hoogte als er een verzoek om inlichtingen binnenkwam van een andere organisatie en controleerden alle veranderingen in de afstelling van de satellieten.

Opzichter Stephen Viens was een oude studievriend van Matt Stoll. Ze waren respectievelijk als beste en één-na-beste van hun jaargang afgestudeerd aan het MIT, en waren gezamenlijk eigenaar van drie patenten die betrekking hadden op kunstmatige neuronen voor siliconenbreinen. Bovendien waren ze de hoogste en de op één na hoogste topscorer in het Jaguar-videospelletje *Trevor McFur.* Het management van Atari had overuren moeten uitbetalen toen Stolls spelletje vier uur na de sluitingstijd van het winkelcentrum waar de rondreizende exploitant zijn automaten had opgesteld, nog steeds niet afgelopen was. De enige hobby die ze niet gemeen hadden was Viens' passie voor gewichtheffen, en dat had hun vrouwen op het idee gebracht om hun de bijnamen 'hardware' en 'software' te geven.

Stolls E-mailbericht kwam net binnen toen Viens, wiens dienst om acht uur zou beginnen, even rustig was gaan zitten met een kop koffie en een muffin met stukjes chocolade.

'Ik lees het wel,' zei hij tegen nachtopzichter Sam Calvin.

Viens rolde zijn stoel naar de monitor en stopte met kauwen toen hij het bericht doorlas.

Gezichtsomhelzer succesvol. Nu actief.
Send 39/126/400/soft. Check je eigen Alien?

'Jezus mina,' mompelde Viens.

'*Que pasa,* revolverheld?' vroeg Calvin. De adjunct-opzichters van de

nacht- en de dagploeg kwamen ook bij hem staan.
'Gezichtsomhelzer,' zei Fred Landwehr, de supervisor van de dagploeg.
'Wat is dat?'
'Het komt uit de film *Alien*. Je weet wel, dat ding dat baby-aliens bij mensen naar binnen duwt om daar uitgebroed te worden. Matt Stoll zegt dat ze een virus hebben, wat betekent dat wij ook geïnfecteerd kunnen zijn. En bovendien wil hij een beeld van Pyongyang hebben.' Viens nam snel de telefoonhoorn op. 'Monica, neem eens een kijkje op lengte 39, breedte 126, vergroting 400, en stuur het naar Matt Stoll in het Op-Center. Geen hardcopy.' Hij hing op. 'Fred, kun jij onze software even scannen met een viruschecker? Zorg ervoor dat alles in orde is.'
'Moet ik naar iets speciaals zoeken?'
'Ik zou het niet weten. Zorg dat je gewoon alles scant en kijk of je iets hoort piepen.'
Viens ging weer aan de computer zitten en tikte:

> *Zoek Borstkasscheurder. Geef Ripley schop onder kont.*
> *39/126/400 softcopy.*

Nadat hij het bericht had verstuurd, zat hij even over de lange rijen monitoren te staren. Hij kon nog steeds nauwelijks geloven wat hij net gelezen had. Ze waren het erover eens geweest dat het systeem dat Stoll had bedacht zo virusbestendig was als zoiets maar kan zijn. Als het nu toch besmet was geraakt, dan was dat geen kleinigheid. Hij vond het rot voor zijn vriend, maar hij realiseerde zich ook dat het idee dat het dus kennelijk mogelijk was, voor Stoll even fascinerend zou zijn als voor hemzelf... en dat ze allebei vastbesloten waren om erachter te komen wat er was gebeurd.

27

Dinsdag, 21.55 uur
Seoul

Majoor Lee salueerde toen hij het kantoor van de generaal binnen liep en Norbom beantwoordde de militaire groet.

'Greg Donald,' zei hij. 'Ik denk dat je majoor Kim Lee wel zult kennen.'
'Ja, we hebben elkaar wel eens ontmoet,' zei Donald, en nadat hij snel zijn lippen had afgeveegd met een servet, stond hij op en stak zijn hand uit naar de majoor. 'Een paar jaar geleden, bij de parade in Taegu, geloof ik.'
'Dat u zich dat nog herinnert. Ik ben niet alleen onder de indruk, maar ook gevleid,' zei Lee. 'Bent u hier in functie?'
'Nee, dit is een privé-bezoek. Mijn vrouw... is vanmiddag om het leven gekomen bij de bomaanslag.'
'Mijn condoléances, meneer.'
'Wat denkt u ervan, majoor?' vroeg Norbom.
'Dat Pyongyang erachter zit, misschien wel de president in eigen persoon.'
'U lijkt heel zeker van uw zaak,' zei Donald.
'U dan niet?'
'Niet helemaal, nee. En Kim Hwan van de KCIA al evenmin. Er is nauwelijks bewijs voor.'
'Maar het motief is duidelijk,' zei Lee. 'U bent in de rouw, meneer de ambassadeur, en ik wil niet onbeleefd zijn, maar de vijand is als een slang: hij mag zijn oude huid dan hebben afgeworpen, maar hij zit nog steeds vol streken. Ze zullen proberen ons te vergiftigen, en of ze dat nu doen door oorlog tegen ons te voeren of door onze economie te saboteren. Ze willen ons kapot hebben.'
Er verscheen een trieste uitdrukking op Donalds gezicht en hij wendde zijn blik af. Net als in de jaren vijftig werd het grootste obstakel voor een duurzame vrede niet gevormd door hebzucht, territoriale aanspraken, of onduidelijkheid over de wijze waarop de twee regeringen in de praktijk zouden moeten worden samengevoegd. Die problemen waren weliswaar formidabel, maar niet onoplosbaar. Het grootste obstakel was de argwaan en de diepgewortelde haat van de bevolking van het ene land jegens de mensen uit het andere. Hij vond het een nare gedachte dat de werkelijke hereniging zich pas zou kunnen voltrekken nadat de generatie die de oorlog had meegemaakt gestorven zou zijn.
'Dat is Kim Hwans pakkie-an,' zei generaal Norbom. 'Dus zullen we dat maar aan hem overlaten, majoor?'
'Ja, generaal.'
'Nou, waar wilde u me over spreken?'
'Dit bewijs van uitgifte, generaal. U moet er een stempel op zetten.'
'Waar is het voor?'
Lee overhandigde hem het vel papier. 'Vier blikken met elk honderddertig liter tabun, generaal. Ik moet ze naar de gedemilitariseerde zone brengen.'
De generaal zette zijn bril op. 'Waar heeft generaal Schneider in vredesnaam al dat gas voor nodig?'

'Het is niet voor de generaal bestemd. De militaire inlichtingendienst heeft gerapporteerd dat er aan de grens blikken met chemicaliën worden opgegraven en dat er nog meer worden aangevoerd vanuit Pyongyang. We moeten deze naar Panmunjom brengen voor het geval we ze daar nodig mochten hebben.'
'Christus,' verzuchtte Donald. 'Ik heb het je toch gezegd, Howard? Dit gaat uit de hand lopen.'
Vlak naast Donald en met een ondoorgrondelijke uitdrukking op zijn gezicht, bleef Lee strak in de houding staan.
'U hebt het gas gerekwireerd,' zei de generaal tegen Lee. 'Waar gaat het heen?'
'Ik blijf toezicht houden op het vervoer, generaal. Opdracht van generaal Sam.' Hij haalde de documenten uit het borstzakje van zijn overhemd en hield ze de generaal voor.
Norbom bladerde ze plichtmatig even door en drukte toen op zijn intercom. 'Shooter.'
'Ja, generaal?'
'Autoriseer het bewijs van uitgifte en zorg dat ik generaal Sam aan de lijn krijg.'
'Ja, generaal.'
Norbom overhandigde de documenten weer aan de officier. 'Ik heb maar twee dingen te zeggen, majoor. Het eerste is: rij voorzichtig. Het andere: in Panmunjom kunt u met dit spul beter te voorzichtig zijn dan te roekeloos.'
'Natuurlijk, generaal,' zei Lee terwijl hij salueerde. Hij boog even naar Donald en keek de diplomaat recht in de ogen, en zonder dat hij wist waarom voelde Donald een koude rilling over zijn rug lopen. Toen draaide de officier zich snel om en verliet het vertrek.

Lee's gezicht bleef uitdrukkingsloos, maar innerlijk glimlachte hij. De lange maanden en al het geld dat hij eraan had gespendeerd om sergeant Kil aan zijn zijde te krijgen, leverden nu dividend op. Generaal Sams adjudant had de handtekening van zijn superieur al zo vaak gezet, dat hij niet van echt te onderscheiden was. Bovendien zou de sergeant degene zijn die de telefoon opnam. Hij zou ervoor zorgen dat de generaal net zo lang onbereikbaar bleef tot de ouder wordende Norbom het vergat of tot het al te laat was. In beide gevallen zouden Lee en zijn team hun zin krijgen: een kans om de tweede en dodelijkste fase van hun operatie in gang te zetten.
Zijn drie manschappen stonden bij de bestelwagen, een oude Dodge T214 met een huif van canvas. De Amerikaanse soldaten noemden dit voertuig de Beep, de Big Jeep. Hij had een laadvermogen van driekwart ton en zijn

stevige schokbrekers en lage zwaartepunt maakten hem uitermate geschikt voor het ruige terrein waar ze overheen zouden moeten.
De manschappen salueerden toen Lee de wagen bereikte. Hij ging op de linkervoorstoel naast de chauffeur zitten. De twee andere mannen klommen in de laadbak, onder de huif.
'Zodra we van de basis af zijn,' zei hij tegen de chauffeur, 'rijd je terug naar de stad, naar de Chonggyechonno.' Hij keerde zich half om naar de laadbak. 'Soldaat, de adjunct-directeur van de KCIA gelooft niet dat de vijand achter de aanval van vanmiddag zit. Zorg ervoor dat meneer Kim Hwan zijn onwaarheden niet verder verspreidt. Morgenochtend mag hij niet op zijn werk verschijnen.'
'Ja, majoor. Een ongeluk?'
'Nee, geen ongeluk. Ga naar het hotel, trek burgerkleding aan, neem een van de identiteitsbewijzen en steel een auto uit de parkeergarage. Zoek uit hoe Hwan eruitziet, volg hem, en hak hem in mootjes. En maak het goed bloederig, Jang, net zoals de Noordkoreanen die Amerikaanse soldaten die bomen aan het snoeien waren aan stukken hebben gehakt, op dezelfde harteloze manier als ze bij die bomaanslag in Rangoon zeventien mensen hebben gedood, op de manier waarop mijn moeder is vermoord. Laat maar eens zien wat een beesten de Noordkoreanen zijn. Maak maar eens duidelijk dat die lui niet thuishoren in de beschaafde wereld.'
Jang knikte. Lee ging weer recht in zijn stoel zitten en belde kapitein Bock in de gedemilitariseerde zone. Toen ze bij de poort kwamen, liet hij de Amerikaanse schildwacht het gestempelde document zien. De bewaker liep naar de laadbak, controleerde de blikken, gaf het papier weer terug en gebaarde naar de chauffeur dat hij kon doorrijden. Toen ze de boulevard bereikt hadden, liet Jang zich uit de laadbak glijden en liep haastig naar het Savoy, het hotel waar hun lange en drukke dag begonnen was.

28

Dinsdag, 07.57 uur
Het Op-Center

Paul Hoods telefoon ging. Dat gebeurde niet vaak. De meeste berichten kwamen over de E-mail of via speciale lijnen naar zijn terminal.
Het was nog vreemder dat hij niet was gewaarschuwd dat er een gesprek aan kwam. Dat betekende dat het afkomstig was van iemand die over zoveel gezag beschikte dat hij de receptie van het Op-Center kon omzeilen.
Hij nam de hoorn op. 'Hallo?'
'Paul, met Michael Lawrence.'
'Ja, meneer. Hoe maakt u het, meneer?'
'Paul, ik heb gehoord dat je zoontje vanochtend is opgenomen.'
'Ja, meneer.'
'Hoe gaat het met hem?'
Paul fronste zijn wenkbrauwen. Er waren momenten waarop de president goed nieuws wilde horen en momenten waarop je beter de waarheid kon vertellen. Dit was een moment van het tweede soort. 'Niet goed, meneer. Ze weten niet wat er precies aan de hand is en hij reageert niet op de behandeling.'
'Dat doet me verdriet,' zei de president. 'Maar, Paul, ik moet wel weten of dit een serieuze afleiding voor je zal vormen.'
'Meneer?'
'Ik heb je nodig, Paul. Je moet die situatie in Korea volledig onder controle hebben, erbovenop zitten. Je moet alert en geconcentreerd zijn. En als je dat niet kunt opbrengen, heb ik iemand anders nodig. Jij mag het zeggen, Paul. Wil je dat ik deze opdracht aan iemand anders geef?'
Het was eigenaardig. Nog geen vijf minuten geleden had Paul precies hetzelfde zitten denken, maar nu de president hem er rechtstreeks naar vroeg, was alle twijfel ineens verdwenen. 'Nee, meneer,' zei hij. 'Ik zit er helemaal bovenop.'
'Goed zo. En Paul?'
'Ja, meneer?'
'Laat me weten hoe het met je zoontje gaat.'
'Zal ik doen, meneer. Dank u wel.'
Nadat hij de hoorn had neergelegd, dacht Paul een ogenblik na en drukte toen op de F6-toets om Bugs Benet te spreken te krijgen. 'Bugs,' zei hij. 'Als je de kans krijgt, bel dan even met een van onze techneuten. Ik moet een nieuwe codesequentie hebben voor *Mortal Kombat*, iets waar Alexan-

der helemaal perplex van zal staan als hij weer uit het ziekenhuis is.'
'Komt voor elkaar,' zei Bugs.
Glimlachend gaf Paul een knikje. Toen bracht hij het volgende document uit de reeks op het scherm en ging weer aan het werk.

29

Dinsdag, 22.00 uur
Seoul

Het splinternieuwe gebouw van drie verdiepingen was opgetrokken uit witte baksteen en glanzend staal en stond aan een lang, rechthoekig voorplein aan de Kwangju. Een toevallige voorbijganger zou kunnen denken dat het een bedrijfs- of universiteitskantoor was, hoewel het hoge ijzeren hek en de dichtgetrokken luxaflex niet echt in dat beeld pasten. Waarschijnlijk vermoedde niemand dat dit gebouw het hoofdkantoor van de KCIA was en dat het enkele van de bestbewaarde geheimen van het Verre Oosten bevatte.
Het KCIA-gebouw werd beschermd door aan de buitenmuren gemonteerde videocamera's en geavanceerde bewegingsdetectoren bij alle toegangsdeuren en ramen. Bovendien werden er elektronische golven gegenereerd om eventuele afluisterapparatuur te storen. Pas als je de helverlichte receptieruimte binnen was gelopen, kreeg je enig idee van de operaties die hier plaatsvonden, operaties die politiek gezien vaak uiterst gevoelig lagen.
Het kantoor van adjunct-directeur Kim Hwan bevond zich op de eerste verdieping, aan dezelfde gang als het kantoor van directeur Yung-Hoon. Op dit moment zat deze voormalige hoofdcommissaris van politie in het café op de derde verdieping te eten met hem welgezinde contacten in de pers. Hij wilde erachter zien te komen hoeveel ze al wisten. Hwan en Yung-Hoon hadden heel verschillende manieren van werken, die elkaar echter goed aanvulden. Yung-Hoons filosofie was dat mensen de sleutel vormden tot ieder onderzoek, en dat het vinden van de waarheid alleen maar een kwestie was van het stellen van de juiste vragen aan de juiste mensen. Hwan was van mening dat mensen altijd onbetrouwbaar waren, al dan niet met opzet, en dat je de feiten het best met wetenschappelijke

methoden kon vaststellen. Ze gaven allebei toe dat de benadering van de ander heel deugdelijk was, maar Hwan had niet voldoende geduld voor al dat glimlachen en babbelen dat Yung-Hoons aanpak met zich meebracht. Toen hij nog rookte, had hij zijn aandacht nooit langer dan één Camel zonder filter bij dat soort flauwekul kunnen houden, en tegenwoordig was die periode nog veel korter.
Aan zijn kleine bureau, dat bezaaid was met dikke stapels rapporten en dossiers, zat Hwan een verslag te bestuderen dat net was aangekomen uit het laboratorium. De analyse die de professor had gemaakt van 'gehybridiseerde springen' en de 'richting van de elektronegativiteit' sloeg hij wijselijk over. De KCIA had die details niet nodig. Als het ooit tot een proces kwam, zou de rechtbank er gebruik van maken. In plaats daarvan keek hij meteen naar de korte samenvatting.

Een analyse van de gebruikte explosieven heeft uitgewezen dat het hier een kneedbaar explosief materiaal van Noordkoreaanse standaardmakelij betreft; de samenstelling is typerend voor de produktie-eenheid in Sonchon.
Er zijn geen vingerafdrukken op de waterfles aangetroffen. Normaliter zouden de vakkenvullers er op zijn minst enkele gedeeltelijke vingerafdrukken op hebben moeten achterlaten. Hieruit kunnen we concluderen dat de fles is schoongeveegd. De speekselrestanten die in het resterende water zijn aangetroffen zijn niet opmerkelijk.
De aangetroffen bodembestanddelen leveren geen enkele informatie op. De belangrijkste componenten ervan, zandsteen en bauxiet, worden op het hele schiereiland aangetroffen en zijn daarom niet geschikt om de herkomst van de schoenen te bepalen.
Tijdens een toxicologisch onderzoek zijn echter geconcentreerde sporen van een sublimatie van het zout NaCl (Na+ op basis van NaOH, Cl- van het zuur HCl) gevonden. Dit wordt doorgaans aangetroffen in petroleumprodukten afkomstig uit het Grote Shingan-gebergte in Binnen-Mongolië, waaronder ook de dieselolie die gebruikt wordt door de gemotoriseerde strijdkrachten van de Volksrepubliek Korea. De concentratie van 1:100 NaCl in de aangetroffen aarde lijkt vrijwel uit te sluiten dat deze deeltjes vanuit het Noorden zijn overgewaaid. Een computersimulatie suggereert dat de concentratie in een dergelijk geval niet hoger zou kunnen zijn dan 1:5000.

Hwan liet zijn hoofd achteroverzakken, zodat het op de rugleuning van zijn stoel kwam te rusten, en liet de verkoelende golven lucht uit de plafondventilator over zijn gezicht waaien.

'Dus de lui die de bommen hebben geplaatst, zijn in het Noorden geweest. Hoe kunnen het dan geen Noordkoreanen zijn?' Hoewel hij een belangrijke kaart als deze niet graag uitspeelde, was er waarschijnlijk maar één manier om daarachter te komen.
Terwijl hij de samenvatting nog eens overlas, begon de intercom te piepen.
'Met sergeant Jin, meneer. Er staat iemand bij de receptie die degene wil spreken die de leiding heeft over het onderzoek naar de bomaanslag bij het paleis.'
'Heeft hij ook gezegd waarom?'
'Hij zegt dat hij ze heeft gezien, meneer. Dat hij mensen heeft zien wegrennen uit de geluidswagen.'
'Zorg ervoor dat hij niet weggaat,' zei Hwan terwijl hij overeind sprong en zijn das vasttrok. 'Ik ben zo beneden.'

30

Dinsdag, 08.05 uur
Het Op-Center

Toen de foto's van het NRO op Stolls monitor verschenen, keken Bob Herbert en Matt Stoll er in geschokt stilzwijgen naar.
'Godallemachtig,' zei Herbert na een tijdje. 'Zijn ze nou helemaal gek geworden!'
Op de foto's van Pyongyang was te zien dat er tanks en pantserwagens de stad uit reden en dat er luchtdoelgeschut werd opgesteld op het omringende platteland.
'Die klootzakken zijn zich op een oorlog aan het voorbereiden!' zei Herbert. 'Laat het NRO ook eens naar de gedemilitariseerde zone kijken. Ik wil zien wat daar aan de hand is.'
Hij griste de telefoonhoorn van de armleuning van zijn rolstoel. 'Bugs, geef me de chef even, wil je?'
Hood kwam meteen aan de lijn. 'Wat is er, Bob?'
'Een klusje voor u... U kunt uw nota Beleidsopties gaan herschrijven. Vanuit de Noordkoreaanse hoofdstad zijn er op zijn minst drie gemotoriseerde brigades onderweg naar het zuiden, en er worden minstens... één, twee,

drie... vier stuks luchtdoelgeschut aan de zuidelijke grens gestationeerd.'
Er viel een lange stilte. 'Stuur me daar een afdruk van en blijf de situatie in de gaten houden. Heeft Matty al iets gevonden?'
'Nee.'
Er viel opnieuw een lange stilte. 'Bel luchtmachtbasis Andrews en vraag ze om een verkenning uit de eerste hand van het gebied tussen de Baai van Oost-Korea en de Baai van Chunsan. Om de twee uur.'
'Wilt u dat ze eroverheen vliegen?'
'Mike komt er straks overheen, samen met een Striker Team. Als de computers nog eens uitvallen, zodat we geen verbinding met de satellieten meer hebben, wil ik niet dat ze daar blind op af moeten gaan.'
'Juist,' zei Herbert. 'Wat denkt u, meneer? Zouden die klootzakken op oorlog uit zijn?'
'Het Witte Huis of de Volksrepubliek Korea?'
Herbert vloekte. 'De Volksrepubliek. Wij zijn hier niet mee begonnen...'
'Nee, wij niet. Maar ik denk nog steeds dat Noord-Korea geen oorlog wil. Ze zijn bezig hun troepen in te zetten omdat ze ervan uitgaan dat wij dat ook zullen doen. Het probleem is dat de president zich geen slappe houding kan veroorloven, en daarom wil hij van geen wijken weten. Zullen zij dat wel willen?'
Nadat hij had gezegd dat hij weer verslag zou uitbrengen als hij over nieuwe informatie beschikte, legde Herbert de hoorn neer en begon nijdig te mompelen over Hoods argwanende inslag. Dat hij als burgemeester zo'n ontzettend doortrapte politicus was geweest, zo'n type dat heel veel aandacht besteedde aan adviseurs en opiniepeilingen, wilde nog niet zeggen dat iedereen zo was. Hij geloofde niet dat deze president Amerikaanse jongeren in levensgevaar zou brengen om zijn kranige imago intact te houden. Als hij niet wilde wijken, was dat om dezelfde reden waarom Ronald Reagan Tripoli in 1983 met een paar flinke bommen had wakker geschud nadat de Libiërs een café in Berlijn hadden gebombardeerd. *Als jullie ons pijn doen, willen wij ook bloed zien.* Was dat maar de gewone procedure, in plaats van al die holle retoriek in de Verenigde Naties. Hij wilde dat iemand de moslimterroristen die hem in 1983 van het gebruik van zijn benen hadden beroofd, eens met gelijke munt zou betalen.
Herbert belde zijn assistent en vroeg of die hem wilde doorverbinden met generaal McIntosh op luchtmachtbasis Andrews.

Het vliegtuig was een Dassault Mirage 2000. Het was gebouwd in opdracht van de Franse regering en ontworpen als een jager. Al snel was het echter een van de veelzijdigste vliegtuigen gebleken die op dat moment in gebruik waren; zowel bij het begeleiden van andere vliegtuigen als bij

aanvallen op gronddoelen en luchtverkenning was het vijftien meter lange tweepersoonsvliegtuig formidabel. Als luchtverkenner haalde het op een hoogte van twintig kilometer snelheden tot mach 2,2, en beide kon het al binnen vijftien minuten na de start bereiken. De Amerikaanse luchtmacht had zes toestellen aangeschaft voor gebruik in Europa en het Verre Oosten, niet alleen om de militaire banden met Frankrijk te verstevigen, maar ook omdat de straaljager een toonaangevend stuk technologie was. Vanaf de Amerikaanse luchtmachtbasis in Osaka schoot het straalvliegtuig met brullende motor de nachtelijke hemel in. Vliegtuigen die vanuit het Zuiden naar het Noorden vlogen, moesten hoger vliegen en waren eerder zichtbaar op de radar; vliegtuigen die vanuit Japan kwamen, konden laag aanvliegen over zee en boven Noord-Korea zijn voordat de militairen daar kans zagen om te reageren.
Vijftien minuten na de start bereikte de Mirage de oostkust van Noord-Korea; terwijl de M53-2-Turbofan-motor het vliegtuig bijna verticaal omhoog stuwde, zat verkenner Margolin achter de piloot foto's te nemen. Ze gebruikte een Leica met een 500x-telelens en een infraroodkijker.
De officier had te horen gekregen waarop ze moest letten: troepenbewegingen en activiteiten rondom de kerncentrales en opslagplaatsen voor chemische wapens. Alles wat ook maar enigzins leek op wat de spionagesatelliet van het NRO rondom de hoofdstad had waargenomen.
Toen de Mirage over Pyongyang heen vloog en in zuidwestelijke richting over de baai naar de Gele Zee schoot, zag ze iets verbazingwekkends, en snel zei ze tegen de piloot dat hij niet nog eens over het gebied hoefde te vliegen. In plaats daarvan raceten ze naar de achtendertigste breedtegraad, en zodra ze eroverheen waren, verbrak Margolin de radiostilte om contact op te nemen met haar commandant.

31

Dinsdag, 22.10 uur
Seoul

Niet in staat zich te bewegen, bleef Gregory Donald een paar minuten in de deuropening van de kleine kapel van de legerbasis staan. Hij stond naar de

eenvoudige grenen kist te staren, maar was niet in staat erin te kijken. Hij was er nog niet klaar voor.
Hij had net een telefoongesprek met haar vader gehad. Die had toegegeven dat hij zich zorgen was gaan maken toen Soonji hem niet gebeld had. Hij wist dat ze naar de jubilieumviering zou gaan, en als er zich ergens op een plek waar zij ook was problemen voordeden, belde ze altijd meteen om te laten weten dat alles met haar in orde was. Vandaag had ze dat niet gedaan, en toen ze thuis ook niet opnam en in geen enkel ziekenhuis ingeschreven bleek te staan, was hij het ergste gaan vrezen.
Kim Yong Nam had het opgenomen op de manier waarop hij alles opnam wat hem pijn deed: door zich terug te trekken. Onmiddellijk nadat hij had gehoord dat Soonji dood was en dat Donald haar in Amerika wilde laten begraven, had hij opgehangen, zonder een woord van dank en zonder enig blijk van verdriet of medeleven. Donald had Kim zijn manier van doen nooit kwalijk genomen. Hij had niet verwacht dat de man iets zou zeggen, al zou hij dat wel op prijs hebben gesteld. Iedereen had zo zijn eigen manier om met verdriet om te gaan en die van Kim was om het in zich op te nemen en alle anderen buiten te sluiten.
Hij haalde diep adem en dwong zichzelf om terug te denken aan het laatste beeld dat hij van haar had. Hij had haar niet gezien als zijn vrouw, niet als Soonji, maar als een aan flarden gescheurde gestalte die levenloos in zijn armen hing. Hij bereidde zich voor, vertelde zichzelf dat de begrafenisondernemer alleen maar een illusie schiep, dat hij de doden eruit liet zien alsof ze met rozige wangetjes lagen te slapen, blakend van gezondheid, en dat ze er altijd anders uitzagen dan ze er in leven hadden uitgezien. En toch zou het beter zijn, besefte hij, beter dan de dood zoals hij die zich nu herinnerde, beter dan het gebroken en bebloede lijf dat hij in zijn armen had gehouden...
Met trillende adem stapte hij onzeker de kapel binnen. Aan weerszijden van de lijkkist, naast het hoofd, brandden grote kaarsen. Zonder erin te kijken liep hij naar het voeteneinde van de kist. Vanuit zijn ooghoek zag hij de jurk die ze door een soldaat hadden laten ophalen: de eenvoudige, witte zijden jurk die ze bij hun trouwen had gedragen. Hij zag het rood-witte boeket dat ze in haar handen hadden gelegd, op haar middel. Daar had Donald om gevraagd. Hoewel Soonji niet geloofde dat rode en witte rozen je aan Gods zijde brachten, was haar moeder, die in Chondokyo geloofde, wel op die manier begraven. God zou ze misschien niet vinden, al was ze meer van zijn bestaan overtuigd geweest dan hij, maar misschien zou Soonji haar moeder weerzien.
Toen hij recht voor de lijkkist stond, sloeg hij langzaam zijn ogen op.
En hij glimlachte. Ze hadden goed voor zijn meisje gezorgd. Toen ze nog

leefde, had ze altijd maar weinig rouge gebruikt, en ook nu was er slechts een klein beetje opgebracht. Haar wimpers waren licht bestreken met mascara en haar huid was niet geplamuurd met poeder of verf, maar zag er goed verzorgd en natuurlijk uit, zoals toen ze nog leefde. Iemand moest haar parfum uit hun flat meegenomen hebben, want nu hij zo dichtbij stond, merkte hij dat hij het kon ruiken. Donald weerstond de drang om haar aan te raken, want volgens zijn ogen en neus leek ze te slapen... en het was een vredige slaap.

Hij begon openlijk te huilen toen hij naar de linkerkant van de lijkkist liep, niet om haar van dichterbij te bekijken, maar om een kus op zijn vinger te geven en die op haar gouden trouwring te drukken, een ring met hun namen en de datum van hun huwelijk erop.

Nadat hij zichzelf had toegestaan om de plooi van haar mouw aan te raken en zich te herinneren hoe zacht en jong en vitaal ze op hun huwelijksdag was geweest, liep Donald de kapel uit. Hij voelde zich sterker dan toen hij was binnengekomen. Zijn verstand had de woede die hij generaal Norbom zo openlijk had getoond, weer onder controle.

Maar hij was nog steeds van plan naar het Noorden te gaan, met of zonder de hulp van zijn vriend.

32

Dinsdag, 22.15 uur
Seoul

Toen Kim Hwan de kamer van de bewaker binnen kwam, overhandigde de dienstdoende sergeant hem een identiteitskaart met een foto erop. Hwan las de informatie: *Naam: Lee Ki-Soo. Leeftijd: twintig. Adres: 116 Hai Way, Seoul.*

'Heb je dit gecontroleerd?' vroeg hij.

'Ja, meneer. De flat staat op naam van een zekere Shin Jong-U, die we niet hebben kunnen bereiken... Deze man zegt dat hij daar op kamers woont en dat meneer Jong-U op zakenreis is. Hij werkt bij de fabriek van General Motors, een eindje buiten de stad, maar de afdeling Personeelszaken is tot morgenochtend gesloten.'

Hwan knikte, en terwijl de sergeant ging zitten om aantekeningen te maken, nam de adjunct-directeur de man die hem was komen opzoeken eens aandachtig op. Hij was kort, maar stevig gespierd; dat kon Hwan zien aan zijn nek en bovenarmen. Hij droeg de grauwgrijze kleding van een fabrieksarbeider en stond slecht op zijn gemak wat aan zijn zwarte baret te plukken en met zijn voeten te schuifelen. Toen Hwan de kamer binnen was gekomen, had hij drie keer gebogen, maar zijn ogen had hij geen moment van Hwan afgewend. Het waren vreemde, onprettige ogen; ze hadden een sterke, maar levenloze glans, zoals de ogen van een haai. Een vreemde combinatie... een merkwaardige man, dacht hij. Maar een heleboel mensen waren nogal aangeslagen door de gebeurtenissen van vandaag, en misschien was hij daar ook een van.
Hwan liep naar een rond metalen rooster in het glas. 'Ik ben adjunct-directeur Kim Hwan. U hebt naar me gevraagd?'
'Bent u degene die de leiding heeft van het onderzoek naar... deze ellende?'
'Ja.'
'Ik heb ze gezien. Zoals ik deze man hier al verteld heb. Ik heb drie mannen gezien. Ze liepen weg van de truck naar het oude deel van de stad, en ze hadden tassen bij zich.'
'Hebt u hun gezichten gezien?'
Snel schudde de man zijn hoofd. 'Daarvoor was ik niet dicht genoeg in de buurt. Ik stond helemaal hier...' Hij liep zijdelings naar de deur en wees met zijn vinger. 'Bij de banken. Ik was op zoek naar... u weet wel, soms zetten ze openbare toiletten neer. Maar vandaag niet. En terwijl ik daar liep te zoeken, heb ik ze gezien.'
'Weet u zeker dat u ze niet zou kunnen identificeren? De kleur van hun haren...'
'Zwart. Alle drie.'
'Baard of snor? Grote of kleine neus? Dunne lippen, dikke lippen, flaporen?'
'Het spijt me, ik heb het niet gezien. Zoals ik al zei: ik had andere dingen aan mijn hoofd.'
'Kunt u zich nog herinneren wat ze aan hadden?'
'Kleren. Ik bedoel: gewone alledaagse kleren. En laarzen. Ik geloof dat ze laarzen aan hadden.'
Hwan keek de man even aan. 'Verder nog iets?'
De man schudde zijn hoofd.
'Zoudt u misschien een verklaring willen ondertekenen over wat u hebt gezien? Het duurt maar een paar minuten om er een op te stellen.'
De man schudde heftig zijn hoofd en liep snel naar de deur. 'Nee, meneer.

Dat kan ik niet doen. Ik had geen pauze toen ik ging kijken. Ik heb me gewoon stiekem even gedrukt. Als mijn chef erachter komt, krijg ik moeilijkheden...'

'Die hoeft het niet te weten,' zei Hwan.

'Sorry,' zei de man. Hij legde zijn hand op de deurkruk. 'Ik vond dat ik u dit moest vertellen, maar verder wil ik er niet bij betrokken raken. Alstublieft... Ik hoop dat u er iets mee kunt. En nu moet ik echt weg.'

Met die woorden duwde de man de deur open en rende het duister in. Hwan en de sergeant keken elkaar eens aan.

'Die heeft een paar biertjes te veel gehad voor hij hierheen kwam, meneer.'

'Of niet genoeg,' zei Hwan. 'Tik die verklaring toch maar uit en geef ze daarna aan mij, zonder handtekening. Een paar dingen die hij vertelde kunnen best nuttig zijn.'

Ze klopten in ieder geval met de vondsten die ze in het steegje hadden gedaan. Even speelde hij met de gedachte om die rare vent te laten volgen, maar toen besloot hij dat de beschikbare mankracht zich beter kon bezighouden met de taken waarop ze al was ingezet: het ondervragen van andere aanwezigen, het controleren van de video-opnamen en foto's en het afzoeken van het terrein en het verlaten hotel op andere aanwijzingen.

Hwan liep de trap weer op – hij nam nooit de lift als hij de tijd en de energie had om te gaan lopen – en ging naar zijn kantoor om na te denken over wat hij nu zou doen.

Als de directeur terugkwam, zou hij niet tevreden zijn met de stand van het onderzoek; het schaarse bewijsmateriaal wees in de richting van Noord-Korea, maar ze hadden geen enkele aanwijzing over de identiteit van de daders.

Nadat hij radiocontact had opgenomen met zijn mensen in het veld en te horen had gekregen dat ze niets gevonden hadden, besloot hij dat hij om snel aan bewijsmateriaal te komen iets moest doen waar hij erg tegen opzag, iets wat hun net zoveel zou kunnen kosten als het hun zou kunnen opleveren.

Met tegenzin nam hij de hoorn op...

33

Dinsdag, 22.20 uur
Kosong, Noord-Korea

Met een gemiddelde snelheid van honderdtachtig kilometer per uur vloog de glanzende, moderne Lake LA-4-200-Buccaneer vierzitter laag over de zee naar de Noordkoreaanse kust. De Lycoming 0-360-A1A-motor maakte een kalm, brommend geluid en de piloot hield het vliegtuig rustig op zijn koers. Zo dicht bij het oppervlak – minder dan driehonderd meter en ze daalden snel – was er veel turbulentie, en de piloot wilde het vliegtuig geen voortijdige waterlanding laten maken, niet met deze twee types aan boord. Hij wreef met een zakdoek over zijn bezwete voorhoofd en durfde er niet aan te denken wat ze hem misschien zouden aandoen als hij tachtig kilometer uit de kust zou landen.

Het zevenenhalve meter lange vliegtuig begon te schokken toen het onder de honderdzeventig meter daalde; gezien de neerwaartse luchtstroom was hun snelheid eigenlijk te hoog, maar nog een stuk lager dan hij graag had gezien. Toen hij in de verte het duistere silhouet van de kust zag opdoemen, realiseerde de piloot zich dat hij geen tijd zou krijgen om een tweede keer aan te vliegen. Zijn passagiers moesten om half negen aan wal zijn, en hij zou ervoor zorgen dat ze niet te laat kwamen. Nog geen seconde.

Hij zou zijn beste vriend Han Song nooit meer een zwart vluchtje voor hem laten regelen. Zonen die stiekem het land wilden binnenglippen om hun vaders te bezoeken waren één ding, en zelfs tegen Zuidelijke spionnen had hij geen bezwaar, maar dit was iets anders. De gokker had gezegd dat het zakenmensen waren, maar hij had er niet bij verteld in welke branche... en die branche was moord en doodslag.

Hij liet de bootvormige romp van het vliegtuig met een zachte bons op het zeeoppervlak neerkomen, en terwijl het vliegtuig snel afremde, golfde het water aan weerszijden hoog op. Hij wilde die lui zo snel mogelijk kwijt, zodat hij het vliegtuig kon keren voordat nieuwsgierige vissers of kustwachters kwamen kijken wat hij hier uitvoerde.

Hij trok de grendel los en schoof het luik naar achteren zodat de hele cockpit nu open was. Snel griste hij het vlot van de stoel van de co-piloot, en terwijl de mannen achter hem overeind kwamen, liet hij het overboord zakken. De piloot stak zijn hand uit om de eerste man op het vlot te helpen. De moordenaar greep zijn pols beet en keek op de fosforescerende wijzerplaat van zijn vliegeniershorloge.

'Nou, het is gelukt!' zei de piloot.

'Goed werk,' zei de moordenaar terwijl zijn metgezel zich langs hem wrong en op het vlot klom. Hij stak zijn hand in de zak van zijn regenjas en overhandigde de piloot een stapel bankbiljetten. 'Zoals ik met je agent had afgesproken.'
'Ja, dank u wel.'
Toen stak de man opnieuw zijn hand in zijn zak. Hij trok de bebloede stiletto eruit en hield hem recht voor zich uit. Het hart van de piloot begon zo luid te bonzen, dat hij zeker wist dat het vliegtuig daardoor zo trilde, en niet door de motor. De moordenaar lachte, boog zijn arm en smeet het mes met een grote boog in zee. De spieren van de piloot ontspanden zich zo snel, dat hij zijn evenwicht verloor en tegen de stoel viel.
'Goedenacht verder,' zei de moordenaar terwijl hij zich omdraaide en zich naast zijn vriend op het vlot liet zakken.
Het duurde een paar minuten voordat de piloot zich rustig genoeg voelde om koers te zetten naar open zee. Tegen die tijd waren zijn passagiers al verzwolgen door de duisternis.

De mannen werden naar de kust geleid door een soldaat die met een knipperlicht op het strand stond. Het was eb en ze waren er binnen een paar minuten. Een van hen liet het vlot leeglopen terwijl de ander de koffers pakte en naar de twee jeeps liep die in de schaduw van een boven zee uittorenend klif stonden.
'Kolonel Oko?' zei de nieuwkomer.
'Kolonel Sun,' zei de ander met een buiging. 'U bent vroeg.'
'Onze piloot was ons liever kwijt dan rijk.' Sun wierp een snelle blik op de gewapende soldaat naast de jeeps. 'Hebt u de uniformen en de documenten, en... het pakket?'
'Ze liggen in de jeep. Wilt u het controleren?'
Sun glimlachte en zette de koffers in het zand. 'Majoor Lee heeft vertrouwen in u.' Zijn glimlach werd breder. 'En uiteindelijk hebben we een gemeenschappelijk doel. We willen vijanden blijven.'
'Daar heb ik geen oorlog voor nodig.'
'U bent geen politicus, kolonel. Wij hoeven er niet aan herinnerd te worden welk bloed ons door de aderen stroomt. Wilt u het geld tellen?'
Oko schudde zijn hoofd en wenkte zijn adjudant dat hij de koffers moest pakken. 'Eerlijk gezegd, kolonel, zelfs als we de steekpenningen niet vergoed hadden gekregen, zou het toch het geld wel waard geweest zijn.'
Na nogmaals een buiging naar kolonel Sun te hebben gemaakt, stapte Oko in zijn jeep. Terwijl de wagen over de steil omhooglopende zandweg de heuvels in reed, keek hij geen enkele keer achterom.
Terwijl kolonel Sun hen stond na te kijken, kwam zijn adjudant, korporaal

Kong Sang Chul, naar hem toe. 'En dan zeggen ze nog dat het Noorden en het Zuiden het nooit ergens over eens kunnen worden.'

Tien minuten later, nadat ze het uniform van een Noordkoreaanse kolonel en zijn oppasser hadden aangetrokken en in het pakket hadden gekeken of alles er inderdaad in zat, reden de Zuidkoreanen over hetzelfde weggetje naar een plek die met rood was aangegeven op de kaart in de grote map met documenten.

34

Dinsdag, 08.40 uur
Het Op-Center

'Dit kan niet, dit kàn niet, dit kàn helemaal niet!'
'Maar het is gebeurd, techneutje. Het is gebeurd.'
Stoll en Herbert zaten aan de conferentietafel in de Tank, samen met Hood en de rest van het eerste team van Op-Center, met uitzondering van Rodgers, die later op de hoogte zou worden gesteld van het resultaat van de bespreking. Rechts van Hood zat Ann Farris, en daar weer naast zaten Stoll en Herbert. Lowell Coffey II zat aan zijn rechterhand en tegenover hen zaten Martha Mackall, Liz Gordon en Phil Katzen, de chef Milieuzaken. Darrell McCaskey ging tussen Gordon en Katzen in zitten. Hij had Hood zojuist een overzicht van één A-viertje voorgelezen over de activiteiten van de Liga van de Rode Hemel en andere terroristische groeperingen in Seoul. Het scheen dat ze geen van alle iets te maken hadden met de bomaanslag.
Vóór Hood op tafel lagen McCaskey's verslag en de foto's van de omvangrijke troepenbewegingen rondom Pyongyang die hun waren toegestuurd door het NRO. Ernaast lagen de zojuist overgeseinde foto's die Judy Margolin had genomen vanuit de Mirage. Op die foto's was nergens ook maar één enkele tank te bekennen. Rondom de stad stond geen artillerie opgesteld en ook verder was er niets te zien dat erop wees dat de Volksrepubliek Korea zich op een oorlog voorbereidde. 'Maar wat denk je van deze discrepantie, Matty? Buiten het feit dat zoiets onmogelijk is?'

De gezette medewerker Operationele Ondersteuning slaakte een verbitterde zucht. 'De belangrijkste oriëntatiepunten zijn op beide foto's identiek, dus het is niet zo dat de satelliet gewoon het verkeerde gebied heeft gefotografeerd. Het is wel degelijk Pyongyang.'
'We hebben het NRO een update laten sturen,' zei Herbert, 'en ik heb het mondeling laten bevestigen, over een beveiligde lijn. Het meest recente satellietbeeld op de monitor liet een normaal verloop zien van de troepenbewegingen op de eerste foto.'
'En die troepenbewegingen vinden waarschijnlijk helemaal niet plaats,' merkte McCaskey op.
'Correct.'
'Dus, Matty?' zei Hood. 'Over een half uur word ik in het Witte Huis verwacht. Wat moet ik de president dan vertellen?'
'Dat er iets mis is met onze software. Een soort bug of virus waar we nog nooit eerder mee te maken hebben gehad.'
'Een vírus!' brulde Herbert. 'In een batterij computers die ons twintig miljoen dollar heeft gekost en die jij hebt ontworpen?'
'Precíes! Zelfs de slimste mensen zien wel eens iets over het hoofd, en soms weet een vrachtwagen vol met explosieven nog door een hele reeks betonnen versperringen heen te komen!' Op het moment dat hij de woorden uitsprak, had Stoll er al spijt van. Hij perste zijn lippen op elkaar en liet zich onderuit in zijn stoel zakken.
'Fijnzinnig, Matt,' zei Coffey, om de gespannen stilte te verbreken.
'Neem me niet kwalijk, Bob. Ik ben te ver gegaan.'
Herbert keek hem woedend aan. 'Dat kun je wel zeggen, ja.' Hij richtte zijn blik op de leren zitting van zijn rolstoel.
'Hoor eens,' zei Liz, 'vergissen is menselijk, maar we schieten er weinig mee op om dan met het vingertje naar elkaar te gaan wijzen. En bovendien, jongens, als we in de eerste stadia van een crisis al zo reageren, kunnen we misschien beter een ander beroep kiezen.'
'Goed gezegd,' zei Hood. 'Kom op, Matty. Doe maar een gok. Wat denk je dat er aan de hand is?'
Zonder Herbert aan te kijken, zuchtte Stoll nog veel dieper. 'Toen het systeem uitviel, was mijn eerste reactie dat het waarschijnlijk een soort demonstratie was, iemand die ons wilde laten merken dat hij op de een of andere manier het systeem was binnengedrongen en het ieder moment weer kon doen. Ik had half en half verwacht dat er nadat we het systeem weer aan de praat hadden, wel een chantagebriefje bij de E-mail zou zitten.'
'Maar zo'n briefje hebben we niet ontvangen,' zei Coffey.
'Nee, inderdaad niet. Maar toch ging ik er nog steeds van uit dat er een

virus in het oorspronkelijke programma had gezeten, of in een ander stuk software, en dat het virus van ons naar het Ministerie van Defensie of de CIA was gegaan, of vice versa. Toen kwam die foto uit Osaka binnen, en nu denk ik dat dàt het moment is geweest waarop we pas werkelijk geïnfecteerd zijn geraakt.'

'Leg uit,' zei Hood.

'Het uitvallen van het systeem is waarschijnlijk een rookgordijn of een afleidingsmanoeuvre geweest om het werkelijke doel van de indringers te verhullen, en ik vermoed dat het werkelijke doel het compromitteren van ons satellietobservatiesysteem is geweest.'

'Vanuit de ruimte?' vroeg Coffey.

'Nee, vanaf de aarde. Iemand anders heeft nu de controle over onze geostationaire satelliet 12-A, en misschien nog wel over veel meer.'

'Dat zal de president leuk vinden,' merkte Coffey op.

Hood keek snel even naar de aftelklok en richtte zijn blik toen op het beeld van Bugs dat op zijn monitor te zien was.

'Heb je dat genoteerd, Bugs?'

'Ja, meneer.'

'Zet het aan het eind van de nota Beleidsopties, met het volgende commentaar erbij.' Hij keek naar Stoll. 'Onze medewerker Operationele Ondersteuning houdt zich op dit moment met het probleem bezig en heeft me verzekerd dat het geïdentificeerd en opgelost zal worden. Een tijdschema daarvoor volgt nog. Terwijl hij bezig is, zal het Op-Center geen gebruik maken van zijn computers, omdat de databestanden gecorrumpeerd zijn. In plaats daarvan zullen we ons bedienen van observatie vanuit de lucht, van agenten in sleutelgebieden en van schriftelijke crisissimulaties. Getekend, etc. Print het maar uit Bugs. Ik kom zo.' Hood stond op. 'Hoe luidt die uitdrukking ook weer die je zo vaak gebruikt, Matty? "Als je iets wilt, moet je er zelf voor zorgen dat het gebeurt"? Nou, zorg dat het gebeurt. Dit netwerk werd verondersteld virusbestendig te zijn. Dat is waarom de president ons nu al bijna een jaar en tweehonderdvijftig miljoen dollar geleden heeft geholpen om Op-Center door het Congres te loodsen. Dat virus moet geëlimineerd worden, en het lek moet gedicht.' Hij richtte zijn blik op de stroblonde chef Milieu. 'Phil, ik denk dat we jouw afdeling in dit stadium nog niet nodig zullen hebben, en je hebt een universitaire graad in de informatica. Wil je hierin samenwerken met Matty?'

Phils blik ging van Hood naar de aftelklok. 'Het zal me een genoegen zijn.' Stoll verstrakte, maar zei niets.

'Bob, bel Gregory op de basis in Seoul. Hij heeft zijn vrouw verloren bij die ontploffing, maar vraag hem toch maar of hij zich in staat acht om een bezoek aan de gedemilitariseerde zone te brengen voor een verkenning uit de eerste hand. We kunnen de satellieten niet vertrouwen, en daarom wil ik daar iemand van ons hebben. Het zou trouwens wel goed voor hem kunnen zijn.'

'Hij klonk behoorlijk aangeslagen,' zei Martha, 'dus zorg dat je tactvol bent.'

Herbert knikte.

'Daarna wil ik dat je Rodgers van de situatie op de hoogte brengt,' zei Hood. 'Zeg hem dat hij de missie naar eigen goeddunken kan voortzetten, zonder voorbehoud. Als Rodgers vindt dat hij het aankan – en dat zal wel goed zitten, denk ik – geef hem dan opdracht om zijn team verslag uit te laten brengen over de Nodong-raketten in het Taibak-gebergte.'

Herbert knikte opnieuw en rolde toen weg van de tafel. Het was duidelijk dat Stolls woorden hem nog steeds behoorlijk dwarszaten.

Hood drukte op de knop die de deur opende en liep het vertrek uit, gevolgd door Herbert en de andere leden van het team.

Met grote stappen beende Stoll woedend door de gang naar zijn kantoor. Phil Katzen had moeite om hem bij te houden.

'Het spijt me dat hij zo rot tegen je deed, Matty. Ik weet dat ik niet veel kan doen om je te helpen.'

Stoll bromde iets wat Phil niet kon verstaan. En dat was misschien maar goed ook.

'De mensen snappen gewoon niet dat je op dit gebied vooral leert van je fouten.'

'Dit wàs geen fout,' snauwde Stoll. 'Dit was iets wat we nog nooit eerder gezien hebben.'

'O, juist. Dat doet me denken aan mijn oudere broer. Op zijn vijfenveertigste liet hij zijn vrouw en zijn baan bij Nynex in de steek en besloot een wandeltocht rond de wereld te gaan maken, maar hij hield bij hoog en laag vol dat het gewoon een verandering van levensstijl was, en geen midlifecrisis.'

Stoll bleef onmiddellijk staan. 'Phil, toen ik vandaag op mijn werk kwam, heb ik het equivalent van die asteroïde die vijfenzestig miljoen jaar geleden op de aarde is geklapt over me heen gekregen, en dit soort opmerkingen maakt het níet gemakkelijker voor me.' Hij kwam weer in beweging.

Phil bleef achter hem aan lopen. 'Nou, dit misschien wel. Toen ik mijn scriptie over de Russische walvisvaart schreef, heb ik deelgenomen aan een reddingsoperatie van Greenpeace in de Zee van Ochotsk. We mochten daar helemaal niet komen, maar wat kon ons dat schelen? Toen we er waren, merkten we dat de Sovjets een manier gevonden hadden om met behulp van onderwaterzenders valse sonarbeelden op te wekken; we vingen voortdurend echo's op en gingen er dan snel achteraan om een school walvissen te beschermen die helemaal niet bestond, terwijl de jagers ergens anders, op een plek die buiten het bereik van onze sonar lag, rustig bezig waren walvissen uit te moorden.'

De twee mannen liepen Stolls kantoor binnen.

'Dit is geen sonarbeeld, Phil.'

'Nee, maar daar ging het me niet om. We hadden videobanden van de beelden gemaakt om ze naderhand te kunnen bestuderen, en toen we daaraan toe kwamen, viel het ons op dat er iedere keer als de zenders werden aangezet, een nauwelijks waarneembare ruis te horen was.'

'Wat statische ruis is heel normaal als je begint te zenden.'

'Precies, maar waar het me om gaat is dat dit signaal een duidelijke structuur had, een structuur die we konden gebruiken als een soort vingerafdruk, als een handtekening die we konden controleren voordat we weer achter een niet-bestaande school walvissen aan gingen. De computers hier zijn bijna twintig seconden buiten bedrijf geweest; je noemde het een rookgordijn, en daar zou je best eens gelijk in kunnen hebben. Maar terwijl ik naar de aftelklok in de Tank stond te kijken, besefte ik dat er één oog is dat door dat rookgordijn niet aan het knipperen gebracht kan zijn.'

Stoll bleef naast zijn bureau staan. 'De interne klok van de computer.'

'Precies.'

'Wat schieten we daarmee op? Dat we weten van wanneer tot wanneer het systeem buiten werking is geweest?'

'Denk even na. De satelliet moet al die tijd gewoon beelden opgeslagen hebben, ook al kon hij ze niet naar de aarde versturen. Als we een beeld van het laatste moment voordat het systeem uitviel vergelijken met het eerste beeld dat daarna is ontvangen, kunnen we er misschien achter komen wat er is gebeurd.'

'Dat is alleen maar theorie. Je zou telkens twee beelden op elkaar moeten leggen en de veranderingen zouden heel subtiel zijn.'

'Net zoals astronomen asteroïden vinden door te kijken naar veranderingen in het beeld van de sterren erachter.'

'Precies,' zei Stoll, 'Het zou heel lang duren om tientallen beelden pixel voor pixel te vergelijken, en we kunnen dat niet aan de computer overlaten, want die zou er best op geprogrammeerd kunnen zijn om bepaalde verschillen te negeren.'

'Dat is het nu juist. We hebben de computer helemaal niet nodig. Het enige wat we hoeven te doen, is een enkele set plaatjes vergelijken van voor en na het uitvallen van het systeem. Dat bedoelde ik met die opmerking over de interne klok. Die zal heus niet gestopt zijn omdat er een virus naar binnen is gekropen, en het moet tijd gekost hebben, al is het maar een fractie

van een seconde, om het echte beeld te vervangen door een vals beeld...'
'Ja, já,' zei Stoll. 'Shit, ja. En dat zou te zien zijn aan de tijdcode op de foto's. In plaats van dat ze elke 0,89 seconden binnenkomen, zou er na de laatste echte foto een kleine vertraging moeten zijn.'
'En die vertraging zou onder op de foto te zien moeten zijn.'
'Je bent briljant, Phil.' Stoll graaide zijn calculator van het bureau achter zich. 'Oké... de foto's worden met intervallen van 0,8955 seconden vervangen. Als we er een zien die 0,001 seconden te laat is, hebben we de eerste vervalsing gevonden.'
'Juist. Het enige wat we hoeven te doen is het NRO vragen om alle foto's na te lopen tot ze een tijdverschil gevonden hebben.'
Stoll sprong op zijn stoel, belde Steve Viens en legde hem de situatie uit. Terwijl hij zat te wachten tot Viens klaar zou zijn met zijn tijdcontrole, maakte hij zijn afgesloten bureaula open, haalde er een doos vol diskettes met diagnostische programma's uit en begon de werking van het computernetwerk te controleren.

35

Dinsdag, 08.55 uur
Het Op-Center

Kokend van woede rolde Bob Herbert zijn rolstoel zijn kantoor binnen. Zijn mond was vertrokken, zijn tanden waren op elkaar geklemd en zijn dunne wenkbrauwen waren gefronst. Hij was niet alleen kwaad omdat Stoll zo tactloos was geweest, maar ook omdat Herbert diep in zijn hart besefte dat hij gelijk had. Er was geen verschil tussen het virus in de software die Matt had geschreven en het falen van het beveiligingssysteem dat hij zelf voor een deel had opgezet. Ze maakten allebei deel uit van dezelfde rottige werkelijkheid. Het was het SNAFU-principe en daar viel niet aan te ontkomen, hoe hard je het ook probeerde. *Situation Normal, All Fucked-Up.*
Liz Gordon had ook al gelijk. Rodgers had ooit een citaat van Benjamin Franklin gebruikt dat er min of meer op neerkwam dat als we niet allemaal samenwerken, we allemaal samen zullen hangen. Het Op-Center stond of

viel met samenwerking, en die kostte soms moeite. Anders dan de strijdkrachten of de NASA, waar iedereen min of meer dezelfde achtergrond of instelling had, werd het Op-Center gevormd door een ratjetoe van mensen met verschillende talenten, verschillende opleidingen en vreemde persoonlijke eigenaardigheden. Het was verkeerd en, erger nog, contraproduktief om van Stoll te verwachten dat hij zich zou gedragen als iemand anders dan degene die hij was.

Als je zo doorgaat, krijg je nog eens een beroerte.

Herbert manoeuvreerde zijn stoel achter zijn bureau en zette de wielen vast. Zonder de hoorn op te nemen, toetste hij de naam van de Amerikaanse militaire basis in Seoul in. Het hoofdnummer en de rechtstreeks bereikbare nummers verschenen op een rechthoekig schermpje onder de drukknoppen. Met behulp van de *-knop liep Herbert het lijstje door, zette de cursorbalk op het kantoor van generaal Norbom, nam de hoorn op en drukte op # om het nummer te laten draaien. Hij probeerde te bedenken wat hij tegen Gregory Donald zou kunnen zeggen. Zelf had hij zijn vrouw, Yvonne, die net als hij voor de CIA had gewerkt, verloren bij de ontploffing in Beiroet. Maar hij was niet goed in het onder woorden brengen van zijn gevoelens. Hij was alleen maar goed in inlichtingenwerk... en in verbittering.

Herbert wilde dat hij zich een beetje zou kunnen ontspannen, een klein beetje zou al voldoende zijn, maar het lukte hem niet. Sinds de ontploffing was er meer dan vijftien jaar verstreken, maar hij werd nog iedere dag gekweld door het dubbele verlies dat hij toen geleden had. Hij was eraan gewend geraakt dat hij in een rolstoel rond moest rijden en een alleenstaande vader van een dochter van zestien was, maar wat in de loop der jaren niet verminderd was, wat hem nog net zo uit zijn evenwicht bracht als toen, was de stomme toevalligheid van de gebeurtenissen. Als Yvonne niet even was komen binnenwippen om hem een grap te vertellen die ze op een bandje van de *Tonight Show* had gehoord, zou ze nu nog in leven zijn. Als hij haar dat bandje van Neil Diamond niet had gegeven, en als Diamond die avond niet op de tv zou zijn geweest, en als ze haar zuster niet had gevraagd om het op te nemen...

Iedere keer dat hij er weer aan dacht, werd hij duizelig en zonk de moed hem in de schoenen. Natuurlijk had Liz Gordon hem gezegd dat hij er maar beter niet al te veel aan kon denken, maar dat hielp niets. Zijn gedachten bleven maar terugkeren naar dat ogenblik in die platenzaak, toen hij vroeg om iets, het maakte niet uit wat, van die zanger met dat lied over *heart-light*, het licht van het hart....

Generaal Norboms adjudant nam de telefoon op en zei tegen Herbert dat Donald toen het lijk van zijn vrouw naar de ambassade werd overgebracht,

was meegegaan om het vervoer naar de Verenigde Staten te regelen. Herbert bracht het telefoonnummer van Libby Hall op het scherm en liet het draaien.
God, wat vond ze die stomme song leuk. Hoe vaak hij ook had geprobeerd om zijn vrouw belangstelling bij te brengen voor Hank Williams, Roger Miller en Johnny Horton, ze was telkens weer teruggekeerd naar Neil Diamond, Barry Manilow en Engelbert.
Halls secretaresse nam op en verbond Herbert door met Donald.
'Bob,' zei hij. 'Fijn je weer eens te spreken.'
Donalds stem klonk krachtiger dan hij had verwacht.
'Hoe gaat het, Greg?'
'Zo ongeveer als het met Job is gegaan.'
'Ik weet er alles van, Greg. Ik weet wat je doormaakt.'
'Bedankt. Zijn jullie iets meer te weten gekomen over wat er is gebeurd? De KCIA is druk bezig, maar tot nu toe met weinig resultaat.'
'We, eh, zitten hier zelf ook nogal in de rotzooi, Greg. Het lijkt erop dat iemand onze computers heeft weten binnen te dringen. De gegevens die we ontvangen, zijn niet meer betrouwbaar, ook de satellietbeelden niet.'
'Kennelijk heeft iemand zijn huiswerk voor vandaag heel goed gemaakt.'
'Dat kun je wel zeggen, ja. Omdat we weten in welke situatie je je bevindt, zweer ik op de bijbel – en God zelf mag hem vasthouden – dat ik er alle begrip voor zal hebben als je nee zegt, maar de chef wil weten of je eventueel naar de gedemilitariseerde zone zou willen gaan om de situatie daar in ogenschouw te nemen. De president heeft hem de leiding gegeven over de Crisisgroep Korea, en hij heeft betrouwbare waarnemers ter plekke nodig.'
Na een korte stilte antwoordde Donald: 'Bob, als je het weet te regelen met generaal Schneider sta ik over twee uur klaar om naar het Noorden te gaan. Is dat in orde?'
'Dat weet ik wel zeker,' zei Herbert. 'En de papieren en de helikopter zal ik regelen. Veel geluk, Greg, en God zegene je.'
'En jou ook,' zei Donald.

36

Dinsdag, 23.07 uur
De gedemilitariseerde zone

De gedemilitariseerde zone tussen Noord- en Zuid-Korea ligt ongeveer vijftig kilometer ten noorden van Seoul en ongeveer honderdvijftig kilometer ten zuiden van Pyongyang. Sinds hij werd ingesteld, op 27 juli 1953, tegelijk met het uitroepen van de wapenstilstand, hebben er voortdurend soldaten van beide zijden met angst en argwaan naar hun collega's aan de andere kant zitten turen.

Tegenwoordig waren er aan weerszijden van de zone ongeveer één miljoen soldaten gelegerd. De meesten van hen waren ondergebracht in moderne, van airconditioning voorziene kazernegebouwen. De gebouwen stonden in lange rijen achter elkaar en namen te zamen een oppervlakte van meer dan tachtig hectare in beslag. De eerste rijen stonden op minder dan driehonderd meter aan weerszijden van de grens.

De zone liep van het noordoosten naar het zuidwesten en werd aan beide zijden gemarkeerd door een drie meter hoog gaashek met daarbovenop nog een meter prikkeldraad. Daartussenin lag een strook van bijna zes meter breed die dwars door het hele land liep, van de ene kust naar de andere: de eigenlijke gedemilitariseerde zone. Aan beide zijden patrouilleerden soldaten met geweren en Duitse herders. Er liep maar één weg door de gedemilitariseerde zone, een smal weggetje dat net breed genoeg was voor één enkele wagen. Voor Jimmy Carter in 1994 een bezoek aan Pyongyang bracht, was niemand ooit vanuit het Zuiden naar de hoofdstad van Noord-Korea gereisd. Het enige directe contact tussen beide zijden vond plaats in een barak van één verdieping die sterk op de kazernegebouwen leek. Aan beide zijden was er één enkele deur. Naast die deur stonden twee soldaten en links van hen stond een vlaggemast; binnen stond een lange conferentietafel die net als de barak zelf keurig de grens tussen Noord en Zuid overbrugde. Bij de zeldzame gelegenheden dat er vergaderingen werden gehouden, bleven de vertegenwoordigers van het Noorden aan de noordkant en de vertegenwoordigers van het Zuiden aan de zuidkant van de vergaderruimte.

Een eind ten oosten van het laatste kazernegebouw aan de Zuidkoreaanse kant van de gedemilitariseerde zone lag een gebied vol struikgewas, met hier en daar wat lage heuvels en bosjes met wat hogere struiken. Achter de heuvels hielden de militairen manoeuvres. Hoewel die vanuit het Noorden moeilijk te zien waren, kon het geluid van de tanks en het artillerievuur

vooral 's nachts heel onheilspellend klinken.
Op ongeveer achthonderd meter van de gedemilitariseerde zone lag een ondiepe kuil in de rotsen, waar het struikgewas hoog bovenuit groeide. Er waren mijnen gelegd en kapitein Ohn Bock controleerde die minstens twee keer per dag in eigen persoon. Het was nog geen zeven weken geleden dat de Zuidkoreaanse strijdkrachten hier heimelijk een tunnel met een middellijn van anderhalve meter hadden gegraven, die het Zuiden in staat stelde om zonder medeweten van de Noordkoreanen een oogje te houden op de activiteiten in het netwerk van tunnels dat de vijand onder de gedemilitariseerde zone had uitgegraven. De Zuidkoreaanse tunnel stond niet in verbinding met het Noordkoreaanse tunnelnetwerk, maar er waren afluisterapparaten en bewegingsdetectoren door de muren gestoken om de spionnen te signaleren die Zuid-Korea werden binnengesmokkeld via een uitgang die vierhonderd meter verder naar het zuiden verborgen lag onder rotsen en struikgewas. Deze agenten werden dan gevolgd, en hun identiteit werd doorgegeven aan de militaire inlichtingendienst en de KCIA.
Geheel volgens plan had kapitein Bock zijn avondinspectie van de tunnel zo geregeld, dat die zou samenvallen met de aankomst van zijn jeugdvriend majoor Kim Lee. Kort na Lee's aankomst kwam de kapitein eveneens aanrijden, samen met een oppasser. Lee's mannen waren al bezig de vaten met chemicaliën uit te laden en Bock salueerde toen hij zijn superieur zag.
'Ik was blij om van u te horen,' zei Bock. 'Dit is een grote dag voor u geweest.'
'Hij is nog niet voorbij.'
'Ik heb gehoord dat er lijken zijn aangetroffen op de veerboot, en dat de piloot van het watervliegtuig op tijd is teruggekomen. Dus kolonel Suns operatie lijkt eveneens volgens plan te zijn verlopen.'
In de twee jaar dat hij hem nu kende, en gedurende het jaar dat ze bezig waren geweest met de planning van deze operatie, had Bock de stoïcijnse majoor nooit zelfs maar een spoor van emotie zien tonen. Dat was ook nu weer zo. Van iemand anders zou je opluchting verwachten over wat er al gelukt was, of angst voor wat ze nog voor de boeg hadden – Bock zelf werd angstiger en angstiger naarmate het ogenblik dichterbij kwam – maar majoor Lee leek over een bijna bovenmenselijke kalmte te beschikken. Zijn sonore stem klonk zacht, zijn bewegingen waren ongehaast en zijn manier van doen leek zelfs iets gereserveerder dan anders. En híj was de man die de tunnel in zou gaan, niet Bock.
'Hebt u gezorgd dat de tunnel vannacht niet bewaakt wordt?'
'Ja, majoor. Ik heb Koh aan de monitor gezet, een mannetje van me. Hij is een computergenie en zal ervoor zorgen dat de bewakingsapparatuur niets registreert.'

'Uitstekend. De plannen zijn ongewijzigd. We komen in actie om 08.00 uur.'
'Ik zal u hier opwachten.'
Na een kranig saluut draaide de kapitein zich om, stapte in zijn jeep en keerde terug naar zijn post. Het was zijn taak om de rapporten van de troepen langs de gedemilitariseerde zone te evalueren en door te sturen naar Seoul. Als alles goed ging, zou hij na deze nacht geen papieren meer hoeven doorlezen, maar in plaats daarvan troepen kunnen inspecteren, troepen die zich voorbereidden op het afslaan van een aanval uit het Noorden.

37

Dinsdag, 09.10 uur
Washington, D.C.

Met zowel een uitdraai als een diskette van de nota Beleidsopties in zijn kleine, zwarte koffertje liep Paul Hood haastig naar zijn auto in de ondergrondse parkeergarage van het Op-Center. Nadat hij was gaan zitten, maakte hij het koffertje met een stel handboeien aan zijn veiligheidsgordel vast, deed de portieren op slot – als hij geheime documenten bij zich had, droeg hij ook altijd een schouderholster met een .38-pistool erin – en checkte zich toen uit met behulp van het toetsenbord bij de uitgang; de schildwacht keek naar zijn badge en tikte zijn vertrektijd in op een andere computer. Dit proces was vrijwel gelijk aan de procedure die iedere werknemer boven diende te ondergaan. De code hier was anders dan de code daar, omdat men het idee had dat één code misschien zou kunnen uitlekken, maar dat de kans dat zoiets met twee tegelijk zou gebeuren nagenoeg nihil was.
Niet dat het er veel toe doet, dacht Hood peinzend, als iets onze computers kan binnendringen zonder zelfs maar in de buurt van het kantoor te komen.
Hood stelde maar weinig vertrouwen in de techniek, en had daarom ook nauwelijks enig benul van de werking ervan. Maar hij had wel veel belangstelling voor wat er die ochtend was gebeurd. Stoll was een van de besten op zijn vakgebied, en als er iets langs hem heen had weten te komen, was

dat van historisch belang.
Nadat hij het betonnen gewelf uit was gereden en het terrein van luchtmachtbasis Andrews verlaten had – na een derde en laatste controle, ditmaal alleen van zijn identiteitsbewijs – pakte hij snel zijn telefoon, informeerde naar het nummer van het ziekenhuis, toetste het in en werd doorverbonden met de kamer van zijn zoontje. 'Hallo.'
'Hallo, Sharon. Hoe gaat het met hem?'
Ze aarzelde. 'Ik heb zitten wachten tot je zou bellen.'
'Sorry. We zitten met een... probleem.' De lijn was niet beveiligd; meer dan dat kon hij niet zeggen. 'Hoe gaat het met Alex?'
'Hij ligt in een zuurstoftent.'
'En de injecties?'
'Die hebben niet gewerkt. Er zit te veel vocht in zijn longen. Ze moeten zijn ademhaling regelen tot... hij wat opknapt.'
'Maken ze zich zorgen?'
'Ik wel,' zei ze.
'Ik ook. Maar wat zeggen zij ervan, schat.'
'Dit hoort bij de standaardprocedure, maar die injecties ook, en die hebben niet gewerkt.'
Shit. Hij keek op zijn horloge en vervloekte Rodgers. Was die maar hier! Wat was dit voor een rotberoep? In welke andere branche moest je kiezen tussen het ziekbed van je zoon en een bezoek aan de president... en koos je voor het laatste? Hij bedacht hoe onbelangrijk dit allemaal zou lijken als Alexander iets zou overkomen. Maar wat hij vandaag deed, zou duizenden levens beïnvloeden, misschien wel tienduizenden. Hij zou moeten volbrengen wat hij begonnen was. Hij had geen andere keuze.
'Ik zal dokter Trias in het Walter Reed Hospital bellen en hem vragen of hij even langs wil gaan. Hij zal er wel voor zorgen dat al het mogelijke gedaan wordt.'
'Zal hij mijn hand vasthouden, Paul?' vroeg ze, en hing op.
'Nee,' zei hij tegen de pieptoon. 'Nee, dat niet.'
Nadat Hood de hoorn weer had neergelegd, klemde hij zijn handen om het stuurwiel tot zijn onderarmen pijn begonnen te doen. Hij was boos omdat hij er niet bij kon zijn, maar ook gefrustreerd omdat Sharon zo moeilijk deed. In haar hart wist ze best dat hij in het ziekenhuis toch weinig kon uitrichten, hoeveel hij ook van Alex hield, en van haar... Hij zou daar gaan zitten, een paar minuten haar hand vasthouden, wat rondlopen en verder volkomen nutteloos zijn. Net als toen zijn kinderen geboren werden. De eerste keer dat hij had geprobeerd om haar tijdens een wee te helpen met ademhalen, had ze tegen hem gekrijst dat hij moest opdonderen en de verpleegster moest roepen. Het was een belangrijke les geweest: Hood had

geleerd dat een vrouw die je bij zich in de buurt wil hebben niet hetzelfde is als een vrouw die je nodig heeft.

Als hij zich nu maar niet zo schuldig zou voelen. Vloekend gaf hij een klap op de luidsprekerknop, belde het Op-Center en vroeg Bugs om dokter Orlito Trias in het Walter Reed Hospital te bellen en hem dan door te verbinden.

Terwijl hij zat te wachten, baande hij zich een weg door de laatste resten van het spitsverkeer en vervloekte Rodgers opnieuw, hoewel hij besefte dat hij de man niet werkelijk iets kwalijk kon nemen. Want waarom had de president hem benoemd? Niet omdat hij een goede reservespeler en teamleider was, iemand die kon inspringen en ervoor kon zorgen dat het spel gewonnen werd. Hij was benoemd omdat hij een ervaren soldaat was die in situaties als deze uit eigen ervaring op voorzichtigheid kon aandringen, een veteraan en een historicus met een diep respect voor militairen, strategie en oorlog. Een man die zichzelf in vorm hield door iedere middag een uur lang te joggen op de tredmolen in zijn kantoor, en die terwijl hij daarmee bezig was luidkeels *Het gedicht van El Cid* voordroeg in het Oudspaans... als hij al joggend niet gewoon doorwerkte. Soms droeg hij zelfs voor terwijl hij aan het werk was. Natuurlijk zou zo'n man mee willen gaan met een team dat hij zelf had helpen formeren: eens generaal, altijd generaal. En had Hood zijn mensen niet voortdurend aangespoord tot onafhankelijk denken? Bovendien, als Rodgers niet zo'n avontuurlijk karakter had, zou hij nu staatssecretaris van Defensie zijn geweest. In plaats daarvan had hij genoegen moeten nemen met een troostprijs: de functie van tweede man in het Op-Center.

'Goedemorgen, met de secretaresse van dokter Trias.'

Hood zette het geluid wat harder. 'Goedemorgen, u spreekt met Paul Hood.'

'Meneer Hood! De dokter heeft u gisteravond gemist op de vergadering van de National Space Society!'

'Sharon had *Four Weddings and a Funeral* gehuurd, dus ik had geen keuze. Is hij te bereiken?'

'Sorry, maar hij geeft vanochtend een lezing in Georgetown. Kan ik de boodschap aannemen?'

'Ja. Zeg hem dat mijn zoon Alexander een astma-aanval heeft gekregen en nu op de afdeling kindergeneeskunde ligt. Ik zou graag willen dat hij daar even gaat kijken, als hij tijd heeft.'

'Ik weet zeker dat hij daar wel tijd voor zal vinden. Geef uw zoontje namens mij maar een stevige pakkerd... het is een leuk joch.'

'Bedankt,' zei Hood en verbrak de verbinding.

Dat is geweldig, dacht hij. Geweldig. Hij kon zelfs geen dokter laten komen.

Hood dacht er even over om Martha Mackall te vragen in zijn plaats naar het Witte Huis te gaan, maar hoewel hij alle vertrouwen had in haar capaciteiten, kon hij er niet op vertrouwen dat ze de gezichtspunten en belangen van het Op-Center en hemzelf zou vertegenwoordigen in plaats van de carrière en belangen van Martha Mackall. Ze had zich op eigen kracht opgewerkt vanuit Harlem. Eerst had ze Spaans, Koreaans en Italiaans geleerd terwijl ze in haar onderhoud voorzag door handgeschilderde uithangborden te maken voor winkels op Manhattan. Daarna had ze Japans, Chinees en Russisch gestudeerd aan een college en tegelijkertijd met een fulltime studiebeurs een academische graad Economie gehaald. Tijdens haar eerste sollicitatiegesprek had ze Hood verteld dat ze nu ze negenenveertig was en eindelijk eens weg wilde uit het kantoor van de secretaris-generaal van de Verenigde Naties. Ze wilde wel graag rechtstreeks contact blijven houden met de Spanjaarden, de Koreanen, de Italianen en de joden, maar dan in een functie waarin ze ook invloed had op het beleid in plaats van alleen maar als doorgeefluik te fungeren. Als hij haar wilde aannemen om een databank op te zetten met de belangrijkste economische en politieke gegevens van alle landen ter wereld, zou hij haar rustig haar eigen gang moeten laten gaan, zodat ze de kans kreeg om haar werk goed te doen. Hij had haar aangenomen omdat ze het soort onafhankelijke geest was dat hij aan zijn zijde wilde hebben als hij de strijd in ging, maar de leiding over de aanval zou hij haar pas toevertrouwen als hij ervan overtuigd was dat Martha Mackall haar eigen persoonlijke doelen niet zou laten prevaleren boven die van het Op-Center.

Terwijl hij Pennsylvania Avenue opdraaide, zat Hood te piekeren over het feit dat hij het zoveel gemakkelijker vond om Mike's tekortkomingen over het hoofd te zien dan die van Martha... of die van Sharon. Martha zou dat seksisme genoemd hebben, maar Hood dacht van niet: het was een kwestie van onzelfzuchtigheid. Als hij de hoorn zou opnemen en Mike zou vragen om boven Little Rock uit het toestel te springen, naar Washington te liften en daar voor hem in te springen, zou hij het doen zonder vragen. Als hij Orly zou oproepen over de semafoon zou die onmiddellijk zijn lezing beëindigen, zonder zelfs maar zijn zin af te maken. Maar vrouwen deden altijd moeilijk.

Heel erg uit zijn doen bracht Hood zijn wagen tot stilstand voor de toegangspoort naar het Witte Huis. De twee poorthekken beschermden het smalle privé-weggetje dat het Oval Office scheidde van het Old Executive Building. Hij liet zijn pasje zien, parkeerde zijn wagen tussen de andere wagens en de fietsen die er al stonden, en liep met zijn koffertje in de hand haastig naar het kantoor van de president.

38

Dinsdag, 23.17 uur
De Japanse Zee, twintig kilometer van Hungnam, Noord-Korea

Ten aanzien van hun territoriale wateren gaan de meeste communistische landen ervan uit dat de bij internationaal verdrag bepaalde internationale grenzen niet voor hen gelden en dat de grens van hun grondgebied niet drie mijl uit de kust ligt maar twaalf. En als er ooit vijandige troepen voor de kust hebben gepatrouilleerd, maken ze daar vaak zelfs vijftien van.
Noord-Korea beweerde al lange tijd dat zijn jurisdictie zich uitstrekte tot ver in de Japanse Zee, maar die aanspraken werden betwist door Japan en de Verenigde Staten. Regelmatig voeren er patrouilleboten van de marine tot vier of vijf mijl uit de kust, en zo nu en dan werden die aangeroepen; als dat gebeurde, kwamen ze niet dichterbij, maar meestal trokken ze zich ook niet terug. Toch was het in meer dan veertig jaar slechts zelden tot een confrontatie gekomen. Het bekendste incident was het in beslag nemen door het Noorden van de U.S.S. *Pueblo* in januari 1968. De bemanning werd van spionage beschuldigd en het had op één dag na elf maanden geduurd voordat de achtentachtig opvarenden werden vrijgelaten. De dodelijkste confrontatie had zich voorgedaan in juli 1977, toen een Amerikaanse helikopter per vergissing de 38e breedtegraad overstak en werd neergehaald, waarbij drie bemanningsleden de dood vonden. Nadat president Carter het Noorden zijn verontschuldigingen had aangeboden en had toegegeven dat de mannen een vergissing begaan hadden, waren de drie lijken teruggestuurd, samen met één overlevende.
Na een korte tussenstop in Seoul om het filmpje af te geven, stegen verkenner Judy Margolin en piloot Harry Thomas op voor hun tweede vlucht over het Noorden. Het was duidelijk dat ze deze keer verwacht werden, en toen ze laag over Wonsan het Koreaanse luchtruim binnendrongen, werden ze al snel gesignaleerd door de *early warning*-radarinstallaties op de grond. Snel kwamen een paar MiG-15p-jagers tot op aanvalsafstand van de Mirage vliegen: de ene jager benaderde hen laag uit het noorden, de andere hoog uit het zuiden. Harry verwachtte dat ze naar de zee zouden worden verjaagd en wist dat hij – als hij eenmaal in de juiste richting vloog – de oude vliegtuigen makkelijk voor zou kunnen blijven.
Hij trok de neus van het vliegtuig op, en terwijl hij zijn snelheid opvoerde en een stijging inzette, begon hij een rol te maken. Hij verloor de straaljagers van Russische makelij tijdelijk uit het oog, maar vond ze terug toen een vuurstoot uit een van de twee 23 mm-NS-23-boordkanonnen van een

van de MiG's de fuselage raakte. De kogels sloegen in aan stuurboord. Het luide pok-pok-pok klonk als het knappen van een stel ballonnen en hij werd er volkomen door verrast.
Boven de krijsende motor uit hoorde hij Judy in haar halsmicrofoon kreunen, en uit zijn ooghoek zag hij haar in elkaar zakken in haar stoel. Hij voltooide zijn rol, en terwijl hij zijn snelheid bleef opvoeren, maakte hij een zwenking naar het zuiden.
'Mevrouw, bent u geraakt?'
Er kwam geen antwoord. Dit was krankzinnig. Er was zonder enige waarschuwing op hen geschoten. Dat was volledig in strijd met de vier fasen die de Noordkoreaanse luchtmacht bij dit soort confrontaties hoorde te doorlopen. De eerste fase hoorde te beginnen met radiocontact, en bovendien moest het eerste salvo ònder het vliegtuig gericht worden, dus juist niet in de richting waarin het vliegtuig na te zijn opgemerkt doorgaans zou afzwenken. De Noordkoreaanse boordschutter kon òf niet mikken, òf hij had gevaarlijke instructies gekregen.
Thomas verbrak de radiostilte en stuurde een bericht naar Seoul dat hij een gewonde aan boord had; de MiG's volgden hem naar het zuiden, maar terwijl hij met mach 2 wegvloog, vuurden ze verder geen schoten meer af en al na korte tijd lagen ze zover op hem achter, dat ze niet meer te zien waren.
Terwijl hij in het licht van de sterren door de nachtelijke hemel schoot, zei hij zonder te weten of de verkenner nog leefde: 'Volhouden, mevrouw.'

39

Dinsdag, 08.20 uur
De C-141 boven Texas

Dàt moest Rodgers luitenant-kolonel Squires nageven: toen hij de vijfentwintig jaar oude overste tijdelijk had laten overplaatsen van de luchtmacht naar het Striker Team, had hij hem opdracht gegeven om een aantal aanvalstactieken te ontwerpen en daarbij te citeren uit alle militaire handboeken die iets waard waren. En dat had Squires ook gedaan.
Terwijl hij daar zat, met de ordner op zijn knieën, zag Rodgers manoeu-

vres en tactieken die niet alleen een intuïtieve nabootsing vormden van die van Caesar, Wellington, Rommel, de Apachen en andere strijdersstrategen, maar ook van de tegenwoordig gangbare Amerikaanse strategieën. Hij wist dat Squires niet over een formele opleiding op dit gebied beschikte, maar hij had een goede kijk op troepenbewegingen. Waarschijnlijk kwam het door al dat voetballen tijdens zijn jeugd op Jamaica. Het was dat de overste naast hem zat te dutten, anders zou hij hem een por in zijn ribben hebben gegeven en Squires zijn mening hebben laten horen over diens offensieve inzet van een enkel echelon op een belangrijke vijandelijke aanvalsroute. Als hij weer terug was, zou hij die doorgeven aan het Pentagon; voor een bataljon of regiment dat zware verliezen had geleden, zou zoiets standaardprocedure moeten zijn. In plaats van een langgerekt kordon rondom een verdedigbaar terrein, stelde hij een klein tweede echelon op en liet zijn eerste echelon een flankerende manoeuvre uitvoeren om de vijand onder kruisvuur te nemen. Wat de manoeuvre echter uniek maakte – en van lef getuigde – was de manier waarop hij zijn tweede echelon daarna liet optrekken over het verdedigbare terrein om de vijand naar de linie van waaruit het zwaarste vuur kwam te dwingen.

Squires had ook een geweldig plan ontwikkeld voor een raid op een commandocentrum, met een aanval op vier punten vanuit de zone waar ze waren gedropt: één frontale aanval, twee op de flanken en één op de achterhoede.

Soldaat Puckett stapte om de overste heen en salueerde. Nadat Rodgers de oordopjes uit zijn oren had getrokken, overhandigde Puckett hem een telefoonhoorn. Het was hem niet helemaal duidelijk of het vliegtuig minder lawaaiig was geworden of hij dover, maar in ieder geval leek het trillende gedreun van de vier grote turbofans minder erg dan de vorige keer.

Hij deed een van de oordopjes weer in en duwde de telefoonhoorn tegen zijn andere oor. 'Rodgers hier.'

'Mike, met Bob Herbert. Ik heb een update voor je... en het is niet waar je misschien op hebt zitten hopen.'

Nou, het was leuk zolang het duurde, dacht Rodgers. We gaan weer naar huis.

'Jullie worden ingezet,' zei Herbert.

Rodgers ging met een ruk rechtop zitten. 'Herhaal dat even.'

'Je gaat Zuid-Korea in. Het NRO heeft problemen met de satellietverkenning en de chef heeft iemand nodig om de lanceerplaats van de Nodongraketten te gaan bekijken.'

'Het Taibak-gebergte?' vroeg Rodgers terwijl hij zijn buurman een por in de ribben gaf. Squires schrok onmiddellijk wakker.

'Bingo.'

'De kaarten van Noord-Korea,' zei hij tegen de overste, en meteen daarna weer tegen Herbert: 'Wat is er met de satellieten gebeurd?'
'Weten we niet. Het hele computernetwerk zit vol met storingen. Ons techneutje denkt dat het een virus is.'
'Nog nieuws van het diplomatieke front?'
'Negatief. De chef is naar het Witte Huis, dus ik heb pas nieuws voor je als hij terug is.'
'Maar schiet wel op,' zei Rodgers. 'Als het etenstijd is in D.C. zijn wij Osaka al gepasseerd.'
'We zullen jullie niet vergeten hoor,' zei Herbert, en hij beëindigde het gesprek.
Rodgers gaf de hoorn weer aan Puckett en richtte zijn blik toen op Squires, die inmiddels de kaart van Noord-Korea al op het scherm van zijn laptop had gebracht en hem met zijn heldere ogen vol verwachting zat aan te kijken.
'Dit keer is het menens,' zei Rodgers. 'We moeten de Noordkoreaanse raketten controleren.'
'Alleen maar controleren?'
'Dat is alles wat hij zei. Tenzij het al oorlog is voordat we in Osaka landen, gaan we er niet op af met explosieven. Als het wel zover komt, zullen ze ons vermoedelijk gebruiken om een luchtaanval te coördineren.'
Squires hield het schermpje scheef, zodat Rodgers ook iets kon zien, en om geen last te hebben van de weerkaatsing vroeg hij Puckett om de heen en weer bungelende kale gloeilamp los te draaien.
Terwijl hij de kaart bestudeerde, peinsde hij over de plotselinge verandering die zijn stemming en verwachtingen hadden ondergaan. Van een zelfgenoegzame academische beoordeling van Squires' werk naar actiegerichtheid en het besef dat de levens van de teamleden van die plannen en van de andere voorbereidingen die de overste had getroffen zouden afhangen. Hij wist zeker dat Squires op dit moment hetzelfde dacht... en enige twijfel koesterde...
De kaart, net zes dagen oud, liet drie op vrachtwagens opgestelde Nodongs zien in een krater tussen vier hoge heuvels in de uitlopers van de bergketen. Op de omringende hellingen stonden enkele stuks mobiel geschut, zodat het te riskant was om er laag overheen te vliegen. Om een groter deel van de oostkust in beeld te krijgen, liet hij de kaart op het scherm een eindje naar het westen rollen. Bij Wonsan stond een radarinstallatie aangegeven.
'Dat wordt krap,' zei Squires.
'Dat is net wat ik ook dacht.' Met behulp van de cursor wees Rodgers een koers aan. 'De helikopter zal naar Osaka moeten vliegen, in het zuid-

oosten, en dan precies ter hoogte van de gedemilitariseerde zone naar zee moeten afbuigen. Waarschijnlijk kunnen we het best iets ten zuiden van de Diamantberg landen. Dan komen we ongeveer vijftien kilometer van ons doel uit.'
'Vijftien kilometer bergafwaarts,' zei Squires. 'Dus om daarna weer opgehaald te kunnen worden, moeten we eerst weer vijftien kilometer bergopwaarts.'
'Precies. Dat is geen goede uitweg, vooral niet als de troepen daar beneden naar ons op zoek zijn.'
Squires wees op de Nodongs. 'Er zit toch geen kernlading in die dingen, hè?'
'In weerwil van alle indianenverhalen in de pers zijn ze daar technisch nog niet helemaal aan toe,' zei Rodgers terwijl hij zijn blik op de kaart gericht hield. 'Maar een explosieve lading van honderd kilo TNT per Nodong kan in Seoul ook al een enorme ravage aanrichten.'
Hij tuitte zijn lippen en zei: 'Ik denk dat ik het heb gevonden, Charlie. We gaan er niet uit waar we erin zijn gegaan, maar ongeveer acht kilometer verder naar het zuiden. Dat zal de vijand nooit verwachten.'
Een van de heldere ogen werd dichtgeknepen. 'Zegt u dat nog eens? We gaan het onszelf moeilijker maken?'
'Nee, gemakkelijker. De manier om er heelhuids uit te komen is om niet te gaan hollen, maar eerst weerstand te bieden en dan rustig te wandelen. In het begin van de tweede eeuw na Christus, tijdens de eerste campagne van Traianus, werd de Romeinse infanterie in de uitlopers van de Karpaten aangevallen door Dacische krijgers. De van borstkurassen en zware lansen voorziene Romeinen stonden tegenover halfnaakte wilden met speren, maar de Daciërs hebben wel gewonnen. Ze kwamen 's nachts aangeslopen en wisten de Romeinen te verrassen. Daarna slaagden ze erin om de vijand de heuvels in te leiden, waar de legionairs genoodzaakt waren om zich te verspreiden. Toen ze dat deden, werden de afzonderlijke Romeinse soldaten één voor één gedood door teams van telkens twee Daciërs, en toen alle Romeinen dood waren, konden de Daciërs op hun gemak terugwandelen naar hun eigen kamp.'
'Dat waren speren, generaal.'
'Maakt niet uit. Als we gesignaleerd worden, zullen we ze de heuvels in leiden en dan gebruik maken van onze messen. In het holst van de nacht, in de heuvels, zullen onze tegenstanders echt geen vuurwapens durven gebruiken. Ze zouden maar al te gemakkelijk hun eigen mensen kunnen raken.'
Squires keek op de kaart. 'De Karpaten, dat klinkt niet echt als een thuiswedstrijd voor de Romeinen. De vijand kende dat terrein waarschijnlijk

net zo goed als de Noordkoreanen hùn terrein kennen.'
'Je hebt gelijk,' zei Rodgers. 'Maar wij hebben iets wat de Daciërs niet hadden.'
'Een Congres dat ons wil wegbezuinigen?'
Rodgers grinnikte en wees op het kleine zwarte koffertje waarmee hij in het vliegtuig was gestapt. 'EBC.'
'Generaal?'
'Iets wat Matty Stoll en ik bedacht hebben. Ik vertel je er wel over als we klaar zijn met onze planning.'

40

Dinsdag, 23.25 uur
Seoul

Kim Chong vroeg zich af of ze de geheime code ontcijferd hadden.
Ze werkte al zeventien maanden als pianiste in de bar van Bae Gun en had al die tijd berichten verstuurd aan mannen en vrouwen die op onregelmatige tijden langskwamen, en die, zo besefte ze, het grootste deel van de tijd in de gaten werden gehouden door agenten van de KCIA. Sommigen van die agenten waren mooi, anderen waren vol bravoure, of juist sjofel, maar allemaal wisten ze de rol die hun dekmantel vereiste – succesvolle zakenman, fotomodel, fabrieksarbeider – overtuigend te spelen. Kim kende echter hun ware beroep. Hetzelfde talent dat haar in staat stelde om muziekstukken uit het hoofd te leren, maakte het haar mogelijk om een markante gelaatstrek, een typerend lachje of een paar opvallende schoenen te onthouden. Hoe kwam het toch dat agenten die zoveel moeite deden om hun kleding, make-up of haarstijl ingrijpend te veranderen, wel altijd dezelfde schoenen aan hadden, voortdurend hun sigaretten op dezelfde manier vasthielden of onveranderlijk eerst de amandelen uit de schaal met nootjes visten? Het was zelfs meneer Gun al opgevallen dat de pluizige artiest die zo nu en dan kwam binnenvallen net zo'n chronische slechte adem had als de Noordkoreaanse soldaat die één keer per week langskwam.
Als je een rol speelt, moet je er volkomen in opgaan.
Vanavond was de vrouw die ze Kleine Eva had gedoopt er weer. De lenige,

zich soepel bewegende vrouw deed altijd veel ijs in haar drankje om het minder sterk te maken. Ze was duidelijk een gezondheidsfanaat die niet gewend was aan drank, en het was duidelijk dat ze hier niet kwam om eenzaam haar verdriet te verdrinken, want terwijl ze haar drankje zat te koesteren, hield ze de pianiste heel goed in de gaten.
Kim besloot om haar iets te overdenken te geven.
Met een paar snelle akkoorden schakelde ze over van *The Worst That Could Happen* naar *Nobody Does It Better*; Kim gebruikte altijd filmmuziek om haar boodschappen te versturen. Ze speelde de eerste noot van de tweede maat, een 'C', een octaaf lager dan eigenlijk hoorde. In de derde maat speelde ze een trillende 'A', en de hele twintigste maat speelde ze zonder pedaal.
Iedereen die de muziek goed kende, zou die veranderingen meteen opmerken. De 'C' en de 'A' waren fout, en de maat waarin ze geen pedaal had gebruikt, correspondeerde met een letter van het alfabet, in dit geval de twintigste, de 'T' dus.
Ze had c-a-t uitgespeld voor de KCIA en ze vroeg zich af of ze de boodschap zouden begrijpen; er was geen letterfrequentieratio, niets waaruit een cryptoanalist een substitutie- of transpositiecode zou kunnen afleiden.
Kim zag Nam het vertrek uit lopen. Nam was een van haar mannetjes en het was duidelijk dat Kleine Eva zijn vertrek opmerkte. De agente van de binnenlandse veiligheidsdienst ging niet achter hem aan; misschien liet ze dat aan iemand anders over. Nam zei dat hij op weg naar huis nooit werd gevolgd, maar hij was oud en halfblind, en als hij hier kwam, besteedde hij het grootste deel van het geld dat ze hem betaalde aan drank. Ze kon zich levendig voorstellen in hoeveel bochten de KCIA zich had gewrongen in zijn pogingen om erachter te komen hoe Nam en haar andere brievenbussen hun boodschappen overbrachten.
Het was bijna schandelijk om hier geld voor aan te nemen, geld uit het Noorden, plus de gage die ze hier verdiende als pianiste. Thuis in Anju, ten noorden van Pyongyang, zou ze ervan kunnen leven als een keizerin.
Als ik weer thuis ben...
Wie wist wanneer dat zou zijn? Na wat ze had gedaan, mocht ze blij zijn dat ze nog in leven was. Maar op een dag zóu ze teruggaan, als ze voldoende geld zou hebben, genoeg had van het zelfvoldane Zuiden of erachter was gekomen waar Han zich nu bevond.
Ze rondde de James Bond-song af en ging over op een honky-tonkversie van *Java*. Dat lied van Al Hirt was haar favoriet, het eerste dat ze als kind had gehoord, en ze speelde het iedere avond. Ze had zich al vaak afgevraagd of de KCIA zou denken dat het iets met haar code te maken had; dat het liedje dat daarna kwam de boodschap bevatte, of dat er misschien

informatie verborgen zat in de korte improvisatie met de rechterhand in het tweede deel. Ze kon zich er absoluut geen voorstelling van maken wat de decodeurs van de inlichtingendienst allemaal bedacht zouden hebben, en op dat moment kon het haar ook helemaal niets schelen.

Ba-da da-da da-da...

Ze sloot haar ogen en neuriede mee. Waar ze zich ook bevond, waar ze ook mee bezig was, *Java* bracht haar altijd terug naar de tijd dat ze nog heel klein was en haar moeder en haar veel oudere broer Han voor haar gezorgd hadden. De man van haar moeder, Hans vader, was gesneuveld tijdens de oorlog, en haar moeder had geen idee welke langstrekkende soldaat Kims vader was. Ze wist niet eens of het een Koreaan was geweest, of een Rus, of een Chinees. Niet dat het iets uitmaakte. Haar dochtertje was haar daarom echt niet minder lief en er had nu eenmaal brood op de plank moeten komen. Nadat ze die doos met oude grammofoonplaten hadden gevonden, gestolen uit het Zuiden, had haar moeder op de oude koffergrammofoon met slinger altijd *Java* gedraaid, en dan waren ze het kleine hutje rondgedanst totdat het dak begon te trillen en de kippen en geiten doodsbang werden. En toen was er een priester geweest die een piano had. Hij had Kim zien dansen en zingen en gedacht dat ze het wel leuk zou vinden om te leren spelen...

Er ontstond opschudding in de nachtclub en haar ogen vlogen open. Kleine Eva stond op toen er twee stevige jongemannen met een pak aan en met een harde uitdrukking op hun gezicht naar binnen kwamen lopen. Door de kralenkettingen voor de doorgang naar de keuken links van haar, zag ze er nog twee aan komen. Terwijl ze verder volkomen stil bleef zitten, duwde Kim met de teen van haar rechtervoet het wielslot dat de piano op zijn plaats hield omhoog. Toen ze Kleine Eva naar zich zag kijken, en zeker wist waarom de mannen waren gekomen, sprong ze overeind en duwde de piano opzij, zodat hij de doorgang naar de keuken blokkeerde. Kleine Eva en de andere mannen moesten zich nog een weg tussen de tafeltjes door banen, en dat gaf Kim een paar seconden voorsprong.

Ze griste haar tasje van de piano en rende de andere kant uit, naar de toiletten. Daar stapte ze opmerkelijk kalm en geconcentreerd het herentoilet in. Haar training van zes maanden in Noord-Korea was kort geweest, maar wel effectief: ze had geleerd haar ontsnappingsroutes van te voren zorgvuldig te plannen en uit te proberen, en om op verschillende plaatsen geld en handwapens te verbergen.

Het raam in het herentoilet stond altijd open. Snel klom ze op de wasbak en wrong zich erdoorheen. Buiten gooide ze snel haar tasje weg, maar niet voordat ze eerst het stiletto eruit had gevist.

Kim stond nu op het kleine achterplaatsje van de bar. Het lag vol met

gebroken barkrukken en afgedankte apparaten en er stond een hoge houten schutting omheen. Terwijl de katten er in alle richtingen vandoor gingen, klom ze snel op de rij vuilnisbakken, klemde het mes tussen haar tanden en legde haar handen op de rand; maar net toen ze zich eroverheen wilde werken, knalde er maar een paar centimeter onder haar rechteroksel een kogel in het hout. Ze bleef doodstil staan.
'Denk er nog even over na, Kim!'
Kim voelde haar maag samentrekken toen ze de stem herkende. Langzaam draaide ze zich om en zag Bae Gun staan, met in zijn handen de rokende Smith & Wesson .32 automatic waarmee hij de bar en de dagelijkse ontvangsten beschermde. Ze stak haar handen omhoog. 'Het mes...' zei hij.
Ze spuwde het uit. 'Klootzak!'
De twee andere agenten kwamen met getrokken revolvers aanrennen. Ze kwamen naast haar staan, en terwijl de ene man Kim van de vuilnisbakken af hielp, trok de ander haar armen achter haar rug en deed haar de handboeien om.
'Je had ze niet hoeven hèlpen, Bae! Wat voor leugens hebben ze je over mij verteld?'
'Het waren geen leugens, Kim.' Het licht uit het badkamerraam scheen op zijn gezicht en ze zag hem glimlachen. 'Ik heb vanaf het eerste begin geweten wie je was, net zoals ik wist wie de zanger was die hier werkte voor jouw komst, en de barkeeper daarvóór. Mijn chef, adjunct-directeur Kim Hwan, vertelt me altijd wie de Noordkoreaanse spionnen zijn.'
Terwijl de vonken uit haar ogen sprongen, wist Kim niet goed of ze hem nu moest feliciteren of vervloeken, en half struikelend, half lopend liet ze zich naar de straat en de gereedstaande wagen brengen.

41

Dinsdag, 09.30 uur
Het Witte Huis

Hood kon zich de eerste keer dat hij in het Oval Office was geweest nog goed herinneren. Dat was toen president Lawrences voorganger de burgemeesters van New York, Los Angeles, Chicago en Philadelphia bij zich had geroepen om te overleggen wat ze konden doen om rellen te voorkomen. Het gebaar, dat bedoeld was om te tonen dat de president zich heus heel erg bekommerde om de Amerikaanse binnensteden, had averechts gewerkt omdat zijn tegenstanders het racistisch vonden om ervan uit te gaan dat de zwarten wel weer rellen zouden gaan schoppen.

De vorige president was een lange man geweest, net als president Lawrence, en hoewel ze allebei misschien onvoldoende formaat hadden voor de functie zelf, leken ze te groot voor het bijbehorende bureau en kantoor. Hoe je er ook tegenaan keek, het was geen ruim vertrek, en het grote bureau, de imposante bureaustoel en de groepjes hoge functionarissen die voortdurend heen en weer liepen tussen het kantoor van de president en hun eigen kantoren verderop in de hal maakten het er niet ruimer op. Het bureau was van eikehout dat afkomstig was van het Britse fregat HMS *Resolute*. Het stond naast het raam en nam maar liefst vijfentwintig procent van het oppervlak van het Oval Office in beslag. De leren draaistoel was ook al groter dan levensgroot en was niet alleen ontworpen om de hoogste openbare ambtsdrager van het land gemakkelijk te laten zitten, maar ook om hem te beschermen tegen van buiten afgevuurde kogels. De rug was gevoerd met vier vellen kevlar, een kogelvrij materiaal dat erop berekend was om de inslag van een afgeschoten kogel uit een .348 Magnum te weerstaan. Het bureau zelf was vrijwel leeg, afgezien van een vloeiblok, een pennehouder, een foto van de First Lady en hun zoon en de ivoorkleurige STU-telefoon.

Tegenover het bureau stonden twee van dikke kussens voorziene fauteuils die nog dateerden uit de regeringsperiode van Woodrow Wilson. Hood zat in de ene, Steve Burkow, de nationale-veiligheidsadviseur in de andere. Burkow was even weg uit zijn eigen keizerrijkje, de ruime suite van de National Security Council aan de andere kant van de hal. De directeur van het Op-Center had hun allebei een exemplaar van de nota Beleidsopties overhandigd en die zaten ze nu snel door te lezen. Nadat Hood hun had verteld over de computerstoring bij het NRO en het Op-Center, had de president op zijn zachtst gezegd nogal kortaf gereageerd.

'Is er nog iets wat je hier niet in hebt gezet?' vroeg Burkow. 'Iets wat je niet op papier wilde hebben?'

Hood had een hekel aan zulke vragen. Natuurlijk. Er waren voortdurend clandestiene operaties aan de gang. Dat was al zo geweest voordat Ollie North het toezicht had gehad over een uitruil van wapens en gijzelaars. Dergelijke operaties waren, nadat diens activiteiten aan het licht waren gekomen, rustig doorgegaan en zouden ook in de toekomst nog lange tijd worden voortgezet. Het enige verschil was dat presidenten tegenwoordig

niet langer de eer opeisten voor geslaagde clandestiene operaties, zelfs niet binnenskamers. En mensen als Hood werden in het openbaar voor de leeuwen geworpen als ze mislukten.
Die slappe zak van een Burkow vond het gewoon leuk om te horen. Hij kickte erop om hoge functionarissen te laten toegeven dat ze met iets illegaals bezig waren, zodat de president of hijzelf hen erop kon wijzen dat ze dat geheel op eigen risico deden. Het wreef hun weer even onder neus wie de president was en wie zijn neefje en meest vertrouwde adviseur.
'We laten om het uur een verkenningsmissie vliegen om het uitvallen van de satellietverkenning te compenseren, en tien minuten na de ontploffing heb ik er een Striker Team op afgestuurd. Het is een vlucht van twaalf uur en ik wilde dat ze ter plekke zouden zijn als we ze daar nodig mochten hebben.'
'Ter plekke,' zei Burkow. 'Je bedoelt...'
'Noord-Korea.'
'Zonder iets wat op hun herkomst wijst?'
'Ze dragen geen uniformen en alle serienummers en dergelijke zijn van hun wapens verwijderd.'
Burkow keek even naar de president.
'Wat is het doel van de missie?'
'Ik heb het team opdracht gegeven om bij het Taibak-gebergte Noord-Korea binnen te gaan en verslag uit te brengen over de operationele status van de Koreaanse raketten.'
'Heb je ze daar alle twaalf op afgestuurd?'
Hood knikte. Hij nam niet de moeite om hun te vertellen dat Mike Rodgers een van de twaalf was; Burkow zou het ter plekke in zijn broek doen. De oorlogsheld Rodgers was bekend genoeg om geïdentificeerd te kunnen worden als het team in handen van de vijand zou vallen.
'Dit gesprek heeft nooit plaatsgevonden,' zei Lawrence, geheel naar verwachting, en hij sloeg de nota dicht. 'Dus de Crisisgroep geeft de voorkeur aan een langzame, gestage opbouw van de troepensterkte tot we hebben kunnen vaststellen of Noord-Korea nu wel of niet verantwoordelijk is geweest voor deze ontploffing. En zelfs als de regering of een van haar vertegenwoordigers voor de bomaanslag verantwoordelijk blijkt te zijn, raden jullie aan om uitsluitend diplomatieke druk uit te oefenen, maar tegelijkertijd wel onze troepensterkte te blijven opvoeren. Ik neem vanzelfsprekend aan dat jullie er daarbij van uitgaan dat er geen verdere aanslagen zullen volgen.'
'Inderdaad, meneer. Juist.'
De president trommelde met zijn vingers op het omslag van de nota. 'Hoe lang zijn we nu al onze tijd aan het verdoen met de Palestijnen over die ter-

roristische aanslag van de Hezbollah op de Hollywood Bowl? Zes maanden?'
'Zeven.'
'Zeven maanden, Paul. Sinds ik president ben, hebben we al veel te vaak een schop voor onze kont gekregen, en we blijven de andere wang maar toekeren. Daar moet nú een eind aan komen.'
'Ambassadeur Gap heeft daarnet gebeld,' zei Burkow, 'en heel plichtmatig zijn deelneming betuigd. Hij heeft niets gezegd dat erop wees dat ze niet verantwoordelijk zijn voor deze aanslag.'
'Martha zegt dat dat nu eenmaal hun manier van doen is,' zei Hood. 'En hoewel ik het met u eens ben dat doortastend optreden hier geboden is, moeten we wel zeker weten dat we het juiste doelwit raken. Ik herhaal wat er in de nota staat: we hebben geen ongewone militaire activiteiten waargenomen in het Noorden, niemand heeft de verantwoordelijkheid voor de ontploffing opgeëist, en zelfs als bepaalde partijen in Noord-Korea hier inderdaad verantwoordelijk voor zijn, wil dat nog niet zeggen dat de regering er zelf bij betrokken is.'
'Maar al evenmin dat die er niets mee te maken heeft,' zei de president. 'Als generaal Schneider het in zijn hoofd haalt om granaten over de gedemilitariseerde zone te gaan schieten, denk dan maar niet dat Pyongyang eerst contact met mij zal opnemen om te vragen of ze het vuur mogen beantwoorden. Als je me nu wilt excuseren, Paul, ik heb een afspraak met...'
De STU-3 ging en de president nam op. Terwijl hij zwijgend zat te luisteren, betrok zijn gezicht. Enkele seconden later bedankte hij degene die hem gebeld had en zei dat hij nog contact zou opnemen. Daarna hing hij de hoorn op en liet zijn voorhoofd op zijn tegen elkaar gevouwen handen rusten.
'Dat was generaal MacLean vanuit het Pentagon. Nu hebben we wèl ongewone militaire activiteiten in het Noorden waargenomen, Paul. Een Noordkoreaanse MiG heeft een van je spionagevliegtuigen onder vuur genomen en de verkenner dodelijk geraakt.'
Burkow vloekte.
'Was het een waarschuwingsschot dat verkeerd gericht was?' vroeg Hood.
De president keek woedend op. 'Aan wiens kant sta jij, verdomme?'
'Meneer de president, we bevonden ons in hùn luchtruim.'
'En daar gaan we ons niet voor verontschuldigingen! Ik zal de persvoorlichtster opdracht geven om te verklaren dat we ons in het licht van de gebeurtenissen van hedenmiddag genoodzaakt hebben gezien om onze troepensterkte in het gebied op te voeren en dat de manier waarop Noord-Korea nu heeft gereageerd onze vermoedens alleen maar bevestigt. Verder

zal ik MacLean opdracht geven om alle Amerikaanse troepen in de regio met ingang van 10.00 uur over te laten gaan naar Defcon 3. Leg je vriendjes in Seoul de duimschroeven maar aan, Paul, en zorg dat je vanmiddag samen met het Ministerie van Defensie een geactualiseerd overzicht van de militaire situatie klaar hebt. Fax het me maar. Je bent te veel waard om voortdurend als loopjongen heen en weer te rennen.' Hij tilde de nota Beleidsopties op en liet hem toen weer op zijn bureau vallen. 'Steve, zeg tegen Greg dat ik wil dat de CIA daar alles op alles zet om uit te zoeken wie er voor die bomaanslag verantwoordelijk is. Niet dat het iets uitmaakt: of het Noorden daar nu wel of niet bij betrokken was, Paul, nu zijn ze er wel in verwikkeld... tot aan hun nek!'

42

Dinsdag, 23.40 uur
Seoul

De lijkwagen reed met hoge snelheid naar het vliegveld, over snelwegen vol militair verkeer dat vanuit Seoul naar het noorden ging.
De lijkwagen werd gevolgd door de Mercedes van de ambassadeur en vanaf de achterbank was Gregory Donald getuige van de geïntensiveerde troepenbewegingen vanuit de hoofdstad. Na Bob Herberts telefoontje was de enige reden die hij daarvoor kon bedenken dat de betrekkingen tussen de twee regeringen aan het verslechteren waren. Dat verraste hem niet; omdat ze hier zo dicht bij de gedemilitariseerde zone zaten, werd je in Seoul net zo vaak geconfronteerd met een staat van groot alarm als met een illegaal gekopieerde videoband. Desalniettemin was zoveel activiteit als nu heel ongebruikelijk. De aantallen soldaten die bij de weg waren, leken te suggereren dat de generaals rekening hielden met een raketaanval en daarom niet al te veel mensen op één plek wilden concentreren.
Voorlopig voelde Donald zich er niet bij betrokken. Hij zat gevangen in een cocon van twee auto's lang en te weinig jaren breed, opgesloten met het besef dat het lijk in de wagen vóór hem werkelijk zijn vrouw was, en dat hij haar nooit meer zou zien. Niet in deze wereld. De lijkwagen werd beschenen door de lampen van de Mercedes, en terwijl hij naar de dichtge-

trokken zwarte gordijnen voor de achterraampjes staarde, vroeg hij zich af of Soonji het nu wel of niet prettig zou hebben gevonden om in zo'n deftige lijkwagen vervoerd te worden... en dan nog wel in deze. Hij herinnerde zich hoe ze haar ogen had gesloten nadat hij haar het verhaal van de Cadillac had verteld, alsof ze zich op die manier kon afsluiten voor de waarheid. De zwarte wagen werd gedeeld door de Amerikaanse, Britse, Canadese en Franse ambassades in Seoul, en als hij niet in gebruik was, stond hij geparkeerd in de garage van de Fransen. Het was niet ongebruikelijk om een officiële lijkwagen te delen, hoewel het in 1982, toen zowel de Britse als de Franse ambassadeur onverwacht op dezelfde dag een sterfgeval in de familie had en ze allebei op hetzelfde moment de officiële lijkwagen wilden gebruiken, bijna tot een internationaal incident had geleid. Omdat hij bij de Fransen in de garage stond, vonden ze dat zij hem het eerst mochten gebruiken. De Britten hadden verklaard dat de Franse ambassadeur zijn grootmoeder had verloren, en de Britse ambassadeur zijn vader, en dat de nauwste verwantschap voorrang moest krijgen. De Fransen hadden tegengeworpen dat hun ambassadeur aantoonbaar een hechtere band met zijn grootmoeder had gehad dan de Britse ambassadeur met zijn vader. Om het conflict te sussen, hadden beide ambassadeurs een gewone begrafenisondernemer ingeschakeld en was de officiële lijkwagen die dag niet gebruikt.

Gregory Donald glimlachte toen hij zich herinnerde wat Soonji gezegd had, met haar ogen nog steeds stijf dicht: 'Alleen het corps diplomatique kan evenveel waarde hechten aan een oorlog als aan een autoreservering.' En dat was waar. Niets was te klein, te persoonlijk of te macaber om uit te kunnen groeien tot een internationale kwestie. Om die reden was hij geroerd geweest toen de Britse ambassadeur Clayton hem had opgebeld om zijn deelneming te betuigen en hem te vertellen dat de ambassades de lijkwagen pas voor hun eigen slachtoffers van de bomaanslag zouden gebruiken nadat hij ermee klaar was. Het leek hem dat Soonji het gebaar eveneens op prijs zou hebben gesteld.

Hoewel hij zich in een soort trance bevond, weigerde hij zijn blik van de lijkwagen af te wenden. Ongeordende gedachten flakkerden in een eindeloze stroom door zijn vermoeide geest: zijn laatste maaltijd samen met Soonji, de laatste keer dat ze samen hadden gevreeën, de laatste keer dat hij had gezien hoe ze zich aankleedde. Hij proefde haar lipstick nog, rook haar parfum, voelde haar lange vingernagels in zijn nek. Toen herinnerde hij zich weer waardoor hij zich voor het eerst tot Soonji aangetrokken had gevoeld; het was niet haar schoonheid geweest, of haar kalme, rustige houding, maar haar conversatie, haar scherpzinnige, intelligente opmerkingen. Hij herinnerde zich hoe hij haar had horen praten met een vriendin

die secretaresse van de scheidende ambassadeur Tunick was geweest. Toen de ambassadeur zijn afscheidsrede voor de staf had beëindigd, had de vriendin gezegd: 'Hij ziet er zo gelukkig uit.'
Soonji wierp een korte blik op de ambassadeur en zei: 'Mijn vader heeft ook eens zo gekeken, toen hij net een niersteen had uitgeplast. De ambassadeur ziet er opgelucht uit, Tish, niet gelukkig.'
Op die open, directe manier van haar had ze de spijker op de kop geslagen, en terwijl iedereen champagne stond te drinken, was hij naar haar toe gelopen, had zich voorgesteld en het verhaal over de lijkwagen verteld... en zelfs voordat ze haar ogen weer geopend had, was hij al smoorverliefd op haar geweest. Zijn tranen waren op, maar hij zat nog boordevol met herinneringen, en terwijl hij hier zo zat, putte hij troost uit de laatste keer dat hij haar levend en wel had gezien, toen ze haar oorring had gevonden en op hem af kwam rennen. Ze had zo'n gelukkige en diep opgeluchte uitdrukking op haar gezicht gehad...
De Mercedes reed achter de lijkwagen aan de afrit naar het vliegveld af. Donald zou zijn vrouw naar het TWA-vliegtuig brengen waarmee ze naar de Verenigde Staten zou worden overgebracht. Meteen nadat het was opgestegen, zou hij aan boord gaan van de Bell Iroquois die gereedstond voor de korte tocht naar de gedemilitariseerde zone.
Howard Norbom zou denken dat Donald hem gepasseerd had om zijn doel te bereiken, en daar voelde hij zich een beetje schuldig over. Maar in ieder geval zou de generaal buiten schot blijven als Donald probeerde contact op te nemen met het Noorden. Dank zij dat telefoongesprekje zouden de eventuele onaangename consequenties op zijn eigen hoofd neerkomen... en op het Op-Center.

43

Dinsdag, 23.45 uur
Het hoofdkwartier van de KCIA

Toen Bae Gun hem belde om te melden dat de arrestatie goed verlopen was, had Hwan daar gemengde gevoelens over: het was het verstandigste wat ze hadden kunnen doen, maar hij vond het jammer om de interessante uitdaging kwijt te raken die mevrouw Chong had gevormd. Hoewel ze de inhoud van sommige berichten al kenden, waren zijn cryptoanalisten er nog niet in geslaagd om haar code te kraken. Die berichten hadden ze haar zelf toegespeeld, via Bae, die haar had verteld dat een van zijn zoons in het leger zat en die haar zo nu en dan correcte maar onbelangrijke gegevens had doorgegeven over troepensterkte, kaartcoördinaten en wisselingen van functies in de legertop. Hwan betwijfelde of ze hen verder zou helpen nu ze zich in hechtenis bevond.

De KCIA was vier jaar bezig geweest met het schaduwen van de huidige oogst aan Noordkoreaanse agenten in Seoul en had hun al die tijd geen strobreed in de weg gelegd. Door er één te schaduwen hadden ze een andere gevonden, en toen nog een, en nog een. Blijkbaar vormden de vijf agenten een gesloten cirkel rondom Kim Chong en een krakelingbakker, en Hwan had het idee dat hij ze nu allemaal kende. Nu de vrouw was opgepakt, zou hij de anderen vierentwintig uur per etmaal onder observatie laten houden om te weten te komen met wie ze nu contact zouden opnemen of welke nieuwe agent er in het veld gebracht zou worden om haar plaats in te nemen.

Het zat hem echter dwars dat er ook in het kleine deel van haar codeboodschappen dat ze hadden weten te ontcijferen, geen enkele melding was gemaakt van de bomaanslag. De krakelingbakker, die soms informatie meebakte in zijn zoute koekjes, had zelfs opdracht gekregen om de festiviteiten bij te wonen en te peilen hoe de menigte over hereniging dacht. Hoewel het natuurlijk zo was dat het Noorden de aanslag zou kunnen hebben uitgevoerd zonder er iets over te vertellen aan agenten die er verder niets mee te maken hadden, leek het Hwan onwaarschijnlijk dat ze een van hun eigen mensen een dergelijk risico zouden laten lopen. Wat had het voor zin om iemand naar het feest te sturen als ze van plan waren er een bom te laten ontploffen?

De sergeant aan de balie belde hem toen de agenten het gebouw binnen kwamen, en Hwan ging achter zijn bureau staan om hen – en mevrouw Chong – te ontvangen. Hij had Kim Chong nooit eerder in levenden lijve gezien, alleen maar op foto's, en deed nu een traditionele oefening die Gregory hem aan de hand had gedaan voor als je op het punt stond om mensen te ontmoeten die je alleen maar kende van foto's, van stem of van horen zeggen. Hij probeerde de lege plekken in te vullen om te zien hoe dicht zijn gissingen bij de waarheid kwamen. Hoe lang ze waren, hoe ze klonken, en als het om mensen ging die van vijandige activiteiten verdacht werden, of ze woedend zouden gaan schelden of rustig hun medewerking zouden verlenen. Het enige nut van de oefening was dat het een handige manier was om voor hij hen te zien kreeg, snel even op een rijtje te zetten

wat hij al van die mensen wist.
Hij wist dat mevrouw Chong één meter vijfenzeventig lang was, achtentwintig jaar oud, met mooi, lang, pikzwart haar en donkere ogen. En dat Bae zijn contactpersoon bij de KCIA had verteld dat ze een harde was. Hwan vermoedde dat ze niet alleen over een grote muzikale gevoeligheid beschikte, maar ook over het stekelige temperament van een vrouw die de voortdurende avances van de mannen in Guns bar te verduren had, en dat ze net als alle andere buitenlandse agenten de gewoonte zou hebben om meer te luisteren dan te zeggen, om te leren in plaats van te onderwijzen. En dat ze zich uitdagend zou opstellen; de meeste Noordkoreanen deden dat in hun contacten met het Zuiden.
Hij hoorde de liftdeur opengaan, en toen voetstappen in de gang. Er kwamen twee agenten de kamer binnen lopen, met Kim Chong tussen hen in. De lichaamshouding van de vrouw was precies zoals hij zich die had voorgesteld: trots, intens, alert. Ze was ook min of meer zo gekleed als hij had verwacht: ze droeg een strak zwart rokje, zwarte kousen en een witte blouse waarvan de bovenste twee knoopjes openstonden, de karakteristieke kleding van vrouwen die in lounges en bars piano speelden. De kleur van haar huid had hij echter over het hoofd gezien: hij had niet gedacht dat die zo door de zon gebruind zou zijn. Maar dat klopte natuurlijk wel, want overdag had ze vrij en een groot deel van de tijd zwierf ze door de stad. Hij was ook verrast door haar handen, die hij pas te zien kreeg nadat hij zijn mannen opdracht had gegeven om haar handboeien los te maken; anders dan bij de andere musici die hij tot op heden had ontmoet, waren haar vingers niet dik en krachtig, maar slank en teer.
Hij vroeg de mannen om buiten te blijven wachten en de deur achter zich te sluiten, en wees toen op een leunstoel. De vrouw ging zitten, met beide voeten op de vloer en haar knieën tegen elkaar. Ze legde haar bevallige handen over elkaar in haar schoot en hield haar blik op het bureau gericht.
'Mevrouw Chong, ik ben Kim Hwan, adjunct-directeur van de KCIA. Wilt u een sigaret?'
Hij pakte een klein sigarettendoosje van zijn bureau en klapte het open. Ze pakte een sigaret en wilde ermee op haar horloge tikken, maar hield zich plotseling in toen ze zich herinnerde dat het haar afgenomen was – om te verhinderen dat ze met het glaasje haar polsen open zou snijden – en klemde de sigaret tussen haar lippen.
Hwan liep om het bureau heen en gaf haar een vuurtje. De vrouw inhaleerde diep en leunde achterover met haar ene hand op haar schoot en de andere op de armleuning, maar stond zichzelf nog steeds niet toe om hem recht in de ogen te kijken. Dat ging bij het ondervragen van vrouwen bijna altijd zo. Het maakte iedere vorm van emotioneel contact onmogelijk,

zodat het gesprek heel formeel bleef, wat veel ondervragers buitengewoon frustrerend vonden.
Hwan bood haar een asbak aan en ze zette hem op de leuning. Daarna ging hij op de rand van zijn bureau zitten en bleef de vrouw bijna een minuut lang aankijken voordat hij het woord nam.
Ondanks haar elegantie was er iets met deze vrouw, iets waarop hij niet helemaal vat kon krijgen. Iets wat niet klopte.
'Kan ik u iets aanbieden? Iets te drinken misschien?'
Ze schudde één keer haar hoofd en bleef naar het bureau staren.
'Mevrouw Chong, we zijn al een hele tijd op de hoogte van uw activiteiten. Uw missie hier is afgelopen en u zult waarschijnlijk binnen een maand terecht moeten staan wegens spionage. Gezien de huidige stemming vermoed ik dat het vonnis snel zal worden uitgesproken en erg onprettig zal zijn. Ik kan u echter een bepaalde mate van clementie beloven als u ons helpt bij het onderzoek naar de ontploffing die zich de afgelopen middag in het paleis heeft voorgedaan.'
'Ik weet niets meer dan wat ik op de televisie gezien heb, meneer Hwan.'
'U hebt er van tevoren niets over gehoord?'
'Nee, en ik geloof ook niet dat mijn land hiervoor verantwoordelijk is.'
'Waarom zegt u dat?'
Voor het eerst keek ze hem aan. 'Omdat we geen land vol met gekken zijn. Er lopen wel wat gestoorde idioten rond, maar de meesten van ons willen helemaal geen oorlog.'
Dat was het, dacht hij. Dat was wat er mis was. Ze volgde keurig de regels die je als spion tijdens een verhoor in acht moest nemen, en ze zou het gesprek waarschijnlijk zoveel mogelijk blokkeren. Maar ze deed het zonder veel enthousiasme. Ze had net een heel duidelijk onderscheid gemaakt tussen 'een paar gestoorde idioten' en 'ons'. Wie waren die ons? De meeste agenten werden gerecruteerd uit de strijdkrachten en zouden nooit iets ten nadele van hun landgenoten zeggen. Hwan vroeg zich af of mevrouw Chong misschien een burger was, een van die Noordkoreanen die tegen hun wil in dit werk verzeild waren geraakt: omdat ze een strafblad hadden, omdat ze de eer van hun familie moesten zien terug te winnen of omdat een van hun familieleden geld nodig had. Als dat waar was, hadden ze iets gemeen: ze wilden allebei wanhopig graag vrede.
Directeur Yung-Hoon zou het niet goedkeuren dat hij de vijand van geheime informatie had voorzien, maar dat risico wilde Hwan wel nemen.
'Mevrouw Chong, stel dat ik zou zeggen dat ik u geloofde...'
'Dan zou ik u vragen om het over een andere boeg te gooien.'
'Maar wat als ik het nu meende?' Hwan liet zich van het bureau af glijden en ging op zijn hurken vóór haar op de grond zitten, zodat ze òf haar hoofd

moest afwenden, òf hem moest aankijken. Ze keek hem aan. 'Ik heb slechte cijfers gehaald voor de cursus "verplaats je in de toestand van je tegenstander" en ik kan ook al niet goed pokeren. Stel nu eens dat ik u zou vertellen dat iemand heel erg zijn best heeft gedaan om te zorgen dat dit eruitziet als het werk van uw militairen, en dat al het bewijsmateriaal in die richting wijst, maar dat ik toch niet geloof dat die erachter zitten.'
Ze fronste haar wenkbrauwen. 'Als u me dàt zou vertellen, zou ik u dringend verzoeken om de mensen in uw omgeving daarvan te overtuigen.'
'Stel nu dat ze me niet zouden geloven. Zou u me kunnen helpen om mijn vermoedens hard te maken?'
De uitdrukking op haar gezicht was argwanend maar geïnteresseerd. 'Gaat u verder, meneer Hwan.'
'Er zijn voetsporen aangetroffen in de omgeving van het paleis, voetafdrukken van Noordkoreaanse legerschoenen. Als er mensen zijn die uw strijdkrachten opzettelijk vals willen beschuldigen, zouden ze natuurlijk wel dat soort schoenen moeten hebben, plus het juiste type springstof en misschien zelfs Noordkoreaanse wapens. We weten niet in welke hoeveelheden ze die hebben weten te bemachtigen, maar ik kan me niet voorstellen dat het er erg veel zullen zijn, want een groep als deze zal heel hecht en klein willen blijven. Ik wil dat u probeert uit te zoeken of er zo'n diefstal heeft plaatsgevonden.'
Kim drukte haar sigaret uit. 'Nee, dat lijkt me geen goed idee.'
'U wilt me niet helpen?'
'Meneer Hwan, zouden uw superieuren me geloven als ik met zulke informatie kwam aanzetten? Er bestaat geen vertrouwen tussen onze beide landen.'
'Maar ik zal u vertrouwen. Kunt u ook buiten de bar om contact opnemen met uw mensen?'
'Als ik dat zou kunnen,' zei Kim, 'wat zou u dan doen?'
'Met u meegaan en horen wat ze te zeggen hebben. Als deze terroristen net zo wanhopig zijn als ik vermoed, zouden ze nog andere aanslagen gepland kunnen hebben om ons tot een oorlog te dwingen.'
'Maar u hebt zelf gezegd dat uw superieuren geen geloof hechten aan uw verdenkingen...'
'Als we bewijsmateriaal kunnen vinden,' zei Hwan, 'iets, het maakt niet uit wat, dat mijn verdenkingen zou kunnen bevestigen, zal ik mijn superieuren passeren en rechtstreeks contact opnemen met het hoofd van de Crisisgroep in Washington. Dat is een redelijke man, die naar me zal luisteren.'
Kim bleef de adjunct-directeur aankijken. Hij zuchtte en liet zijn voorhoofd op zijn gespreide hand rusten.
'De tijd dringt, mevrouw Chong. Een oorlog zou wel eens niet het enige

resultaat van de bomaanslag kunnen zijn; dit zou de hereniging zo sterk kunnen vertragen, dat wij die tijdens ons leven niet meer zullen meemaken. Wilt u me helpen?'

Ze aarzelde nog even, maar niet langer dan een ogenblik. 'Weet u zeker dat u me vertrouwt?'

Hij glimlachte flauwtjes. 'Mijn autosleutels zal ik u niet geven, mevrouw Chong, maar in deze kwestie... ja, daarin vertrouw ik u.'

'Goed,' ze stond langzaam op, 'in deze zaak zullen we samenwerken. Maar, meneer Hwan, u moet wel begrijpen dat ik familie in het Noorden heb, en dat er grenzen zijn aan wat ik voor u zal doen... zelfs omwille van de vrede.'

'Dat begrijp ik.'

Hwan liep snel naar zijn bureau, drukte op de knop van de intercom en zei tegen de sergeant aan de balie dat hij moest zorgen dat zijn wagen en chauffeur klaarstonden. Daarna keek hij zijn gevangene opnieuw aan.

'Waar gaan we heen?'

'Dat zeg ik onderweg wel tegen uw chauffeur, meneer Hwan. Tenzij u me toch liever de autosleutels geeft. In dat geval...'

'Nee, dank u. Ik laat u de weg wel wijzen. Maar ik ben verplicht om een routebeschrijving in te dienen voor het geval er zich problemen voordoen, en dat is het eerste waar de directeur naar zal vragen als hij terug is. U hoeft alleen maar te zeggen in welke richting.'

Voor het eerst glimlachte Kim, en ze zei: Naar het noorden, meneer Hwan. We gaan naar het noorden.'

44

Dinsdag, 10.00 uur
Washington, D.C.

Hood voelde zich alsof zijn benen net onder de knie geamputeerd waren, maar toch was hij niet boos op de president. Dat lukte hem gewoon niet. Michael Lawrence was niet bepaald de intelligentste president die het land ooit had gehad, maar hij wist heel goed hoe hij het publiek tegemoet moest treden. Hij had het in zijn vingers. Hij beschikte over een charisma dat hem goede diensten bewees tijdens tv-opnamen en massabijeenkomsten, en zijn stijl viel in de smaak bij het publiek. Hij was zeker niet de beste manager die ooit het ambt had bekleed. Hij hield er niet van om zijn handen vuil te maken met het groezelige alledaagse regeringswerk; hij was niet iemand als Jimmy Carter, die zich tot in de details in allerlei kwesties had verdiept. Hij had toegestaan dat assistenten in wie hij vertrouwen stelde, zoals Burkow en zijn persvoorlichtster Adrian Crow, hun eigen koninkrijkjes opbouwden. Vanuit die machtsbases wisten ze andere overheidsinstellingen voor zich te winnen of juist van zich te vervreemden door medewerking en succes te belonen met toegang tot de president en grotere verantwoordelijkheden; falen werd afgestraft met onbelangrijke opdrachten en drukke werkzaamheden. Zelfs toen hij zijn beginnersfouten maakte in het buitenlandse beleid, had deze president niet de slechte pers gekregen waar zijn voorgangers zoveel hinder van hadden ondervonden. Door belangrijke vertegenwoordigers van de pers regelmatig uit te nodigen voor rijkelijk besproeide etentjes, door verbeteringen aan te laten brengen in de voorzieningen voor bij het Witte huis gedetacheerde journalisten en door zorgvuldig 'lekken' en exclusieve interviews uit te delen, had Crow nu iedereen in haar zak, op een paar chagrijnige, oude columnisten na. En er was toch bijna niemand meer die de opiniepagina's las, beweerde ze. Korte tv-interviews en advertenties, daar won je kiezers mee; niet met columnisten als George Will en Carl Rowan.

Hoewel Lawrence meedogenloos, blind en koppig kon zijn, had hij een moedige en intelligente visie op het landelijke beleid, en die visie begon haar eerste vruchten af te werpen. Als gouverneur van Florida, meer dan een jaar voordat hij zijn kandidatuur voor het presidentschap had aangekondigd, had Lawrence gesprekken gevoerd met leidende figuren in de industrie en hun gevraagd of ze in ruil voor aanzienlijke belastingvoordelen geld zouden willen investeren in een geprivatiseerde NASA. De regering zou alle lanceringen en faciliteiten onder haar beheer houden en de bedrijven zouden de personeelskosten en het budget voor Research & Development voor hun rekening nemen. Wat Lawrence voorstelde, kwam in feite neer op een bijna driedubbele verhoging van de jaarlijkse begroting van de ruimtevaartorganisatie, buiten het Congres om. Bovendien zou er bijna twee miljard bezuinigd kunnen worden op de overheidsinvesteringen in de ruimtevaart, en dat geld wilde Lawrence besteden aan misdaadbestrijding en onderwijs. Hij stelde ook voor om een derde van de nieuwe laaggeschoolde werknemers die de NASA nodig zou hebben, te recruteren uit de bijstand, wat ook weer een half miljard dollar per jaar zou opleveren.

De Amerikaanse industrie had met het plan ingestemd en tijdens zijn presidentscampagne had Lawrence grote advertenties laten plaatsen waarin

hij de Amerikaanse bevolking de vroegere glorie van de Mercury-, Gemini- en Apollo-projecten weer in herinnering bracht: een tijd van broederlijke samenwerking tussen arbeiders en kaderpersoneel, van lage werkloosheid en een lage inflatie. Hij wist al die herinneringen onder één noemer te brengen en bestookte zijn kiezers niet alleen met beelden van de bijprodukten die eerdere ruimtevaartprojecten hadden opgeleverd – pc's en zakrekenmachines, communicatiesatellieten en draagbare telefoons, Teflon en draagbare videocamera's – maar ook met visioenen van de bijprodukten die nog te verwachten waren: medicijnen tegen kanker en aids, en grote generatoren in de ruimte die zonne-energie konden omzetten in elektriciteit en zo aanzienlijke besparingen zouden opleveren en de Amerikaanse afhankelijkheid van buitenlandse olie zou verminderen. Hij beloofde zelfs dat het mogelijk zou worden om de weersomstandigheden te beïnvloeden. Iedere keer dat een van zijn tegenstanders had betoogd dat het geld beter hier op aarde geïnvesteerd kon worden, had Lawrence tegengeworpen dat de aarde tot een bodemloze put geworden was waar alleen maar banen en belastinggeld in verdwenen, en dat zijn plan een eind zou maken aan die verspilling... en aan de gestage teloorgang van de technologische voorsprong van de Verenigde Staten die het land zoveel banen had gekost.
Lawrence had een klinkende overwinning behaald en meteen nadat hij was gekozen, was hij met dezelfde zakenmensen en de nieuwe leiding van de NASA rond de tafel gaan zitten om snel wat tastbare resultaten te bereiken. Tegelijkertijd was er met man en macht gewerkt om voor het eind van zijn eerste ambtsperiode een ruimtestation in een baan rond de aarde te krijgen. Ze hadden het verlaten Russische ruimtestation *Nevsky* geleast en er een aantal medische onderzoekers en ingenieurs op ondergebracht, zodat Adrian Crows afdeling Persvoorlichting al binnen achttien maanden de eerste ontwikkelingen had kunnen aankondigen. Wat echter het meeste opzien had gebaard waren de beelden van een jonge arts die tijdens operatie Desert Storm vanaf zijn middel verlamd was geraakt, maar die nu in gewichtloze toestand basketbal speelde met een van de astronauten. De president had de lamme weten te helen, en dat beeld zouden de mensen nooit meer vergeten.
Het was soms heel frustrerend om met hem te moeten samenwerken. Hij maakte stomme vergissingen en was vaak ook heel lomp, maar zijn visie dwong bewondering af. En hoewel hij in zijn buitenlandse beleid aanvankelijk gevaarlijk heen en weer had gezwalkt, was hij verstandig genoeg geweest om het Op-Center op te richten, zodat dat hem bij zijn werk kon helpen. Burkow had tegengestribbeld met het argument dat ze voor een effectief buitenlands beleid niet meer maar juist minder bureaucratie

nodig hadden, maar de president was het niet met hem eens geweest... en dat had sindsdien weer een bron van spanning tussen Hood en de National Security Council gevormd.

Maar dat was niet erg. Daar kon Paul wel mee leven. Vergeleken met sommige pressiegroepen en politieke-correctheidsfanaten waarmee hij in Los Angeles te maken had gehad, was een confrontatie met Burkow zoiets als een dagje naar het strand.

Hood bracht zijn wagen tot stilstand voor het ziekenhuis, parkeerde in het voor noodgevallen gereserveerde parkeervak en holde naar binnen. Hij had over de telefoon al naar het kamernummer geïnformeerd, en rende nu meteen naar de lift.

De deur van de privé-kamer stond open. Sharon zat onderuitgezakt in de stoel, met haar ogen dicht, en schrok op toen hij binnenkwam. Hij gaf haar een kus op haar voorhoofd.

'Papa!'

Hood liep naar het bed. Alexanders stem werd gedempt door de doorzichtige tent, maar zijn ogen glommen en hij had een stralende glimlach op zijn gezicht. Terwijl hij moeizaam lag te hijgen, deed zijn stevige kleine borstkas zwoegend zijn best om van iedere ademtocht de zuurstof af te romen.

Hood ging op één knie zitten en vroeg: 'Heeft Koopa Lord je een pak op je sodemieter gegeven, Mario?'

'Het is Koopa King, papa.'

'Sorry. Je weet hoe ik ben met videospelletjes. Het verbaast me dat je je Gameboy niet hebt meegenomen.'

De jongen trok even met zijn schouder. 'Het mocht niet van ze. Ik mag hier niet eens een stripboek lezen. Mama heeft me *Supreme* moeten voorlezen en telkens als ze iets gelezen had, moest ze het boek omhooghouden, zodat ik de plaatjes kon bekijken.'

'We moeten toch eens praten over de strips die hij de laatste tijd leest,' zei Sharon terwijl ze naar het bed toe kwam lopen. 'Eerst iemands arm afrukken, en hem dan ook nog zijn tanden uit zijn mond...'

'Mammie, dat is goed voor mijn fantasie.'

'Pas op dat je niet opgewonden raakt,' zei Hood. 'We praten er nog wel over als je weer beter bent.'

'Papa, ik hou heel erg van strips...'

'Die krijg je heus wel hoor,' zei Hood. Hij streek met de rug van zijn hand over de tent, en over de daartegenaan gedrukte wang van zijn zoontje. Op dit moment leken grote medische doorbraken van het allergrootste belang. Hij boog zich nog wat verder voorover en knipoogde. 'Zorg jij er nu maar voor dat je weer snel op de been bent, dan zien we later wel hoe we je moeder moeten overtuigen.'

Alexander knikte zwakjes en zijn vader kwam overeind.
'Bedankt voor je komst,' zei Sharon. 'Is de crisis voorbij?'
'Nee.' Hij wist niet zeker of dat nu een steek onder water was of niet, maar besloot haar het voordeel van de twijfel te gunnen. 'Hoor eens, het spijt me, maar de zaken lopen echt uit de hand. Wat doe je met Harleigh?'
'Ze gaat bij mijn zuster logeren.'
Hood knikte en gaf Sharon toen een kus. 'Ik bel je nog wel.'
'Paul...'
Hij keek om.
'Ik denk ècht niet dat die strips goed voor hem zijn. Ze zijn heel gewelddadig.'
'Dat waren de strips die ik als kind heb gelezen ook, en kijk eens wat een aangepast iemand ik ben geworden. Ondanks al die afgehakte hoofden, zombies en vampiers.'
Sharon trok haar wenkbrauwen op en slaakte een diepe zucht toen Hood haar een kus gaf. Hij stak nog even zijn duim op naar Alexander, rende naar de lift en durfde pas op zijn horloge te kijken toen hij veilig in het lifthokje stond.

45

Dinsdag, 10.05 uur
Het Op-Center

'Waar heeft Viens verdomme zoveel tijd voor nodig?' vroeg Matt Stoll terwijl hij naar zijn monitor zat te staren. 'Je zet de zoekfunctie aan en voert het tijdsverschil in, en dan hoort hij meteen naar het punt te gaan waar die valse satellietbeelden zijn komen opduiken.'
Naast hem zat Phil Katzen eveneens naar het scherm te kijken. Terwijl het NRO het fotobestand van die ochtend doorzocht, waren Stoll en Katzen met behulp van het gedetailleerde testprogramma het systeem aan het checken. De elfde en tevens laatste cyclus was bijna voltooid.
'Misschien heeft Viens niets kunnen vinden, Matty.'
'Christus, dat kan toch niet?'

'Dat weet ik ook wel, maar misschien heeft de computer het nog niet gehoord.'
Stoll trok een gezicht. 'Tja, daar zeg je wat.' Hij schudde zijn hoofd toen het laatste testprogramma meldde dat alles in orde was en zichzelf uitschakelde.
'En we weten ook dat dàt niet waar is!' Hij vocht tegen de woeste opwelling om de computer een harde klap te geven. Hij had de afgelopen tijd zoveel pech, dat één zo'n klap misschien voldoende zou zijn om het hele systeem weer te doen uitvallen.
'Zou het testprogramma op de een andere manier gecorrumpeerd kunnen zijn?' vroeg Katzen.
'Nee, maar dat dacht ik ook van de rest van de software. Ik vind het vervelend om het te moeten zeggen, Phil, maar ik zou er mijn linker neusgat voor over hebben om de klootzak te ontmoeten die me dit heeft aangedaan.'
'Je neemt het heel persoonlijk op, hè?'
'Reken maar. Wie aan mijn software komt, komt aan mij. En het ergste is nog dat hij me niet alleen te slim af is geweest, maar dat hij ook geen enkel spoor heeft achtergelaten. Maar dan ook echt helemaal niets.'
'Laten we even afwachten wat het NRO...'
De telefoon ging en het identificatienummer van de beller verscheen op het rechthoekige schermpje. 'Als je het over de duivel hebt...' zei Stoll terwijl hij op de luidsprekerknop drukte. 'Met Stoll.'
'Matty, met Steve. Sorry dat het zo lang geduurd heeft, maar de computer zei dat er niets aan de hand was, en daarom ben ik de foto's zelf maar gaan bekijken.'
'Mijn excuses.'
'Waarom?'
'Omdat ik tegen Phil hier heb zitten kankeren dat jullie er zo lang over deden. Wat heb je gevonden?'
'Precies wat je zei. Een foto die vanochtend om 7:58.00.8965 is binnengekomen... precies 0,001 seconde te laat. En raad eens: hij staat vol met materieel waarvan 0,8955 seconde eerder nog geen spoor te bekennen was.'
'Dat geloof je verdomme toch niet?' zei Stoll. 'Zet hem even op mijn scherm, wil je? En Steve, hartstikke bedankt.'
'Tot je dienst. Is er verder nog iets wat we kunnen doen om het systeem weer op orde te krijgen?'
'Dat weet ik niet voordat ik de foto's heb gezien. Ik bel zo snel mogelijk terug.'

Terwijl Stoll het gesprek beëindigde, verschenen de eerste foto's al op zijn monitor. Op de eerste stond het terrein zoals het er werkelijk uitzag: geen troepen, geen artillerie, geen tanks. Op de tweede foto zag je dat allemaal ineens wel, en alles, van de korrel van de film tot de schaduwen, zag er al even authentiek uit.
'Als dit een vervalsing is, dan is het een heel goede,' zei Katzen.
'Dat valt wel mee. Kijk hier maar eens.'
Stoll drukte op Shift/F1 en koos toen Vergroten. Er verscheen een muisaanwijzer op het scherm, en hij zette die boven de voorruit van een jeep aan de bovenkant van het scherm. Hij drukte op Enter en plotseling nam de voorruit het hele scherm in beslag.
'Kijk daar maar eens naar.'
Katzen keek ernaar, kneep zijn ogen samen, en slaakte toen een diepe zucht. 'Dat kan niet.'
'Zie je wel,' zei Stoll, en voor het eerst sinds uren verscheen er weer een glimlach op zijn gezicht. Hij greep de muis, drukte op de linkerknop en schoof de muisaanwijzer over het scherm, zodat er een dun geel lijntje om het weerspiegelde beeld van een eikeboom werd getrokken. 'Er staan daar helemaal geen bomen, Phil. Dit beeld is uit een andere foto geknipt, of het is ergens anders gefotografeerd en digitaal in deze foto gemonteerd.' Terwijl hij de foto in Document nr. 1 liet staan, schakelde hij over naar Document nr. 2 en vroeg de computer om in de NRO-bestanden naar een identiek beeld te zoeken. Twee minuten en twaalf seconden later verscheen er een identieke foto op het scherm.
'Ongelooflijk,' zei Katzen.
De technische gegevens op de foto verschenen in een apart venstertje: hij was 275 dagen eerder genomen in de bossen rondom het Supung Reservoir bij de grens tussen Mantsjoerije en Noord-Korea. 'Iemand heeft onze fotobestanden doorzocht,' zei Stoll. 'Hij heeft alle foto's uitgezocht die hij nodig had, en toen een nieuw programma geschreven.'
'En het in 0,001 seconde geladen,' zei Katzen.
'Nee. Het laden is gebeurd toen het systeem uitviel, of liever gezegd, toen wij dachten dat het was uitgevallen.'
'Ik kan je niet volgen.'
'Terwijl wij dachten dat het netwerk gecrasht was, heeft iemand in twintig seconden deze foto en alle daaropvolgende foto's in het systeem weten te dumpen. Het heeft 0,001 seconde geduurd om de eerste foto te verwisselen, en nu worden al deze geprefabriceerde beelden voor ons afgespeeld, net als een film, om de 0,08955 seconden een nieuw beeldje.'
'Dat kan toch helemaal niet...'
'Maar het feit blijft dat wij – het NRO, het Ministerie van Defensie en de CIA

– allemaal gesloten systemen zijn. Niemand zou ons kunnen infecteren via een telefoonlijn. Om zoveel data te downloaden moet iemand op het Op-Center zelf diskettes in een drive hebben zitten duwen.'
'Wie dan? De videobanden van de bewakingsdienst hebben niets opgeleverd.'
Stoll begon zachtjes te hinniken. 'Waarom zouden we die wèl kunnen vertrouwen? Voor iemand die aan onze satellieten heeft weten te knoeien, zal een camcorder echt geen problemen hebben opgeleverd.'
'Christus, daar had ik helemaal niet aan gedacht.'
'Maar je hebt gelijk. Ik denk niet dat dit hier is gedaan. Dat zou betekenen dat er hier iemand niet te vertrouwen is, en wat mijn persoonlijke mening over Bob Herbert ook mag zijn, hij is een heel goede beveiligingsman.'
'Mooi van je.'
'Dank je wel.' Stoll ging weer naar Document nr. 1 en keek naar de voorruit. 'Dus wat zijn we nu te weten gekomen? Ergens in dit systeem bevindt zich een programma dat er niet in thuishoort en het bevat foto's die de NRO-satellieten nog niet eens hebben genomen, maar die om de 0,8955 seconden op onze beeldschermen zullen verschijnen. Dat is het slechte nieuws. Het goede nieuws is dat als we het programma weten te vinden, we het kunnen uitschakelen en dat we daarna onze satellieten weer kunnen gebruiken. En daarmee kunnen we dan bewijzen dat iemand eropuit is om enorme herrie te schoppen in Korea.'
'Hoe wil je dat klaarspelen als je niet eens weet waar het programmabestand zich precies bevindt of hoe het heet?'
Stoll sloeg de uitvergrote foto op, sloot het bestand af en ging naar de directory. Hij selecteerde Library en moest even wachten terwijl de enorme lijst geladen werd.
'De foto's die de infiltrant heeft gebruikt, zijn al genomen voordat het Op-Center zelfs maar bestond, dus het is duidelijk dat het veel tijd heeft gekost om dit programma te schrijven, en daaruit volgt weer dat het wel heel groot zal zijn. Nou, het moet als onderdeel van een ander bestand zijn binnengedrongen, want anders zouden we het tijdens het controleren van de inkomende software zeker opgemerkt hebben, en dat betekent dus dat het gastheerbestand behoorlijk veel groter is dan het eigenlijk hoort te zijn.'
'Dus we zoeken een bestand met, ik zeg maar wat, verkeerslichtpatronen in Pyongyang, en als dat dertig megabytes groot is, hebben we waarschijnlijk het vijandelijke programma gevonden?'
'Precies.'
'Maar waar moeten we beginnen? Degene die dat programma heeft geschreven, moet toegang hebben gehad tot de satellietbeelden van Noord-Korea, en dat betekent dus dat het iemand in het Op-Center moet

zijn, of in het NRO, het Pentagon of in Zuid-Korea.'
'Niemand in het Op-Center of het NRO heeft iets te winnen bij een mobilisatie op het hele schiereiland,' zei Stoll. 'Voor ons maakt dat niets uit. Dus moet het Zuid-Korea of het Ministerie van Defensie zijn.' Stoll liet de Library-directory afzoeken om een opsomming te krijgen van het aantal diskettes dat van uit die twee mogelijke bronnen was aangeleverd. Om de diskettes die hij wilde hebben ook werkelijk in handen te krijgen, zou hij ieder bestand van een sterretje moeten voorzien en zijn verzoek daarna per E-mail aan het archief van het Op-Center moeten doorgeven. De diskettes zouden daar worden gekopieerd en nadat Stoll ervoor getekend had, persoonlijk worden afgegeven. Nadat hij ze weer had teruggegeven, zouden ze worden gewist.
'Shit,' zei Katzen toen het aantal diskettes steeds groter werd. 'We hebben al twee diskettes van het Ministerie van Defensie en een stuk of veertig van de Republiek Korea. Het gaat dagen kosten om die allemaal na te lopen.'
Na even nagedacht te hebben, markeerde Stoll de volledige directory met Zuidkoreaanse bestanden.
'Begin je met de kortste lijst?'
'Nee,' zei Stoll, 'met de waarschijnlijkste.' Hij tikte op Send. 'Als Bob Herbert ooit te weten zou komen dat ik onze kant het eerst had verdacht, zou hij kwaad op me worden.'
Katzen gaf hem een klap op zijn schouder en kwam overeind. 'Ik ga Paul op de hoogte brengen, maar, Matty, doe me een lol.'
'Zeg het maar.'
'Vertel Paul dat ik die eikeboom heb gevonden.'
'Oké, maar waarom?'
'Omdat onze directeur heel kwaad op mij zou zijn als hij erachter komt dat zijn milieudeskundige op een halve meter afstand niet eens een boom kon zien.'
'Afgesproken,' zei Stoll terwijl hij achteroverleunde. Hij sloeg zijn armen over elkaar en ging zitten wachten tot de diskettes gebracht zouden worden.

46

Woensdag, 00.30 uur
De omgeving van Seoul

De snelwegen van Seoul naar de gedemilitariseerde zone waren nog steeds vol met militair verkeer, en Hwan had zijn chauffeur Cho opdracht gegeven om op de achterafweggetjes te blijven. Ze volgden Kim Chongs aanwijzingen en reden door een druilerige motregen naar het noorden. Cho zette de blower aan en die begon soepel te blazen; Hwan wenste dat zijn eigen ingewanden net zo soepel functioneerden.

Terwijl hij naast Kim op de achterbank zat, vroeg Hwan zich af of dit wel zo'n goed idee was, waarbij hij er gemakshalve maar even aan voorbijging dat hij niet zou weten wat hij anders had kunnen doen. Samenwerken met Kim ging in tegen alles wat hij had geleerd, alles waarin hij geloofde; hij verliet zich op een Noordkoreaanse spionne in een kwestie die de staatsveiligheid van de Republiek Korea betrof. Terwijl hij naast de zwijgend uit het raam starende jonge vrouw zat, vroeg hij zich serieus af waar hij eigenlijk mee bezig was. Niet dat hij bang was dat ze hem in een hinderlaag zou proberen te lokken, of in een nest vol Noordkoreaanse gifslangen; hij had zijn jas nadrukkelijk open laten hangen, zodat ze de .38 in zijn schouderholster goed kon zien. Als er iets zou gebeuren, zou zij zich daar niet aan kunnen onttrekken. Maar toen ze onder schot genomen werd, had Kim zich overgegeven aan Bae, dus ze hechtte aan het leven.

Hij maakte zich er wel zorgen over dat ze hem om de tuin zou kunnen leiden. Hoewel ze te goeder trouw leek te zijn, was dat mogelijk, en in dat geval zou hij medewerking hebben verleend aan een actie tegen het leger van zijn eigen land. Zelfs als ze niet zou proberen hem om de tuin te leiden, als alles volgens plan zou verlopen en ze erin zouden slagen om een gewapend conflict te vermijden, zou hij nog steeds beschuldigd kunnen worden van samenzwering met de vijand, en wat deze onderneming ook aan goede resultaten mocht opleveren, het zou niet opwegen tegen de schande van een aanklacht wegens hoogverraad.

Hij weerstond de verleiding om een gesprek te beginnen, om te proberen meer over haar te weten te komen. Hij mocht absoluut geen blijk van zwakte of twijfel geven, want daar zou ze misbruik van kunnen maken. Hwans chauffeur Cho werd kennelijk niet geplaagd door dergelijke overwegingen, want hij bleef maar in de achteruitkijkspiegel kijken. Onder de scherpe bruine rand van zijn jagershoedje zag Hwan een bezorgde uitdrukking op Cho's gezicht. Telkens als Kim een nieuwe aanwijzing gaf, reden

ze dieper de noordoostelijke heuvels in en raakten ze nog verder geïsoleerd. Bij iedere bocht die ze maakten, keek Cho nadrukkelijk naar de radio onder in het dashboard: een zwijgend verzoek om aan het hoofdkwartier te mogen doorgeven waar ze zich bevonden.
En telkens weer schudde Hwan dan langzaam één keer zijn hoofd, of hij sloeg gewoon zijn ogen neer.
Arme Cho, dacht hij. Drie maanden geleden was hij in zijn rechterhand getroffen door een kogel en overgeplaatst van het veldwerk naar de chauffeursdienst, en hij wilde dolgraag weer terug om de Noordkoreanen er eens flink van langs te geven.
Maar nee, geen ondersteuning, geen versterkingen, niets wat mevrouw Chong reden zou geven om aan hun goede wil te twijfelen. Ze zaten in het schuitje en nu moesten ze meevaren, met een vrouw die wist dat ze de gevangenis in zou draaien, misschien zelfs opgehangen zou worden, als ze er niet in zou slagen te ontsnappen. Hwan hoopte maar dat haar plichtbesef net zo sterk was als het zijne.
'Mag ik iets zeggen?' vroeg Kim met haar ogen nog steeds op het raam gericht.
Hwan keek haar aan met nauwelijks verhulde verrassing. 'Zeg het maar.'
Nu keek ze hem recht in het gezicht. De uitdrukking in haar ogen was zachter dan tevoren en haar mond stond wat minder strak. 'Ik heb zitten denken over wat u aan het doen bent, en ik vind het heel moedig van u.'
'Een intelligent risico, denk ik.'
'Nee. U had gewoon kunnen blijven zitten waar u zat. Dat zou geen schande zijn geweest. U weet niet waar ik u heen leid.'
Hwan merkte dat Cho gas terugnam en keek hem woedend aan. De auto begon weer snelheid te maken.
'Waar brengt u ons heen?' vroeg Hwan.
'Naar mijn boerderijtje.'
'Maar u woont in de stad.'
'Waarom denkt u dat? Omdat uw agenten me daarheen gevolgd zijn? De vrouw die niet van drank hield en de man die telkens zijn vermomming veranderde, maar die altijd dezelfde slechte adem had?'
'Die waren nog in opleiding. Het was de bedoeling dat u hen zou opmerken.'
'Dat had ik inmiddels al begrepen. Zodat ik niet zou vermoeden dat meneer Gun degene was die me in de gaten hield. Maar hij heeft me nooit naar huis gebracht, dus moet een van de leerlingen het u verteld hebben.'
Hwan bleef zwijgen.
'Het is niet belangrijk. Ik had een scooter achter het huis staan en ik kwam hierheen om mijn werkelijke berichten te versturen. Nu rechtsaf, dat zand-

weggetje op,' zei ze tegen Cho.
Cho keek in de spiegel naar Hwan. Deze keer negeerde Hwan hem.
'Ziet u,' vervolgde Kim, 'u bent niet de enige die een rookgordijn heeft gelegd. We wisten al jaren dat u de bar onder observatie hield, en ik ben erheen gestuurd om uw personeel bezig te houden. Mijn code was echt, maar de mensen voor wie ik die speelde – de barbezoekers die u liet volgen naar hun woning – hadden geen er flauw benul van wat ik aan het doen was. Het waren allemaal Zuidkoreanen die ik had ingehuurd om een paar uur aan de bar te blijven zitten en dan weer weg te gaan.'
'Ik begrijp het,' zei Hwan. 'Gesteld dat ik u zou geloven, en ik weet niet of ik daar wel toe bereid ben, waarom vertelt u me dit dan allemaal?'
'Omdat ik wil dat u gelooft wat ik u ga vertellen, meneer Hwan. Ik ben niet uit vrije wil naar Seoul gekomen. Mijn broer Han had een inbraak gepleegd in een militair ziekenhuis om morfine voor onze moeder te bemachtigen, en toen de politie kwam, heb ik hem geholpen te ontsnappen... In plaats van mijn broer hebben ze toen mijn moeder en mij maar opgepakt. Ik werd voor de keuze gesteld: we konden in de gevangenis blijven of ik kon naar het Zuiden gaan om daar inlichtingen te verzamelen.'
'Hoe bent u hier gekomen?'
Kims ogen schoten vuur. 'Begrijp me niet verkeerd, meneer Hwan. Ik ben geen verraadster. Ik vertel u alleen maar wat u moet weten, meer niet. Zal ik verder gaan?' Hwan knikte.
'Ik heb erin toegestemd om hierheen te gaan, op voorwaarde dat mijn moeder naar een ziekenhuis kon en dat mijn broer zijn straf kwijtgescholden zou krijgen. Daar hebben ze in toegestemd, maar Han was nergens te vinden. Sindsdien ben ik te weten gekomen dat hij naar Japan is gevlucht.'
'En uw moeder?'
'Ze had maagkanker, meneer Hwan, en ze is gestorven voordat ik hierheen kwam.'
'Maar u bent toch gegaan?'
'Mijn moeder is tot op het allerlaatste moment goed verzorgd. De regering heeft woord gehouden, en dat wilde ik ook doen.'
Hwan knikte. Hij bleef Cho's dwingende ogen ontwijken; ze rolden nu als pingpongballen in hun kassen.
'U zei dat u wilde dat ik iets zou geloven, mevrouw Chong. Uw verhaal...?'
'Ja, maar ook dit. Zonder mijn hulp zult u uw bezoek aan mijn boerderijtje niet overleven.'
Cho trapte op de rem. De wagen begon licht te slippen op de modderige weg en kwam toen tot stilstand.
Hwan keek zijn passagier kwaad aan. Hij was eigenlijk bozer op zichzelf dan op haar. De portieren waren afgesloten, en als dat nodig was, zou hij

zijn pistool gebruiken.
'En zonder míjn hulp zult u uw verblijf in de Masan-gevangenis niet overleven,' zei hij. 'Wie zit er in dat boerderijtje?'
'Niemand, maar er is een booby-trap geplaatst.'
'Hoe?'
'Er zit een bom in de piano. Voordat je de klep optilt, moet je eerst een bepaald melodietje spelen, anders ontploft hij.'
'Dus speelt u dat melodietje voor ons. U wilt niet sterven.'
'U hebt het mis, meneer Hwan. Ik ben bereid om te sterven. Maar ik wil ook graag leven.'
'Onder welke omstandigheden, mevrouw Chong?'
In de achteruitkijkspiegel werd een enkele koplamp zichtbaar en Cho draaide het zijraampje naar beneden om te wuiven dat de scooter kon doorrijden. De vrouw bleef zwijgen tot het pruttelende geluid van de motor was weggestorven.
'Ik heb alleen mijn broer...'
'En uw land.'
'Ik hou van mijn vaderland, meneer Hwan, en u hoeft me niet te beledigen. Maar ik kan niet terug. Ik ben een vrouw van achtentwintig. Ik zal worden overgeplaatst, niet naar het Zuiden, maar naar een ander land, en misschien zal er deze keer niet alleen een beroep op mijn vaardigheden als pianiste worden gedaan.'
'Je moet wat over hebben voor je vaderland.'
'Onze familie heeft al heel veel voor dat vaderland gedaan, en nu wil ik samen kunnen zijn met wat er nog van die familie over is. Ik zal doen wat u vraagt, maar daarna moet u me in dat boerderijtje achterlaten.'
'Zodat u naar Japan kunt gaan?' Hwan schudde zijn hoofd. 'Ik zou oneervol ontslag krijgen, en dat zou ik verdiend hebben.'
'Hebt u liever dat uw land in een oorlog verzeild raakt?'
'U lijkt er ook niet echt bezwaar tegen te hebben om duizenden jonge mannen de dood in te jagen. Zijn die zoveel belangrijker dan uw broer?'
Kim wendde haar blik af.
Hwan keek snel even naar de klok op het dashboard en gaf Chong een teken dat hij verder kon rijden. De wagen trok zo snel op, dat de modder wegspoot onder de banden.
'Ik zal niemand de dood in jagen,' zei Kim.
'Dat hoopte ik al.' Hij keek naar haar gezicht dat zo nu en dan verlicht werd door het kaarslicht uit de hutten en boerderijtjes langs de weg. De schaduwen van de regendruppels op de autoruit gleden over haar gezicht.
'Natuurlijk zal ik voor u doen wat ik kan. Ik heb vrienden in Japan... misschien valt er wel iets te regelen.'

'Daar in de gevangenis?'
'Geen gevangenis. Er zijn ook penitentiaire inrichtingen met een licht regime, een soort studentenhuizen.'
'Het zou moeilijk zijn om mijn broer op te sporen, zelfs al is de cel nog zo comfortabel.'
'Daar kan ik u bij helpen. Hij kan u komen opzoeken, of misschien valt er nog wel iets te regelen.'
Ze keek hem aan. De donkere vegen op haar wangen leken wel tranen. 'Dank u wel, dat is tenminste iets, als het lukt.'
Voor het eerst zag ze er open en kwetsbaar uit, en hij voelde zich tot haar aangetrokken. Ze was sterk en aantrekkelijk, en hij bedacht dat hij altijd nog met haar zou kunnen trouwen. Dat zou de Zuidkoreaanse justitie pas echt grijze haren bezorgen. Hij had het bijna hardop gezegd, maar hoe verleidelijk het idee ook was, het leek hem niet eerlijk om haar vrijheid op die manier als lokkertje te gebruiken... of haar met zijn voortdurende aanwezigheid te bedreigen.
Maar het speelde door zijn hoofd terwijl ze over de steeds glibberiger wordende weg naar Kims boerderijtje in de heuvels reden. Ook als hij niet zo met zijn gedachten bij Kim was geweest zou hij waarschijnlijk de scooter die met draaiende motor en uitgeschakelde koplamp een eindje van de weg stond, niet niet hebben opgemerkt. Het was de scooter die hen een paar minuten eerder was gepasseerd...

47

Dinsdag, 10.50 uur
Het Op-Center

Terwijl Phil Katzen op weg was naar Hoods kantoor kwam hij de man zelf toevallig tegen en liep achter hem aan zijn kantoor binnen. Hij vertelde de directeur over hun ontdekking en dat Stoll de Zuidkoreaanse diskettes al aan het controleren was.
'Dat zou goed aansluiten op wat Gregory Donald aan Martha heeft verteld,' zei Hood. 'Hij en Kim Hwan van de KCIA vermoeden dat Noord-Korea hier niet bij betrokken is.' Hood was blij dat hij even was gaan kijken

hoe zijn zoon het maakte en hij veroorloofde zich een klein glimlachje. 'Hoe voelt het om eens met iets anders bezig te zijn dan met olievlekken en regenwouden?'
'Vreemd,' gaf de chef Milieu toe, 'maar wel verfrissend. Het geeft me de kans om een paar spieren te gebruiken die een beetje verschrompeld waren.'
'Als je hier te lang blijft, is dat niet het enige wat gaat verschrompelen.'
Ann Farris kwam met grote stappen de kamer binnen. 'Paul...'
'Jij bent precies degene die ik zocht.'
'Misschien wel niet. Heb je al gehoord over de Zuidkoreaanse bestanden?'
'Ik ben de directeur. Ik word ervoor betaald om dat soort dingen te weten.'
'Tjonge,' ze fronste haar wenkbrauwen, 'wat zijn we vrolijk vandaag. De bespreking met de president zal wel heel goed verlopen zijn.'
'Niet echt. Maar het gaat goed met mijn zoontje. Wat is er met die bestanden? Ik dacht dat het geheim was welke bestanden er uit het archief werden opgevraagd?'
'Jazeker. En vanmiddag weet de *Washington Post* het ook al. Het is gewoon zielig om te zien waar mensen niet allemaal toe bereid zijn voor geld of kaartjes voor de Super Bowl. Maar dat is niet het probleem waarmee we nu geconfronteerd worden. Heb je enig idee wat een pr-nachtmerrie dit gaat worden als het uitlekt dat we onze bondgenoten hiervan verdenken?'
'Kun je daar niet een leuke draai aan geven?'
'Ik kan er een complete draaitol van maken, maar argwaan is populair, en reken maar dat alle journalisten zich heel achterdochtig zullen opstellen.'
'Wat is er toch gebeurd met waarheid, rechtvaardigheid en *The American Way*?'
'Die zijn tegelijk met Superman een stille dood gestorven, beste vriend,' zei Phil. 'En toen ze Superman nieuw leven inbliezen, zijn ze de rest vergeten.'
Ann tikte met haar pen op het kleine aantekenboekje dat ze in haar hand hield. 'Waarover wilde je me spreken?'
'Wacht even, Ann.' Hood had al op F6 gedrukt, en het gezicht van zijn assistent verscheen op het scherm. 'Bugs, is er nog nieuws van de KCIA binnengekomen?'
'Het verslag van het laboratoriumonderzoek, in bestand BH/1.'
'Wat staat erin?'
'Noordkoreaanse explosieven, schoenafdrukken en dieselolie. Hoe gaat het met Alexander?'
'Beter, dank je. Doe me een lol, wil je, en vraag Bob Herbert of hij om elf uur hier wil komen.' Hood drukte het beeld weer weg en wreef met zijn hand over zijn gezicht. 'Shit. De KCIA denkt dat het Noord-Korea is, Matty

denkt dat we geïnfecteerd zijn met een Zuidkoreaans virus en Gregory Donald vermoedt dat we te maken hebben met Zuidkoreanen die zich vermomd hebben als Noordkoreanen. Wat een circus.'
'Maar jij bent een goede spreekstalmeester,' zei Ann. 'Wat is er met Alexander?'
'Een astma-aanval.'
'Arm joch,' zei Phil hoofdschuddend terwijl hij naar de deur liep. 'Die verdomde smog doet er ook geen goed aan in deze tijd van het jaar. Als je me nodig hebt, zit ik bij Matty.'
Toen ze alleen waren, viel het Hood op dat Ann hem indringend stond aan te kijken. Het was niet de eerste keer dat hij dat had opgemerkt, maar vandaag lag er een uitdrukking in die donkerbruine ogen die hem een warm en ongemakkelijk gevoel bezorgde. Warm omdat er medeleven in die blik lag, en ongemakkelijk omdat het een gevoel was dat zijn vrouw hem niet vaak genoeg schonk. Maar ja, Ann Farris hoefde ook niet met hem onder één dak te wonen.
'Ann,' zei hij, 'de president...'
'Paul!' zei Lowell Coffey terwijl hij de kamer binnenstormde. Zijn grote hand lag nog op de deurknop en hij liep bijna tegen Ann aan.
'Kom binnen,' zei Ann. 'Er is geen reden om de deur dicht te doen, hoor. Er lekt hier toch al zoveel informatie uit.'
'Ik weet het,' zei Coffey. 'Paul, neem me niet kwalijk dat ik je stoor, maar het gaat over die controle op de bestanden uit Zuid-Korea. Je móet ervoor zorgen dat deze organisatie daar niets anders over zegt dan: "Geen commentaar". We hebben overeenkomsten gesloten met Seoul waarvan de vertrouwelijkheid gegarandeerd wordt, en als we met een beschuldigende vinger naar bepaalde groepen of personen gaan wijzen, riskeren we een aanklacht wegens laster. En we lopen bovendien het risico dat bekend wordt dat een deel van de informatie op die diskettes op nogal dubieuze wijze is verkregen.'
'Zorg dat Martha iedereen even heel duidelijk maakt dat loslippigheid gruwelijk bestraft zal worden, en laat iemand van Matts afdeling ervoor zorgen dat de computers een transcriptie maken van alle telefoongesprekken.'
'Dat kan niet, Paul. Dat is volkomen onwettig.'
'Dan doe je het maar illegaal. En zorg dat Martha iedereen vertelt dat we dat doen.'
'Paul...'
'Schiet op, Lowell! Met die godverdomde burgerrechtenbeweging reken ik later wel af. We kunnen nu geen tijd en aandacht gaan verspillen aan het dichten van allerlei lekken, en ik heb echt geen tijd om erover te piekeren wie die lekken dan wel zou kunnen veroorzaken.'

Lowell liep walgend de kamer uit.
Terwijl Hood zijn blik weer op Ann richtte, probeerde hij zijn gedachten op een rijtje te zetten. Het viel hem nu ineens op hoe mooi het sjaaltje was waarmee ze haar haren had samengebonden, en met een schuldig gevoel merkte hij dat hij zat te mijmeren hoe fijn het zou zijn om zachtjes het rood-zwarte doekje los te trekken en met zijn handen door haar lange bruine haar te woelen...
Haastig zette hij die gedachten van zich af. 'Ann, ik, eh, ik heb nog een ander klusje voor je. Heb je gehoord over die Mirage die onder vuur is genomen?'
Terwijl ze knikte, verscheen er plotseling een bedroefde blik in haar ogen. Hij vroeg zich af of ze misschien had geweten wat hij dacht. In dat opzicht bleven vrouwen voor hem een onuitputtelijke bron van verrassingen.
'Het Witte Huis zal een verklaring uitgeven die erop neerkomt dat de overdreven heftige Noordkoreaanse reactie op de aanwezigheid van ons vliegtuig boven hun grondgebied voor ons aanleiding vormt om onze strijdkrachten in dit gebied over te laten gaan naar alarmfase Defcon 3.' Hij wierp een snelle blik op de aftelklok aan de muur achter hem. 'Dat is tweeënvijftig minuten geleden gebeurd. Pyongyang zal min of meer hetzelfde verklaren en ons misschien nog een stap voor zijn, en ik denk – ik hoop – dat de president het daarbij zal laten tot we weten wat er nu precies is gebeurd bij het paleis. Als hij in dit stadium de zaak nog verder laat escaleren, mag God weten wat het Noorden gaat doen. Als Bob hier is, moeten we samen met Ernie Colon een bijgewerkt overzicht van de militaire opties samenstellen voor de president. En ik wil dat jij, Ann, een beetje tegenwicht geeft aan de grimmige persverklaringen van het Witte Huis.'
'Zodat we nog een uitweg openlaten?'
'Precies. Lawrence weigert zijn verontschuldigingen aan te bieden voor het binnendringen van hun grondgebied, dus kunnen wij dat ook niet doen. Maar als we alleen maar harde taal bezigen, zullen we uiteindelijk ook harde maatregelen moeten nemen. Laten we zorgen dat er toch iets van een spijtbetuiging in onze verklaring doorschemert, zodat we ten minste de mogelijkheid hebben om in een later stadium gas terug te nemen. Je weet wel dat ze net als alle andere soevereine naties het recht hebben om hun luchtruim te verdedigen, en dat we om dat zelf ook te doen helaas onze toevlucht hebben moeten nemen tot extreme maatregelen.'
'Lowell zal dat moeten goedkeuren...'
'Prima. Ik ben net wel wat hard tegen hem uitgevallen.'
'Dat is zijn verdiende loon. Hij is een lul.'
'Hij is een jurist,' verbeterde Hood. 'We betalen hem ervoor om advocaat van de duivel te spelen.'

Ann sloeg haar aantekenboekje dicht en aarzelde even. 'Heb je vandaag al gegeten?'
'Nee, eigenlijk niet.'
'Ik vond al dat je stem wat bibberig klonk. Wil je iets hebben?'
'Straks misschien.' Hood hoorde Bob Herberts stem op de gang en keek op naar Ann. 'Weet je wat. Als je rond half één tijd hebt, waarom laat je dan de kantine niet een paar salades brengen. Dan bespreken we onze strategie tijdens het eten.'
'Afgesproken,' zei ze op een manier die een bliksemschicht door zijn buik deed schieten.
Ann draaide zich om en terwijl hij deed alsof hij naar zijn bureau tuurde, keek hij hoe ze de kamer uit liep. Het was een gevaarlijk spelletje, maar het zou toch op niets uitlopen – dat zou hij zichzelf niet toestaan – en op dit moment was het heerlijk om wat aandacht te krijgen.
Toen Herbert zijn kantoor binnen kwam rijden, zette hij die gedachten snel van zich af. Hij belde Bugs en vroeg hem om een telefonische conferentie te regelen met de minister van Defensie.

48

Woensdag, 01.10 uur
Het Taibak-gebergte, Noord-Korea

Hemelsbreed was het niet meer dan honderddertig kilometer naar de plaats waar de Nodong-raketten stonden opgesteld, maar hun tocht werd vertraagd door zandweggetjes met diepe voren erin, die bovendien bijna net zo snel weer overwoekerd werden door struikgewas als de Noordkoreanen het konden weghalen. Pas na bijna drie uur hotsen en botsen bereikten kolonel Sun en zijn oppasser Kong eindelijk hun bestemming.
Op de top van de heuvel die uitkeek over de vallei waar de Nodong-raketten stonden opgesteld, liet Sun Kong de wagen stoppen. Hij ging langzaam rechtop in de jeep staan en staarde naar de drie vrachtwagens die in een driehoeksformatie bij elkaar stonden. De lange raketten lagen plat op de laadbakken van de vrachtwagens, onder tenten van bladeren die bedoeld waren om ze van bovenaf onzichtbaar te maken.

'Een opwindend gezicht,' zei Sun.
'Ik kan nauwelijks geloven dat we het hebben gehaald.'
'O, we hebben het gehaald, hoor,' zei Sun. Hij bleef nog even staan om van het ogenblik te genieten. 'En het zal nog veel opwindender zijn om ze te zien opstijgen.'
Het leek zo ongelooflijk. Na een jaar vol heimelijke contacten met het Noorden, van nauwe samenwerking met majoor Lee, met kapitein Bock en zijn computerdeskundige, met soldaat Koh, en zelfs met de vijand zelf, stond de Tweede Koreaanse Oorlog nu op het punt om werkelijkheid te worden. Persoonlijk hoopten Sun en Lee alle twee dat deze oorlog meer zou opleveren dan een definitief einde aan de herenigingsbesprekingen; ze hoopten dat de oorlog ertoe zou leiden dat de Verenigde Staten zich volledig en zonder enige terughoudendheid achter hun Zuidkoreaanse bondgenoten zouden opstellen. Dat zou tot de volledige vernietiging van het Noorden als militaire macht leiden. Als er dan opnieuw sprake zou zijn van hereniging, zou die niet gebaseerd zijn op een compromis, maar op kracht.
'Rij maar door,' zei Sun en liet zich weer op zijn stoel zakken.
Rammelend reed de jeep over het bergweggetje naar beneden, naar het dichtstbijzijnde geschutsemplacement. De raketten werden bewaakt door twee van luchtdoelgeschut voorziene tanks van het type ZSU-23-4 QUAD SPAAG. In hun grote, vierkante, stalen geschutskoepels stonden de vier watergekoelde lopen van hun 23-mm-kanonnen onder de maximale hoek van vijfentachtig graden omhooggericht. Beide kanonnen hadden een schootsafstand van 450 kilometer. Sun wist dat er in de omgeving nog zes andere tanks stonden opgesteld en dat de grote parabolische radarantenne op hun koepel zowel overdag als 's nachts vliegtuigen kon signaleren.
De jeep werd aangehouden door een schildwacht. Nadat hij de schriftelijke opdracht die de kolonel hem liet zien in het licht van zijn zaklantaarn bekeken had, vroeg hij de kolonel beleefd om zijn koplampen uit te zetten voor hij doorreed. Daarna salueerde hij en de jeep reed voorzichtig de heuvel af. Ze konden nu niets meer zien, maar Sun wist dat dat voor hun eigen bestwil was. Er zouden vijandelijke sluipschutters in de heuvels kunnen zitten en een kolonel zou een verleidelijk doelwit vormen.
En het zou zonde zijn, bedacht hij, om doodgeschoten te worden door een van zijn eigen landgenoten. Omdat deze kolonel over een paar uur meer zou bereiken voor Zuid-Korea dan welke andere militair in de hele geschiedenis van zijn land ooit had bereikt.

49

Woensdag, 01.15 uur
De gedemilitariseerde zone

Bij het vrachtruim van het TWA-toestel werd Gregory Donald opgewacht door iemand van de luchtvaartmaatschappij en een functionaris van de ambassade, die er beiden voor zorgden dat de douaneformaliteiten werden afgehandeld en de doodskist in de 727 werd geladen. Pas nadat het vliegtuig was opgestegen en Donald zachtjes een kus op het topje van een van zijn vingers had gegeven en die toen in de lucht had geheven, draaide hij zich om en ging aan boord van Bell Iroquois.

In iets meer dan vijftien minuten bracht de helikopter hem van het vliegveld van Seoul naar de gedemilitariseerde zone. Daar werd hij met een jeep van het vliegveld opgehaald en naar het hoofdkwartier van generaal Schneider gebracht.

Donald verheugde zich op het weerzien. In zijn drukke leven was Donald wel meer mensen tegengekomen van wie je met enig recht kon zeggen dat ze krankzinnig waren, maar Schneider was de enige generaal in dat gezelschap. Schneider was geboren tijdens de grote Depressie en letterlijk te vondeling gelegd op de stoep van de Adventurer's Club in Manhattan. Hij had altijd het idee gehad dat zijn moeder juist die plek had uitgekozen om hem te vondeling te leggen omdat hij daar verwekt was, en dat zijn vader een beroemde jager of ontdekkingsreiziger was. Zelf zag hij er in ieder geval uit alsof hij was weggelopen uit een van de avonturenromans van H. Rider Haggard. Hij was bijna één meter negentig lang en had ingevallen kaken, brede schouders en het middel van een Mr. Olympia. Hij was geadopteerd door een echtpaar dat in het 'garment district' woonde en werkte, en had dienst genomen toen hij achttien was, net op tijd om naar het front in Noord-Korea gestuurd te worden. Hij was een van de eerste adviseurs in Vietnam geweest, en een van de laatste Amerikaanse soldaten die uit dat land waren vertrokken. In 1976, nadat zijn dochter Cindy tijdens het skiën om het leven was gekomen, was hij teruggegaan naar Korea. Hij was nu vijfenzestig, maar zag er nog steeds uit als wat Donald ooit omschreven had als 'de laatste Texaan bij de Alamo': klaar, bereid en in staat om vechtend ten onder te gaan.

Schneider was een goede tegenhanger van de Noordkoreaanse generaal Hong-Koo, die berucht was om zijn opvliegende temperament, en wist verrassend goed samen te werken met de Zuidkoreaanse generaal Sam, met wie hij gezamenlijk het opperbevel voerde over de gemeenschappelijke

Amerikaans/Zuidkoreaanse Strijdkrachten in de gedemilitariseerde zone. Schneider was een man die graag krachtige taal gebruikte en die geloofde dat je een probleem altijd tegemoet moest treden met de inzet van alles wat je had, inclusief tactische kernwapens. Sam was een kille, gereserveerde man van tweeënvijftig die meer affiniteit had met dialoog en sabotage dan met rechtstreekse militaire conflicten. Omdat ze hier in Zuid-Korea zaten, had Schneider voor elke militaire actie Sams handtekening nodig; maar de Noordkoreanen vonden de sinofobe Schneider angstaanjagend, en Donald had altijd het idee gehad dat hij van die rol genoot... en die zo zwaar aanzette als hij maar kon.

Het was ironisch, bedacht Donald terwijl hij het hoofdkwartier van de generaal binnenliep: drie kantoren en een slaapkamer in een klein houten gebouwtje aan de zuidkant van het kazerneterrein. Schneider en Gregory leken absoluut niet op elkaar, maar toch hadden ze op de een of andere manier altijd heel goed bij elkaar gepast, nog beter dan een paar sokken. Misschien kwam het omdat ze ongeveer even oud waren en zich alle twee in een moeilijke tijd, een tijd van grimmige oorlogen, omhoog hadden gewerkt. Of misschien had Schneider het wel bij het rechte eind gehad toen hij het het 'Laurel & Hardy'-syndroom had genoemd: telkens als de diplomaten er een potje van gemaakt hadden, moesten de militairen het weer opruimen.

Toen Donald aankwam, was de generaal aan het bellen, en hij wuifde dat Donald binnen kon komen. Nadat hij het stof van zijn broek had geslagen, ging Donald op een witte leren bank langs de muur zitten. Schneider was erg proper in dat soort dingen.

'... kan me verdomme geen ruk schelen wat het Pentagon ervan vindt,' brulde Schneider met een stem die voor zo'n fors gebouwde man verrassend hoog en schril klonk. 'Ze hebben een Amerikaanse militair gedood zonder haar vliegtuig zelfs maar een waarschuwing te geven. Wat? Ja, ik weet dat ze zich in hun luchtruim bevonden. Maar ik heb gehoord dat ze de een of andere computervoodoo hebben gebruikt om onze spionagesatellieten uit te schakelen, dus we hadden toch geen keuze? En daarom zijn die klootzakken toch ook indringers, hoogtechnologische saboteurs? O, niet volgens de internationale verdragen? Wel, dan steekt u die maar in uw reet, senator. En nu wil ik ú eens iets vragen: wat doen we als de volgende Amerikaanse soldaat wordt gedood?'

Generaal Schneider viel stil, maar hij bleef niet stilzitten. Zijn bloeddoorlopen ogen schoten als kleine machientjes heen en weer in hun kassen, en hij liet zijn hoofd voorover hangen op zijn breedgewelfde schouders, als een stier die op de torero staat te wachten. Toen greep hij een briefopener en begon ermee in een zwaar gehavend kussen te stoten dat daar speciaal

voor neergelegd leek te zijn.
Na bijna een minuut stilte zei hij op een wat rustiger toon: 'Senator, ik zal heus geen internationaal incident uitlokken, en als u hier was, zou ik u een schop voor uw kont geven omdat u zoiets zelfs maar durft te suggereren. Ik hecht meer waarde aan de veiligheid van mijn troepen dan aan mijn eigen leven, of aan dat van wie dan ook. Maar, senator, aan de eer van mijn land hecht ik nog veel meer waarde dan aan al die levens samen, en ik blijf hier niet stilzitten terwijl erop gescheten wordt. Als u het daar niet mee eens bent, heb ik hier het telefoonnummer van de krant uit het kiesdistrict waar u vandaan komt. Ik denk dat uw kiezers wel eens een andere kijk op de zaak zouden kunnen hebben. Nee... ik probeer u niet te bedreigen. Het enige wat ik zeg is dat ik u blijf opporren tot u eindelijk eens laat zien dat u een vent met kloten bent. Uncle Sam heeft al een blauw oog. Als iemand ons andere oog ook nog dichtslaat, kunnen we het maar beter niet bij een verontschuldiging laten. Goedemorgen, senator.'
De generaal gooide de hoorn op de haak.
Donald pakte zijn pijp uit de zak van zijn jasje en begon hem te stoppen. 'Goed gezegd...'
'Dank je wel.' De generaal haalde eens diep adem, liet de brievenopener in het kussen zitten en ging rechtop zitten. 'Dat was de voorzitter van het Armed Services Committee.'
'Dat dacht ik al.'
'Hij heeft zonnebloemen in zijn onderbroek en denkt dat zijn scheten lichtstralen zijn,' zei de generaal.
'Ik weet niet of ik wel begrijp wat dat betekent,' zei Donald, 'maar het klinkt goed.'
'Het betekent dat hij allemaal van die godverdomde verheven ideeën heeft en intellectueel doen verwart met gelijk hebben.' Hij stak beide handen uit en klemde ze om die van Donald heen. 'Ach, naar de hel met die vent. Hoe gaat het met jóu?'
'Ik heb nog steeds het gevoel dat ik alleen de hoorn maar hoef op te nemen om haar te bellen.'
'Ik weet het. Toen mijn dochter stierf, heb ik me maandenlang net zo gevoeld. Shit, zelfs nu toets ik haar nummer nog wel eens in zonder de hoorn van de haak te nemen. Dat is een natuurlijke reactie, Greg. Ze hóórt hier te zijn.'
Donald moest zijn tranen wegknipperen. 'Verdomme...'
'Ach man, als je wilt huilen, dan doe je dat toch? De zaken kunnen wel even wachten hoor. Je weet dat Washington er ontzettend de pest aan heeft om aan een strafschop te beginnen voordat ze een diepgaande studie hebben gemaakt van alle mogelijke manieren om de bal in het doel te krijgen.'

Donald schudde zijn hoofd en ging verder met het stoppen van zijn pijp. 'Het gaat wel. Ik heb er behoefte aan om te werken.'
'Weet je dat zeker?'
'Ja. Heel erg zeker.'
'Heb je honger?'
'Nee, ik heb net samen met Howard wat gegeten.'
'Goh, wat zal dat opwindend zijn geweest.' Met een klap legde Schneider zijn zware hand op Donalds schouder en gaf hem een kneepje. 'Geintje. Norbom is een goeie vent. Alleen een beetje te voorzichtig. Hij wilde me pas extra troepen en materieel sturen toen hij zeker wist dat we over zouden gaan naar Defcon 3... zelfs nadat onze verkenningsofficier was doodgeschoten.'
'Daar heb ik op weg hierheen over gehoord. Het was een vrouwelijke officier...'
'Inderdaad. Nu krijgen we over de Noordkoreaanse legerzender te horen dat ze ons maar een stelletje lafaards vinden die zich achter de rokken van vrouwen verschuilen. Dat moet je het Noorden nageven: het lijkt me heerlijk om je er niet druk om te hoeven maken hoe politiek correct je wel bent. Shit, in die goeie ouwe tijd was jij de enige diplomaat in de hele stad. Nu moeten we allemaal van die gouden tongetjes hebben.'
'Het is niet zoals het geweest is.'
'Nee, dat kun je wel zeggen. Zal ik jou eens wat vertellen, Greg? Als ik hier zo zit, krijg ik zo af en toe zin om er gewoon de brui aan te geven en weer labels in hemden te gaan zitten naaien, zoals ik deed toen ik nog een kind was. Als iets juist was of noodzakelijk, dan deed je het vroeger gewoon. Je hoefde verdomme niet met de hoed in de hand naar de Verenigde Naties om de Oekraïne te vragen of je in je eigen woestijn je eigen bommen mag testen. Jezus, generaal Bellini, die bij de NAVO zit, heeft me verteld dat hij een tv-interview heeft gezien met een stelletje Fransen die nog steeds nijdig zijn omdat we op D-DAY per ongeluk hun huizen platgegooid hebben. Wie is er verdomme op het idee gekomen om een tv-camera op die lulhannesen te richten en te zeggen dat ze moesten gaan klagen. Wat is er toch gebeurd met het gezonde verstand?'
Donald had geen lucifers meer en stak zijn pijp aan met de handgranaat-aansteker op het bureau van de generaal. Pas nadat hij de veiligheidspin eruit had getrokken, viel het hem in dat het ook wel eens géén aansteker had kunnen zijn.
'Je hebt het zelf al gezegd. Televisie. Iedereen heeft nu de kans om zijn zegje te zeggen, en er is geen enkele politicus die zelfverzekerd genoeg is om daar geen aandacht aan te besteden. Je had die senator moeten vertellen dat je een vriendje bij *Sixty Minutes* hebt zitten. Daar zou hij waarschijnlijk

pas echt van geschrokken zijn.'
'Amen,' zei Schneider terwijl ze naast elkaar op de bank gingen zitten. 'Wel, wie weet komen er nog eens andere tijden. Kun je je die slaaf in *De Tien Geboden* nog herinneren, die vent die voor hij stierf de Verlosser nog wilde aanschouwen... en toen kreeg hij een bijl in zijn maag, en hop, ineens stond Charlton Mozes Heston klaar om hem op te vangen. Zoiets wil ik ook. Voor ik sterf, wil ik degene aanschouwen die ons zal verlossen van deze afschuwelijke flauwekul, die gewoon doet wat er gedaan moet worden, ook als hem dat een bijl in zijn maag oplevert. Als ik niet zoveel om mijn manschappen gaf, zou ik verdomme nu meteen opmarcheren naar Pyongyang en ze namens verkenner Margolin een draai om hun oren geven.'

De strategiebespreking duurde niet lang. Donald zou met de eerstvolgende patrouille meegaan, met een eigen chauffeur, een verkenner, een digitale videocamera met nachtkijker en een jeep. Ze zouden twee keer drie kilometer langs de gedemilitariseerde zone rijden, en dat twee uur daarna nog eens doen. In het hart van het grensgebied was twee uur lang genoeg om veranderingen op te merken.
De tocht langs de gedemilitariseerde zone duurde vijfendertig minuten en verliep zonder opmerkelijke gebeurtenissen. Daarna werd de digitale videoband aan een officier van de verbindingsdienst gegeven die hem naar Bob Herbert zou sturen.
Tijdens de pauze tussen de eerste en tweede rit, sloeg Donald Schneiders advies om wat rust te nemen in de wind en liep in plaats daarvan naar het radiocentrum, een houten schuur die was onderverdeeld in vijf hokjes die alle vijf waren volgepropt met radio's, telefoons en een computer vol met int-sigbestanden. Die bestanden bevatten niet alleen de intervalsignalen die werden gebruikt om de verschillende zenders te identificeren, maar ook de exacte locatie in graden en minuten van iedere zender in Azië en in de Pacific, plus de azimut – ten opzichte van het magnetische Noorden – van het punt waar de ontvangst van die zenders het sterkst was, een frequentieschema in kilohertz dat nuttig kon zijn om de oorsprong van individuele signalen te bepalen, en een SSRVA-troubleshooter: een programma dat hielp bij het oplossen van problemen met de Sterkte, Storing, Ruis, Voortplanting en Algemene kwaliteit van het signaal.
Donald ging in het hokje zitten dat net gebruikt was door de verbindingsofficier aan wie hij de cd had overhandigd. Hij was alleen maar geïnteresseerd in een enkele zender. En hij wist dat het geen probleem zou zijn om een boodschap te versturen naar een punt op nog geen acht kilometer afstand.

Hij liet de computer de zenders in de gedemilitariseerde zone controleren. Het waren er twee: kortegolf en middengolf. Hij koos de eerste, die uitzond op 3350 kHz, pakte de kleine microfoon op en sprak een kort, mondeling bericht in:

> *'Aan generaal Hong-Koo, commandant van de strijdkrachten van de Volksrepubliek Korea op Basis Nr. 1, gedemilitariseerde zone. Ambassadeur Gregory Donald laat u beleefd groeten en verzoekt om een onderhoud in de neutrale zone wanneer het u maar schikt. Ik poog een einde te maken aan de escalatie van de vijandelijkheden en hoop dat u zodra het u schikt op ons verzoek wilt ingaan.'*

Donald herhaalde het bericht en ging toen verslag uitbrengen aan generaal Schneider. De generaal had van zijn eigen mensen al gehoord wat Donald had gezien: dat de gelederen aan het front gesloten werden, en dat er tanks, lichte artillerie en ondersteunend personeel werden aangevoerd. Schneider was niet verrast door deze plotseling troepenconcentratie en maakte zich er ook geen zorgen over, hoewel hij wel graag zou willen dat generaal Sam hem toestemming zou geven om zelf ook iets dergelijks te doen. Maar Sam wilde niet in actie komen zonder toestemming van Seoul, en Seoul wilde daar geen toestemming voor geven tot president Lawrence Defcon 2 had afgekondigd en de situatie had besproken met president Ohn Mong-Joon. Donald wist dat het eerste niet zou gebeuren als er zich niet nog zo'n incident als met de Mirage zou voordoen, en dat de twee mannen een officieel gesprek uit de weg zouden gaan tot ze samen met hun adviseurs hadden besloten wat hun te doen stond. Op die manier zouden ze in het openbaar snel tot overeenstemming kunnen komen en de wereld kunnen tonen dat ze het volkomen met elkaar eens waren en dus snel en slagvaardig konden reageren.

Donald kon nu alleen maar afwachten of het Noorden op zijn uitnodiging zou ingaan... en wat Schneiders reactie zou zijn als ze dat inderdaad zouden doen. Zou hij Donalds uitnodiging beschouwen als een laffe daad of als een verlossing?

50

Woensdag, 01.20 uur
Het dorpje Yanguu

Het boerderijtje was van steen, met een rieten dak en een houten veranda. De deur werd dichtgehouden met een klink en was niet voorzien van een slot. Aan weerszijden van de deur zat een raam met vier ruitjes erin. Het bouwsel maakte een betrekkelijk nieuwe indruk; noch het rieten dak, noch de stenen zagen eruit of ze meer dan twee regenachtige winters hadden moeten doorstaan.

Cho keek achterom naar Hwan, die snel knikte. De chauffeur deed de lichten uit, pakte een zaklantaarn uit het dashboardkastje en stapte de druilerige motregen in. Terwijl hij Kims portier opentrok, stapte Hwan eveneens uit.

'Ik beloof u dat ik er niet vandoor zal gaan,' zei Kim tegen Hwan. Er klonk een lichte verontwaardiging in haar stem. 'Ik kan hier toch nergens heen.'

'Maar er gaan voortdurend mensen vandoor, mevrouw Chong, en bovendien is het ons beleid. Ik ben eigenlijk mijn boekje al te buiten gegaan door u hierheen te brengen zonder handboeien om.'

Terwijl Cho vlak naast haar bleef staan, stapte ze soepel de wagen uit. 'U hebt gelijk, meneer Hwan. Neemt u me niet kwalijk.' Met die woorden liep ze voor hen uit en verdween bijna meteen in het duister. Snel griste Cho de sleutels uit het contactslot en met de zaklantaarn in zijn hand rende hij haastig achter haar aan, gevolgd door Hwan.

Kim tilde de klink omhoog en liep het huisje binnen. Ze pakte een houten lucifer uit een glazen kom op een tafeltje naast de deur en stak de her en der door het enige vertrek verspreide kaarslampen aan. Toen ze een andere richting uit keek, gebaarde Hwan dat Cho buiten op wacht moest gaan staan, en Cho liep zwijgend het huisje uit.

Nu de kleine ruimte werd gevuld met een oranje gloed, zag Hwan een piano, een netjes opgemaakt dubbel bed, een klein rond tafeltje met één stoel en een bureau dat vol stond met ingelijste foto's. Terwijl ze door de kamer liep, volgde hij haar met zijn blik. Ze bewoog zich gracieus en leek vrede te hebben met wat het lot haar die dag had toebedeeld. Hij vroeg zich af of dat kwam doordat ze zich nooit echt bij haar werk betrokken had gevoeld of omdat ze over een pragmatische, confucianistische instelling beschikte. Of omdat ze hem straks de grootste nederlaag van zijn hele leven zou laten lijden.

Hij kwam dichterbij staan. Er waren geen foto's bij van Kim zelf, maar dat verraste hem niets. Als ze ooit onverwacht zou moeten vluchten, zou Pyongyang geen foto's van een van hun spionnen willen hebben rondslingeren op een plek waar de KCIA ze zou kunnen vinden. Hij pakte een van de foto's op.

'Uw moeder en uw broer?'

Kim knikte.

'Leuke mensen, zo te zien. En dat was uw huis?'

'Ja.'

'En dit boerderijtje... Is het speciaal voor u gebouwd?'

'Alstublieft, meneer Hwan, nu verder geen vragen meer.'

Nu was het Hwan die zich terechtgewezen voelde. 'Pardon?'

'We hadden een afspraak... een wapenstilstand.'

Hwan liep op haar af. 'Mevrouw Chong, zo'n afspraak hebben we helemaal niet gemaakt. Misschien hebt u een verkeerd idee van onze relatie?'

'Ik heb helemaal niets verkeerd begrepen. Ik ben uw gevangene, maar ik zal mijn land niet verraden door te gaan samenwerken met de KCIA, en ik vind het onbehoorlijk dat u met al die vragen over mijn ouderlijk huis en mijn familie op een slinkse manier mijn vertrouwen probeert te winnen. Ik vrees dat ik me al gecompromitteerd heb door u hierheen te brengen.'

Hwan voelde zich gegriefd. Niet omdat hij iets had gevraagd en toen een weigering had moeten incasseren: het was zijn werk om erachter te komen of dit boerderijtje door plaatselijke bouwvakkers was gebouwd of door infiltranten die de KCIA misschien nog niet kende, en het was haar werk om ervoor te zorgen dat hij dat niet te weten kwam. Wat hem nijdig maakte, was dat ze volkomen gelijk had. Kim Chong mocht dan geen overtuigde spionne zijn, ze hield van haar vaderland en hij zou haar niet nog een keer zo onderschatten.

Terwijl Hwan recht achter haar ging staan, liet Kim zich op het met groen fluweel beklede krukje voor de piano zakken en speelde een paar maten van een jazz-achtig stuk muziek. Toen ze klaar was, tilde ze de klep van de piano op en stak haar beide handen erin. Hij hield haar scherp in de gaten, maar als ze dat al opmerkte, liet ze er niets van blijken. Met beide handen draaide ze een vleugelmoer op een metalen klamp los, trok de klamp omhoog en haalde een kleine radio uit het kastje. Aan de andere kant zat een klamp die iets op zijn plaats hield dat met draden aan de klep verbonden was, waarschijnlijk een bom.

Hwan zag dat de radio een hypermoderne Israëlische Kol 38 was. De KCIA was nog aan het onderhandelen over de aanschaf ervan. De gebruiker van zo'n radiozender kon zonder hulp van een satelliet afstanden van meer dan duizend kilometer overbruggen. Het apparaat bestond uit een ontvanger en een zender, zodat agenten in het veld een 'telefonische vergadering' met

hun hoofdkwartier konden houden. De eenheid liep op lichtgewicht cadmiumbatterijen en was daarom bijzonder geschikt voor afgelegen locaties als deze. Zelfs de Amerikaanse modellen waren minder betrouwbaar.
Ze liep naar het raam, duwde het open en zette de radio op de vensterbank. Voordat ze hem aanzette, legde ze terloops haar hand op het LCD-schermpje op de bovenkant van het apparaat, zodat Hwan niet kon zien op welke frequentie het apparaat stond ingesteld.
'Als je ook maar iets zegt, wordt dat opgevangen door de microfoon. Ze mogen niet weten dat mijn identiteit bij jullie bekend is.'
Hwan gaf een knikje.
Kim drukte een knop in en naast de ingebouwde condensatormicrofoon boven in het apparaat ging een rood lampje aan.
'Seoul Oh-Miyo voor thuisbasis, Seoul Oh-Miyo voor thuisbasis, over.'
Wat een melodramatische codenaam, dacht Hwan. Op de een of andere manier paste die wel bij de maalstroom van Wagneriaanse gebeurtenissen rondom hen.
Een ogenblik later kwam er een antwoord uit het apparaat. De stem klonk zo vol en duidelijk, dat Hwan ervan schrok.
'Thuisbasis voor Seoul Oh-Miyo. Over.'
'Thuisbasis, ik moet weten of er legerschoenen, legerexplosieven en andere militaire uitrustingsstukken zijn gestolen. De KCIA heeft daar vandaag sporen van aangetroffen in het paleis. Over.'
'Hoe lang geleden heeft die diefstal plaatsgevonden? Over.'
Kim keek naar Hwan. Hij stak tien vingers op en met geluidloos bewegende lippen vormde hij het woord 'maanden'.
'Tien maanden,' zei ze. 'Over.'
'Zal opnieuw contact opnemen zodra informatie beschikbaar is. Over en uit.'
Kim drukte op de uit-knop.
Hwan wilde haar vragen of dit soort dingen in het Noorden net zo zwaar geautomatiseerd waren als in het Zuiden, maar in plaats daarvan zei hij: 'Hoe lang zou dit kunnen gaan duren?'
'Een uur... misschien wel langer.'
Hij hield zijn horloge bij een kaars en keek toen naar het donkere silhouet van Cho, die naast de auto stond. 'We nemen de radio mee en gaan terug.'
Ze bleef staan. 'Dat kan ik niet doen.'
'U hebt geen keuze, mevrouw Chong.' Hij kwam dichterbij. 'Ik heb geprobeerd om beleefd tegen u te zijn...'
'We hebben er allebei bij te winnen...'
'Néé! Het weerhoudt ons ervan om af te zakken tot het peil van wilde beesten. Maar ik moet dit onderzoek wel onder controle zien te houden en

van hieruit kan ik dat niet. Ik beloof u dat niemand naar het schermpje op uw radio zal kijken. Wilt u nu alstublieft doen wat ik zeg?'
Kim aarzelde, maar klemde toen de radio onder haar arm en trok het raam dicht. 'Oké. Om niet af te glijden naar het peil van de wilde dieren.'
Ze liepen naar buiten. De zaklantaarn flitste aan om hen bij te lichten, en het duistere silhouet naast de wagen opende het portier om Kim in de wagen te laten stappen.

51

Dinsdag, 11.30 uur
Het Op-Center

De gezichten van Ernesto Colon en Bugs Benet waren zo verschillend van elkaar als twee menselijke gezichten maar kunnen zijn. Het gespannen gezicht van de drieënzestig jaar oude minister van Defensie zweefde in een rood kader op het beeldscherm van Hoods computer. Hij had de leiding gehad over een belangrijk toeleveringsbedrijf van het Ministerie van Defensie en was bovendien ooit staatssecretaris van Marine geweest. Zijn gezicht deed denken aan het portret van Dorian Gray: iedere beslissing die hij de afgelopen twee jaar als minister had moeten nemen, stond erop te lezen, niet alleen de paar die goed uitgevallen waren, maar ook de vele beslissingen die ongewenste gevolgen hadden gehad.
Bugs was vierenveertig en had een mollig cherubijnengezicht met glanzende oogjes waarop niets te bespeuren viel van de druk die het beheer van Hoods agenda en het verwerken van zijn documenten met zich meebracht. Hij was eerste assistent van de Republikeinse gouverneur van Californië geweest toen de Democraat Hood burgemeester van Los Angeles was, en ze hadden buitengewoon goed met elkaar overweg gekund; 'als een stelletje samenzweerders' had de gouverneur meer dan eens opgemerkt.
Hood had het altijd vreemd gevonden dat het veel meer spanning met zich meebracht om te gaan zitten en een besluit te nemen dan om druk rond te moeten rennen om dat besluit ten uitvoer te brengen. Het geweten is een strenge en veeleisende meester.
Toch koesterde Hood een diep respect voor Bugs, die niet alleen met het

sombere gepeins van zijn chef wist om te gaan, maar ook met het slechte humeur en de vele eisen van mensen als Colon... en voor Bob Herbert, die in behoedzaamheid nauwelijks onderdeed voor Lowell Coffey. Het verschil tussen beide mannen was dat Coffey alleen maar beducht was voor rechtszaken terwijl Bob Herbert aan den lijve had ondervonden wat er kon gebeuren als je niet met alle eventualiteiten rekening hield.

Benet en Herbert beperkten zich voornamelijk tot luisteren terwijl Hood en Colon op de computer verschillende simulaties doornamen en de militaire opties formuleerden die ze de president zouden voorleggen. Hoewel ze de timing en de concrete details zouden overlaten aan de gezamenlijke chefs van staven en hun commandanten te velde, waren beide mannen van mening dat de strijdkrachten van de marine en het korps mariniers die vanuit de Indische Oceaan al onderweg waren naar Zuid-Korea, aangevuld dienden te worden met drie slagschepen en twee vliegkampschepen van de Pacific-vloot. Bovendien zouden er reservisten moeten worden opgeroepen en diende er vijftigduizend man overgeplaatst te worden vanuit Saoedi-Arabië, Duitsland en de Verenigde Staten. Ze zouden ook aanbevelen om onmiddellijk zes Patriot-raketten over te laten brengen naar Zuid-Korea. Hoewel de Patriots tijdens de Golfoorlog nauwelijks effectief waren gebleken, zouden ze – als ze het deden – prachtige tv-beelden opleveren, en tijdens deze crisis zou het van het grootste belang zijn dat het publiek enthousiast bleef. Tegelijkertijd zouden er, met heel wat minder tamtam, een paar tactische kernraketten moeten worden overgebracht vanuit Hawaii. De Democratische Volksrepubliek Korea was weliswaar nog steeds geen kernmacht, maar er waren genoeg landen die de Noord-Koreanen best een kernbom verkocht konden hebben.

De twee mannen maakten ook een calculatie van het te verwachten aantal slachtoffers: zowel tijdens een 'korte oorlog' van twee of drie weken, gevolgd door een door de VN gecontroleerde wapenstilstand, als tijdens een 'lange oorlog' van minimaal zes maanden. Zonder kernaanvallen zou een korte oorlog de Verenigde Staten minstens vierhonderd doden en drieduizend gewonden kosten; voor een lange oorlog zouden die cijfers op zijn minst met tien vermenigvuldigd moeten worden.

Tijdens dit gesprek bleef Bugs zijn mond houden en deed Herbert maar drie keer een suggestie. De eerste was om slechts een minimaal aantal militairen vanuit het Midden-Oosten over te plaatsen tot er meer bekend was over de identiteit van de terroristen. Het leek hem nog steeds mogelijk dat dit een manoeuvre was om de aandacht van de Verenigde Staten op een gefingeerd front te richten, zodat er elders een oorlog begonnen kon worden. De tweede was dat hij tot dat er weer satellieten beschikbaar waren, genoeg tijd moest krijgen om de recente gegevens te bestuderen die zij en

CIA-directeur Kidd nog zouden weten te verzamelen voordat er troepen werden ingezet. En de derde was om geen enkele troepenmacht het veld in te sturen zonder een antiterrorisme-eenheid. De suggesties werden alle drie in de nota opgenomen. Hood wist dat Herbert soms heel chagrijnig kon zijn, maar hij had hem aangenomen om zijn deskundigheid en niet om zijn charme.

Terwijl Bugs de ruwe eerste versie van het document op het scherm bracht, zodat de mannen het konden doorlezen, begon de telefoon op Herberts rolstoel te piepen. Paul keek even snel opzij toen Bob op de luidsprekerknop drukte.

'Wat is er, Rachel?'

'We hebben bericht ontvangen van onze agent in het militaire communicatiestation in Pyongyang. Hij zegt dat hij moeite heeft gehad om contact met ons op te nemen omdat de autoriteiten hier net zo verrast lijken te zijn door de gebeurtenissen van vandaag als wij.'

'Dat betekent niet dat ze schone handen hebben.'

'Nee, maar hij zei wel dat ze net bericht hebben ontvangen van een agente uit Seoul. Ze vroeg informatie over de mogelijke diefstal van legerschoenen en explosieven van een basis in het Noorden.'

'En dat werd gevraagd door een Nóórdkoreaanse agente?'

'Ja.'

'Die agente moet te weten zijn gekomen welke aanwijzingen de KCIA heeft gevonden. Stel directeur Yung-Hoon op de hoogte van het feit dat er ergens een lek in onze organisatie schijnt te zitten. Hebben wij dat bericht zelf ook opgevangen?'

'Nee. ik heb contact opgenomen met soldaat Koh in het communicatiecentrum in de gedemilitariseerde zone. De boodschap is niet verzonden via een satellietverbinding.'

'Bedankt, Rachel. Stuur de tekst van het bericht maar naar Bugs.' Nadat hij had opgehangen, richtte hij zijn blik op Hood, die knikte. 'Noord-Korea is bezig uit te zoeken of het materiaal waarmee de bomaanslag is gepleegd uit een van hun arsenalen gestolen kan zijn. Het ziet ernaar uit dat we allemaal om de tuin geleid zijn door iemand die oorlog wil.'

Terwijl Hood zijn blik van Herbert afwendde en hij weer naar de monitor keek, schoten de woorden van de president hem weer te binnen: 'Of het Noorden daar nu wel of niet bij betrokken was, Paul, nu zijn ze er wel in verwikkeld... tot aan hun nek!'

Terwijl de specificaties van de troepenbewegingen uit het bestand WARGAMES werden samengevoegd met de herziene nota Beleidsopties, gebruikte Colon zijn code om zijn deel van het document te ondertekenen en verbrak daarna de verbinding. Meteen nadat Colon het niet meer kon

horen, zei Hood: 'Bugs, ik wil dat de tekst van dat radiobericht voorin komt te staan en dat je er een korte kanttekening bij zet die ik zelf zal intikken. En vraag of Ann Farris even aan de lijn komt, wil je?'
Hood dacht even na. Hij beschikte niet over Anns vermogen om beknopt te formuleren, maar ergens in het permanente bestand van de Crisisgroep wilde hij een waarschuwing hebben staan. Hij maakte een venster dat ze op haar monitor ook te zien zou kunnen krijgen en begon moeizaam te typen. Herbert manoeuvreerde zijn rolstoel naast hem en las mee over Hoods schouder.

Meneer de president, ik deel uw verontwaardiging over de aanval op onze straaljager en het verlies van een officier. Ik wil echter met klem aandringen op zelfbeheersing: uit kracht, niet uit zwakte. We hebben veel te verliezen en weinig te winnen door verwikkeld te raken in een gevecht met een tegenstander die wellicht niet onze werkelijke vijand is.

'Prima, chef,' zei Herbert. 'U mag dan misschien niet namens de Crisisgroep spreken, maar u spreekt zeker namens mij.'
'En namens mij,' zei Ann Farris. 'Ik zou het zelf niet beter geformuleerd kunnen hebben.'
Hood sloeg het addendum op en liet Anns gezicht op het scherm verschijnen. Verslaggevers tijdens een telefoongesprek ergens van overtuigen was iets waar ze zo goed in was, dat hij alleen maar kon bepalen wat ze werkelijk van iets vond als hij haar gezicht kon zien.
Ze meende wat ze had gezegd. In de zes maanden dat hij haar nu kende, was dit de eerste keer dat ze niet aan zijn tekst had zitten knoeien.
Herbert reed het kantoor uit en Ann keerde weer terug naar haar conferentie met de persvoorlichter van het Witte Huis. Nadat Hood de rest van de herziene nota had doorgelezen, gaf hij Bugs opdracht om die over de beveiligde lijn door te faxen. Alleen en verrassend ontspannen, voor het eerst die dag, belde hij het ziekenhuis, waar hij niet te horen kreeg wat hij had verwacht.

52

Woensdag, 01.45 uur
De gedemilitariseerde zone

De soldaten in het radiocentrum zaten geintjes te maken met soldaat Koh toen er een aankondiging werd ontvangen dat het hoofdkwartier van generaal Hong-Koo een radiobericht wilde sturen. Hong-Koo was de opperbevelhebber van het leger van de Democratische Volksrepubliek Korea en daarom waren ze onmiddellijk alert: de grapjes over de bruine arm die Koh na zo'n vrijwillige dubbele dienst wel zou hebben, verstomden onmiddellijk, en om zich ervan te vergewissen dat de aankondiging inderdaad van de andere kant van de gedemilitariseerde zone afkomstig was, speelden ze de coördinaten terug die door de richtantenne waren opgenomen. En om te bevestigen dat degene die het bericht had ingesproken inderdaad Hong-Koo's adjudant Kim Hoh was, zochten ze in hun computerbestanden naar een stemafdruk. Aan de hand daarvan wist de computer binnen enkele seconden vast te stellen dat het bericht inderdaad van de adjudant afkomstig was. Uiteindelijk, minder dan dertig seconden nadat de aankondiging was ontvangen, verzonden ze een bevestiging en zetten ze de dubbele cassetterecorder aan om een opname van het bericht te maken en die meteen na ontvangst te kopiëren. Een soldaat belde generaal Schneider om te melden dat er een bericht van het Noorden was ontvangen, en kreeg te horen dat hij het bandje meteen nadat de kopie klaar was, moest komen brengen. Van de vijf manschappen was Koh degene geweest die, toen het bericht was binnengekomen, het aandachtigst had zitten luisteren:

> *Aan voormalig ambassadeur Gregory Donald op Basis Charlie. Generaal Hong-Koo, commandant van de strijdkrachten van de Volksrepubliek Korea beantwoordt uw groet en accepteert uw uitnodiging voor een bespreking in de neutrale zone om 08.00 uur.*

Terwijl een van de manschappen de ontvangst van het bericht bevestigde, rende de ander met een kopie van de bandopname en een cassetterecorder naar het verblijf van de generaal.

Koh zei tegen de twee overgebleven manschappen dat hij toch eigenlijk wel moe was en even een kop koffie en een sigaret wilde hebben. Toen hij eenmaal buiten was, verborg hij zich in de schaduw van een dichtbij geparkeerde vrachtwagen en knoopte zijn overhemd open. Er zat een draagbare telefoon aan zijn bovenarm gegespt, en nadat hij de riem had losgemaakt, trok hij de antenne uit en toetste het nummer van Lee in.

'Je kunt hier maar beter een korte en verhelderende verklaring voor hebben,' zei Schneider toen Gregory binnenkwam, 'want slaperige vuurpelotons maken me altijd nerveus.'
De generaal was gekleed in een kamerjas en een pyjama, en in zijn rechterhand had hij een cassetterecorder en een koptelefoon.
Donalds hart begon te bonken. Hij maakte zich niet druk om generaal Schneider, maar wel over het Noordkoreaanse antwoord.
Hij nam de recorder aan, drukte de koptelefoon met één kant tegen zijn oor en luisterde naar het bericht. Toen het was afgelopen, zei hij: 'De verklaring is dat ik om een gesprek heb gevraagd en gekregen heb waar ik om gevraagd heb.'
'Dus je hebt wèrkelijk zoiets idioots gedaan, en illegaal nog wel, vanuit een radiocentrum waarvoor ík de verantwoording heb?'
'Ja, ik hoop dat we ons allemaal redelijk zullen kunnen opstellen om een oorlog te voorkomen.'
'Wij, Gregory? Ik ga niet met Hong-Koo aan de onderhandelingstafel zitten. Je kunt dan wel denken dat je een of ander succesje hebt behaald door hem over te halen tot een gesprek, maar hij zal alleen maar gebruik van je maken. Waarom denk je dat hij eerst een paar uur wil wachten? Zodat ze alles zorgvuldig kunnen voorbereiden. Terwijl jij daar zit te slijmen, nemen ze een foto van je, en dan lijkt het alsof de president in het geheim heel andere dingen zegt dan in het openbaar...'
'Is dat dan niet zo?'
'Nee, niet in dit geval. Ik heb van iemand in het kantoor van Colon gehoord dat hij zich vanaf het eerste begin heel agressief heeft opgesteld, en terecht. Die klootzakken hebben de binnenstad van Seoul opgeblazen. Ze hebben je eigen vrouw vermoord, Gregory...'
'Dat wéten we niet,' zei hij met op elkaar geklemde kaken.
'Maar we weten wèl dat ze een van onze vliegtuigen hebben beschoten, Greg! We kunnen een lijkzak laten zien om het bewijzen!'
'Ze hebben overtrokken gereageerd, en dat is precies wat wij nu moeten zien te vermijden...'
'Defcon 3 is geen overtrokken reactie, alleen maar verstandig militair beleid, en de president was niet van plan om verder te gaan dan dat. Hij wilde ze gewoon even een beetje laten zweten.' Schneider stond op en duwde zijn grote handen in zijn zakken. 'Christus, wie weet wat hij nu gaat doen, na dat liefdesbriefje van jou?'
'Nu overdrijf je.'
'Nee, ik overdrijf helemaal niet. Je snapt het echt niet, hè? Het zou best

eens kunnen dat de president door jouw toedoen in een situatie is beland waarin hij niet kàn winnen.'
'Hoe dan?'
'Wat gebeurt er als Noord-Korea je olijftak aanneemt maar weigert om zijn troepen terug te trekken voordat de president dat doet? Als hij weigert, zal dat de indruk wekken dat hij een kans op vrede heeft verspeeld, maar als hij zich terugtrekt, zal dat worden uitgelegd als een teken van zwakte.'
'Flauwekul...'
'Gregory, denk eens even na! Hoe geloofwaardig denk je dat hij zal overkomen als het erop lijkt dat jij degene bent die zijn buitenlandse beleid bepaalt? Wat moeten we de volgende keer dat iemand als Saddam Hoessein of Raoul Cedras een greep naar de macht doet, of als de een of andere halvegare raketten op Cuba neerzet? Gregory Donald dan maar sturen?'
'Ja, dan praat je met ze. Je probeert eruit te komen door middel van overleg. Toen JFK een blokkade rondom Cuba legde, onderhandelde hij ook als een bezetene met Chroesjtsjov over het terugtrekken van een paar van onze raketten in Turkije. Dat is hoe die crisis is bezworen. Door te praten. Dat is de manier waarop beschaafde mensen zoiets aanpakken.'
'Hong-Koo is geen beschaafd mens.'
'Maar zijn chefs wel, en sinds vanochtend is er nog geen enkel rechtstreeks contact op hoog niveau geweest. Christus, het is niet te geloven dat volwassen mensen dit soort spelletjes spelen, maar het is wel zo. De diplomaten doen een spelletje "Wie het eerst zijn ogen neerslaat, is bang". Als ik een dialoog tot stand kan brengen, zelfs met Hong-Koo...'
'En ík zeg je dat het geen zin heeft om met die man te gaan praten. Hij is nog rechtser dan Dzjenghis Khan en hij maakt gehakt van je.'
'Ga dan met me mee. Help me.'
'Dat kan ik niet doen. Ik heb je al gezegd dat deze mensen weten hoe ze propaganda moeten bedrijven. Ze zullen een korrelige film gebruiken, zwart-wit, zodat ik er ontzettend chagrijnig uitzie, alsof ik krijgsgevangen ben gemaakt. De duiven in Washington zullen buiten zichzelf zijn van woede.' Hij liet de cassette uit de recorder wippen en in zijn open hand vallen. 'Greg, ik vind het ontzettend rot voor je dat Soonji dood is, maar wat je nu wilt doen, zal niemand het leven redden. Er zijn nog steeds meer dan een miljard communisten in deze wereld, plus een miljard andersoortige radicalen, godsdienstmaniakken, etnische zuiveraars, sekteleden en God mag weten wat nog meer, en, Gregory, het zijn mensen als ik en mijn manschappen die voor de veiligheid van de andere drie miljard moeten zorgen. Het enige waar een diplomaat goed voor is, is tijd winnen... en soms wint hij die voor de tegenstander, zoals Neville Chamberlain. Met dat soort gekken valt niet te praten, Gregory.'

Donald tuurde naar zijn pijp. 'Ja... dat snap ik.'
Schneider keek hem aan met een vreemde uitdrukking op zijn gezicht, en wierp toen een snelle blik op zijn horloge. 'Je hebt nog ongeveer zes uur. Ik stel voor dat je wat gaat slapen, met buikpijn wakker wordt en die bespreking afzegt. Wat deze basis betreft bestaat je oorspronkelijke oproep niet meer. We hebben je radioboodschap van de band gewist en de coördinaten die je hebt gebruikt zijn uit het logboek geschrapt.' Hij hield de cassetterecorder omhoog. 'We hebben voor het eerst iets over die ontmoeting gehoord toen ze contact met ons opnamen. Als de Noordkoreanen zeggen dat jij als eerste contact met hen hebt opgenomen, zullen we dat ontkennen. Als ze een bandje laten horen, zullen we beweren dat het een vervalsing is. Als je ons tegenspreekt, zullen we tegenover de pers verklaren dat je door verdriet overmand was. Het spijt me, Greg, maar zo moet het nu eenmaal.'
Donald richtte zijn blik weer op zijn pijp. 'En als ik Hong-Koo zover weet te krijgen dat hij zijn troepen terugtrekt?'
'Dat lukt je niet.'
'Maar àls?'
'In dat geval,' zei Schneider, 'zal de president beweren dat hij je daar hoogstpersoonlijk heen heeft gestuurd. Dan ben je een held en zal ik je eigenhandig een lintje opspelden.'

53

Woensdag, 02.00 uur
Het dorpje Yanguu

Kim stapte in de wagen met de kleine radio dicht tegen zich aan om hem te beschermen tegen de lichte regen.
Hwan hield haar nauwlettend in de gaten. Ooit had een gevangene wiens polsen achter zijn rug geboeid waren, weten te ontsnappen door met behulp van het slot van de veiligheidsgordel zijn boeien te forceren. Maar hij hield Kim niet in de gaten omdat hij bang was dat ze ervandoor zou gaan. Dat zou ze dan wel eerder hebben geprobeerd, toen ze met zijn tweeën waren. Hij stond naar haar te kijken omdat ze hem fascineerde.

Het kwam niet vaak voor dat vaderlandsliefde en menslievendheid harmonisch in één persoon verenigd waren. Het was iets waar hij in zijn eigen leven naar streefde, maar meestal slaagde hij er niet in het te bereiken; je kon niet in de duistere kant van het menselijk leven wroeten zonder zelf vuile handen te krijgen.

Zijn gedachtengang werd onderbroken door een plotselinge beweging rechts van hem, gevolgd door een verlammende pijn in zijn zij. Toen de harde klap de lucht uit zijn longen perste, maakte hij een luid gorgelend geluid. De volgende klap bracht zijn rechterbeen aan het wankelen, zodat hij opzij viel. Om zijn val te breken, probeerde hij het open portier vast te grijpen. Hij greep mis en maakte snel een draaiende beweging, zodat hij met zijn rug tegen de zijkant van de achterbank zakte. Terwijl hij de .38 uit zijn schouderholster probeerde te wurmen, keek hij zoekend naar Cho.

Maar het was Cho niet. Het licht uit de auto wierp een vaag geel schijnsel op de hoed, en op een gezicht dat hij niet herkende, een gezicht met een strakke, wrede uitdrukking erop.

Dat rotwijf, dacht hij. Ze had hier een handlanger...

Zijn rechterhand tintelde en het lukte hem niet om zijn vingers om de kolf van het pistool te klemmen. Zijn rechterzij voelde vochtig aan en hij merkte dat hij langzaam opzij zakte.

Hwan zag zijn eigen bloed van het meer dan twintig centimeter lange lemmet druipen. Het mes werd naar achteren getrokken en bevond zich nu ter hoogte van zijn maag. Hij zou niet in staat zijn om de steek in zijn borstkas af te weren. Het schuin naar boven gerichte mes zou onder zijn borstbeen naar binnen dringen, één felle scheut van pijn en dan de dood. Hij had er vaak over gedacht hoe en wanneer hij zou sterven, maar hij had nooit vermoed dat het zo zou gaan, terwijl hij plat op zijn rug in de modder lag. En zich een idioot voelde. Hij merkte dat ze zich over hem heen boog. Hij had haar vertrouwd, en hij hoopte maar dat ze dat op zijn grafsteen zouden zetten, als een waarschuwing aan anderen. Of anders: Wat een sukkel...

Terwijl Hwan in de modder zakte, gleed zijn pistool uit de holster. Hij greep ernaar, instinctief, terwijl hij met zijn linkerhand de wond dichtklemde en vocht om zijn ogen open te houden, zodat hij de dood zo opstandig mogelijk tegemoet zou kunnen treden. Hij zag de moordenaar in Cho's kleren grijnzend op zich afkomen, en toen was er een witte lichtflits, en een tweede, een derde. De snelle vuurstoot kwam van niet meer dan een halve meter boven hem en hij sloot zijn ogen toen hij de hitte ervan over zich heen voelde rollen. Nadat de nagalmende donderslagen langzaam waren weggestorven, merkte hij dat de regen zachtjes op zijn gezicht neerviel en voelde hij een kloppende pijn in zijn zij.

Kim kroop over hem heen en knielde naast hem neer. Ze reikte langs hem

heen om het mes te pakken en verward vroeg hij zich af waarom hij de kogels niet had gevoeld... en waarom ze hem ging neersteken terwijl ze een pistool had.
Waarschijnlijk had hij liggen kronkelen van de pijn, want ze zei dat hij stil moest liggen. Hij probeerde zich te ontspannen en merkte toen pas hoeveel pijn het hem deed om in te ademen.
Kim trok zijn overhemd uit zijn broek, maakte een snee in de zijkant en pakte toen de zaklantaarn op. Nadat ze zijn wonden aandachtig had bekeken, kwam ze overeind en sprong over hem heen; hij strekte zijn hals om te kijken en zag dat ze de moordenaar zijn schoenen en sokken uittrok, en toen zijn riem losmaakte en die met een ruk uit de lussen trok. Hwan ademde nu met hortende, hijgende stoten en zakte weer achterover. 'Ch-Cho?' zei hij.
'Ik weet niet waar zijn lijk is.'
Zijn lijk.
'Die man moet ons gevolgd zijn. Vraag me niet wie het is. Ik weet het niet.'
Hoorde niet... bij Kim... maar bij de mensen die... de aanslag hebben... gepleegd...
Kim schoof de riem om Hwans middel, maar trok hem nog niet vast. In plaats daarvan duwde ze eerst een sok tegen de twee wonden. 'Dit kan een beetje pijn doen,' zei ze terwijl ze de riem stevig vasttrok.
Hwan hapte naar lucht toen de pijn hem in een klemmende omhelzing nam; hij voelde een heftige pijnscheut door zijn lijf trekken, van zijn rechteroksel tot aan zijn knie. Hijgend liet hij zich weer achteroverzakken, maar Kim ging snel achter hem staan, greep hem onder zijn oksels en trok hem op de achterbank.
Terwijl ze de radio op de vloer zette, probeerde Hwan op één elleboog te leunen.
'W-wacht... het lijk!'
Ze duwde hem zachtjes weer naar achteren en probeerde hem met de autogordel veilig vast te maken. 'Ik weet niet waar Cho is!'
'Nee! Vinger... afdrukken!'
Kim begreep het. Ze sloeg het portier dicht, gooide het rechter voorportier open en trok de dode man in de wagen. Toen liep ze haastig naar de chauffeursplaats, wilde instappen maar bleef toen ineens stilstaan.
'Ik moet Cho zien te vinden!' zei ze terwijl ze snel de zaklantaarn pakte. Met de zaklantaarn op de grond gericht, volgde ze de voetsporen van de moordenaar. Hoewel haar bewegingen verrieden dat ze haast had, maakte ze verder een kalme indruk. De voetsporen leidden naar een dichtbegroeid ravijn, ongeveer veertig meter van het huisje. Daar vond ze een scooter en daarachter de chauffeur. Cho lag op een helling, op zijn rug, met zijn

hoofd achterover, en zijn borstkas was donkerrood van het bloed.
Nadat ze zich langs de modderige helling naar Cho toe had laten glijden, doorzocht Kim in panische haast zijn zakken tot ze de autosleutels gevonden had, en rende toen snel weer naar de wagen.
Hwan lag doodstil, met zijn handen tegen zijn zij gedrukt. Hij hield zijn ogen stijf dicht en lag luid te hijgen. Pas toen hij de motor hoorde grommen, sloeg hij zijn ogen op.
'Auto... radio.'
Kim zette de wagen in de eerste versnelling en gaf gas. 'Wilt u dat ik ze vertel wat er gebeurd is?'
'Ja...' De riem sneed in zijn vlees en hij probeerde zich niet te bewegen. 'Moeten hem snel... laten identificeren.'
'De moordenaar? Aan de hand van zijn vingerafdrukken?'
Hwan had niet meer de kracht om ook maar een woord uit te brengen. Hij knikte. Hij wist niet zeker of Kim dat had gezien, maar toen hoorde hij haar in de microfoon spreken. Hij probeerde zich te herinneren wat hij ook weer over haar had lopen denken, maar zelfs bij de kleinste ademhaling en bij iedere hobbel in de weg voelde hij nu een golf van pijn. Hij probeerde zich vooral niet te bewegen, en om te zorgen dat hij wat minder heen en weer schudde, wrikte hij zijn rechterelleboog in de plooi tussen de rugleuning en de zitting terwijl hij zijn linkerhand stevig tegen de achterkant van de voorstoel drukte. Hij had het gevoel of er een lus in zijn binnenste zat, een lus die steeds strakker kwam te zitten, zodat hij krom werd getrokken. Terwijl hij verwoed tegen de pijn vocht en uit alle macht wakker probeerde te blijven, wervelden er diverse gedachten en beelden door zijn hoofd.
Niet Noordkoreaans... dan zou ze hem niet hebben neergeschoten... maar wie in het Zuiden... en waarom?
En toen bereikte de brandende pijn zijn hersenen en zakte hij weg in een genadige bewusteloosheid.

54

Dinsdag, 12.30 uur
Het Op-Center

Toen Hood opnieuw Alexanders kamer belde, nam dr. Orlito Trias de hoorn op. De manier waarop hij met zijn patiënten omging, deed een beetje denken aan dr. Frankenstein, maar hij was een goed arts en een toegewijd wetenschapper.
'Paul,' zei hij met zijn zware Filippijnse accent, 'ik ben blij dat je belt. Je zoon heeft een virusinfectie.'
Hood voelde zich verkillen. Er was ooit een tijd geweest, vóór aids, dat dat woord suggereerde dat er niets aan de hand was wat niet met wat antibiotica in een mum van tijd verholpen zou zijn.
'Wat voor een virus? In lekentaal, Orly.'
'Twee weken geleden heeft hij een acute bronchiale infectie gehad. We dachten dat hij genezen was, maar kennelijk heeft het virus zich schuilgehouden in zijn longen. Het enige wat nodig was om een nieuwe aanval te veroorzaken waren allergenen in de lucht. Dat is waarom de steroïden en de bronchiën verwijdende medicijnen geen resultaat hebben opgeleverd. Dit is niet zomaar een astma-aanval, dit is een longziekte.'
'Wat ga je eraan doen?' vroeg Hood.
'Antivirale therapie. De infectie is betrekkelijk snel onderkend en het is best mogelijk dat het virus zich niet zal verspreiden.'
'Best mogelijk...'
'Hij is ernstig verzwakt,' zei Orly, 'en deze virussen kunnen heel agressief zijn. Je weet maar nooit.'
Jezus, Orly. 'Is Sharon er ook?'
'Ja.'
Hood vroeg: 'Weet zij het ook?'
'Ja. Ik heb haar hetzelfde verteld als jou.'
'Laat me even met haar praten... en bedankt nog.'
'Tot je dienst. Ik ga om het uur of zo wel even kijken.'
Een ogenblik later kwam Sharon aan de lijn.
'Paul...'
'Ik weet het. Orly heeft geen toekomst bij de VN.'
'Dat wilde ik niet zeggen,' zei Sharon. 'Ik heb liever dat hij zegt waar het op staat dan dat ik in onwetendheid word gehouden. Het is dat wachten. Je weet dat ik daar nooit goed tegen heb gekund.'
'Het komt wel goed met Alex.'

'Dat weet je niet. Ik heb in een ziekenhuis gewerkt, Paul. Ik weet hoe snel een virus zich kan verspreiden.'
'Orly zou je niet met Alex alleen laten als hij er ernstig aan toe was.'
'Paul, hij kan niets doen! Daarom laat hij me alleen.'
Ann kwam de kamer binnen met een dienblad vol eten, maar toen ze de uitdrukking op Hoods gezicht zag, bleef ze in de deuropening staan.
Op het scherm van de monitor verscheen een E-mailbericht van Bugs: minister van Defensie Colon wilde hem spreken.
'Hoor eens,' zei Sharon. 'Ik ben niet aan de lijn gekomen omdat ik wilde dat je alles in de steek zou laten en hierheen zou komen. Ik wilde gewoon even praten. Oké?'
Hood hoorde haar stem even haperen; ze deed haar uiterste best om niet in huilen uit te barsten. 'Natuurlijk is het oké, Sharon. Bel me als er iets gebeurt... of ik bel jou wel, zo snel als ik kan.'
Ze hing op, en nadat Hood de hoorn van de gewone telefoon had neergelegd, nam hij de hoorn van de beveiligde op. Hij voelde zich een mislukte echtgenoot, een mislukte vader en een ernstig mislukte man.
'Paul,' zei Colon nors. 'We hebben net gehoord dat die Donald van jullie een ongeautoriseerde radioboodschap naar de Noordkoreanen heeft gestuurd waarin hij om een onderhoud met generaal Hong-Koo verzoekt.'
'Wát?!'
'Erger nog, ze zijn op zijn aanbod ingegaan. Als dit uitlekt, zullen we beweren dat het Noorden contact met hèm heeft opgenomen, maar je kunt hem dit maar beter zo snel mogelijk uit zijn hoofd praten. Generaal Schneider heeft zijn best al gedaan, maar Donald is nog steeds van plan om Hong-Koo te ontmoeten.'
'Bedankt,' zei Hood. Hij zette de intercom aan en zei tegen Bugs dat hij via de beveiligde lijn contact op moest nemen met de gedemilitariseerde zone. Daarna belde hij Liz Gordon en vroeg of ze even naar zijn kantoor wilde komen.
'Zal ik dit hier laten staan en weer weggaan?' vroeg Ann.
'Nee. Blijf maar hier.'
Ze keek ineens een stuk vrolijker.
'We zouden zo dadelijk wel eens met een PR-nachtmerrie geconfronteerd kunnen worden.'
Ze keek ineens een stuk minder vrolijk.
'Goed hoor,' zei ze. Ze ging tegenover hem aan het bureau zitten en zette het eten tussen hen in.
'Wat is er met Alex?' vroeg ze.
'Trias heeft gezegd dat hij een longinfectie heeft. Hij denkt dat het onder controle is, maar je weet hoe Orly is: mensenkennis is niet zijn sterkste punt.'

'Hmmm,' zei Ann. Ze keek nu nog somberder.
Hood pakte zijn vork en prikte ermee naar een stukje tomaat. 'Nog nieuws over Matts virusjacht?'
'Voor zover ik weet niet. Zal ik het even vragen?'
'Nee, dank je wel. Dat doe ik zo wel, als ik klaar ben met Gregory. Die arme vent zal wel door een hel gaan. We raken hier zo in de ban van de gebeurtenissen, dat we soms de mensen die erbij betrokken zijn uit het oog verliezen.'
Net toen Liz Gordon en Lowell Coffey de kamer binnen kwamen lopen, ging de beveiligde telefoon en verschenen Donalds naam en telefoonnummer op het LCD-schermpje. Hood wenkte dat Liz de deur achter zich dicht moest doen. Ze ging zitten, en Coffey ging achter Ann staan, die ongemakkelijk verschoof op haar stoel. Hood drukte op de luidsprekerknop.
'Gregory, hoe gaat het met je?'
'Redelijk. Paul, gebruik je de beveiligde lijn?'
'Ja.'
'Heb je de luidspreker aangezet?'
'Ja.'
'Wie zijn er allemaal? Liz, Ann en Lowell?'
'Precies.'
'Natuurlijk. Nou, laten we dan maar meteen ter zake komen. Ik heb inderdaad radiocontact opgenomen met generaal Hong-Koo, en hij heeft gereageerd. Over vijfenhalf uur heb ik een afspraak met hem. Waarom zou je op elkaar gaan schieten als je elkaar nog met woorden kunt bekogelen? Dat is altijd al mijn lijfspreuk geweest.'
'En het is een goede lijfspreuk, Greg, maar niet met Noord-Korea.'
'Dat zei generaal Schneider ook al toen hij me de les stond te lezen. Hij zal alle betrokkenheid ontkennen. Net als Washington, heb ik net gehoord.' Hij aarzelde even. 'En jij, Paul?'
'Een minuutje graag.'
Hood drukte op de Mute-knop en keek naar Liz. Uit zijn ooghoek zag hij Ann plechtig knikken. Lowell stond bewegingloos. De stafpsychologe beet op haar lip en schudde toen haar hoofd.
'Waarom niet?' vroeg Hood.
'Als zijn bondgenoot heb je nog kans om hem van mening te doen veranderen. Als je je als tegenstander opstelt, zal hij zich voor je afsluiten.'
'En als ik hem ontsla?'
'Dat verandert niets. Hij is iemand die vandaag een zware schok heeft gehad en die denkt dat hij beheerst en met mededogen reageert. Zo'n reactie komt heel vaak voor, en hij zal zich niet zomaar van zijn voornemen laten afbrengen.'

'Lowell, stel je voor dat Schneider hem aanklaagt wegens iets – misbruik van overheidsapparatuur toen hij die radioboodschap heeft verzonden bijvoorbeeld – en hem laat arresteren?'
'Het zou een heel rommelig proces worden en we zouden allerlei dingen over onze werkwijze moeten onthullen die we liever geheim willen laten blijven.'
'Wat als ze Gregory niet langer dan vierentwintig uur vasthouden? Uit veiligheidsredenen of zo?'
'Hij zou een rechtszaak tegen u kunnen aanspannen, en dan zitten we met precies hetzelfde.'
'Maar zoiets doet hij niet,' zei Liz. 'Ik heb zijn bestand doorgenomen toen je hem aannam, Paul. Hij heeft nooit iets gedaan uit wraak. In zijn diplomatieke carrière heeft dat hem nogal gehinderd. Hij was een echte christen.'
'Ann, wat hebben ze daar aan verslaggevers zitten?'
'Meestal niemand. Ze zijn allemaal gestationeerd in Seoul. Maar ik weet zeker dat een heleboel journalisten op dit moment al staan te popelen om het terrein langs de gedemilitariseerde zone te mogen betreden. Als ze er eenmaal zijn, zullen ze alles wat ook maar een beetje interessant is gebruiken voor een verhaal, en reken maar dat het vasthouden van een voormalige hoge diplomaat een goed verhaal oplevert.'
Lowell zei: 'En wat denk je dat ze met ons zullen doen als ze erachter komen dat hij aan het Op-Center verbonden is? We zullen worden afgebeeld als een stelletje halvegaren die buiten de officiële kanalen om werken.'
'Ik vind het niet prettig om het met Lowell ergens over eens te zijn,' zei Ann, 'maar dat is wel zo.'
'Daar zal Donald zijn mond wel over houden, hoor,' zei Liz. 'Zelfs als hij heel kwaad is. Voor zover de wereld weet, werkt hij uitsluitend voor de Amerikaans-Koreaanse Vriendschapsvereniging.'
'Maar Schneider kent de waarheid,' zei Lowell, 'en ik denk niet dat hij er erg gelukkig mee is.'
'Nee,' zei Hood.
'Precies! En hij zou het verhaal ook kunnen laten uitlekken, gewoon om Gregory tegen te houden.'
'Ik denk niet dat we daar bang voor hoeven te zijn,' zei Hood. 'Hij zal de president niet in verlegenheid willen brengen door een organisatie in diskrediet te brengen die door Lawrence zelf is opgericht.'
Hood drukte weer op de Mute-knop. 'Greg, zou je dit gesprek willen uitstellen als ik iemand van de ambassade zo gek zou kunnen krijgen om met je mee te gaan?'

'Alsjeblieft, Paul. Ambassadeur Hall zal nooit toestemming voor zoiets geven zonder de goedkeuring van de president, en die geeft hij nooit.'
'Stel die ontmoeting uit en laat het me proberen. Mike Rodgers is op weg naar Japan en landt om een uur of zes in Osaka. Ik zal hèm vragen of hij met je mee wil gaan.'
'Goed geprobeerd, maar je weet best dat de Noordkoreanen het idee zullen krijgen dat ik een loopje met ze neem als ik die ontmoeting ook maar een minuut uitstel. Ze zijn heel gevoelig in dat soort dingen, en zullen me geen tweede kans geven. Ik ga. De enige vraag is of je vóór of tegen me bent.'
Hood bleef een ogenblik doodstil zitten, en keek toen naar de gezichten van zijn collega's. 'Ik sta achter je, Greg.'
Het bleef lang stil aan de andere kant van de lijn. 'Dat verrast me, Paul. Ik had gedacht dat je zou proberen me tegen te houden.'
'Dat was ik aanvankelijk ook van plan.'
'Nou, bedankt dat je je hebt weten in te houden dan maar.'
'Ik heb je aangenomen vanwege je ervaring. Laten we maar eens zien of ik de juiste keuze heb gemaakt. Als je me nog wilt spreken, dan ben ik hier.'
Hood hing op. Hij zag dat er nog steeds een stuk tomaat aan zijn vork zat en at het op. Liz stak snel even haar duim omhoog, maar Ann en Lowell staarden hem zwijgend aan.
Hood drukte op de knop van de intercom. 'Bugs, vraag eens hoe Matty ervoor staat.'
'Doe ik.'
Lowell zei: 'Paul, dit zal Donald kapotmaken... en ons ook.'
'Wat had ik dan moeten doen? Hij gaat toch, en ik wil mijn mensen daar niet in de kou laten staan.' Hood zat langzaam te kauwen. 'En wie weet, misschien bereikt hij wel iets. Het is een goeie vent.'
'Precies,' zei Ann. 'En iedereen weet dat. Als er vanavond in het late nieuws een video-opname van Donald en de Noordkoreanen wordt vertoond – een video van een man die zijn vrouw heeft verloren en die toch nog vergevingsgezind is – kunnen we allemaal naar een andere baan gaan uitkijken.'
'Dat is niet erg. We kunnen altijd voor de Noordkoreanen gaan werken. Die zijn ons dan wel iets verschuldigd.'
'Kom op, een beetje vertrouwen,' zei Hood. Hij zwaaide met zijn vinger naar Lowell en Ann. 'En zorg dat jullie een plan klaar hebben voor als het misgaat.'
De telefoon ging opnieuw en Hood nam op. Het was Stoll.
'Paul,' zei hij, 'ik wilde je net bellen. Je kunt maar beter komen kijken wat ik heb gevonden.'

Hood stond al naast zijn stoel. 'Vat het even kort samen.'
'Kort samengevat komt het erop neer dan iemand ons belazerd heeft... en niet zo zuinig ook.'

55

Woensdag, 02.35 uur
Het Taibak-gebergte, Noord-Korea

De Nodong-raketten waren aangepaste Noordkoreaanse Scuds.
Ze waren bijna identiek van constructie; een eentrapsraket met een lading van maximaal honderd kilo en een bereik van achthonderd kilometer. Met een hoog-explosieve lading van vijfendertig kilo, had de Nodong-raket een bereik van bijna duizend kilometer. Hij was tot op achthonderd meter nauwkeurig te richten.
Net als de Scuds konden de Nodongs zowel van vaste als van mobiele lanceerinrichtingen worden afgevuurd. Een lanceerinrichting in een silo maakte het mogelijk om binnen een uur verscheidene raketten af te vuren, maar dergelijke silo's waren bijzonder kwetsbaar voor vijandelijke tegenacties. Mobiele lanceerinrichtingen konden maar één enkele raket vervoeren en moesten terugkeren naar verborgen bevoorradingsposten om van een nieuwe raket voorzien te worden.
Zowel de vaste als de mobiele lanceerinrichtingen werden bestuurd met behulp van een systeem dat nadat de coördinaten waren ingevoerd in de boordcomputer met behulp van één enkele sleutel te bedienen was. Door het omdraaien van de sleutel werd er een twee minuten durende aftelprocedure in gang gezet. Tijdens die twee minuten kon de lancering alleen nog gestopt worden door iemand die zowel over de sleutel als over een stop-code beschikte. Die code was alleen bekend bij de bevelvoerend officier. Als die niet in staat was om de code te geven, zou diens plaatsvervanger contact moeten opnemen met Pyongyang om de code op te vragen.
Voor een raketsysteem was de Nodong betrekkelijk primitief, maar voor zijn taak was hij goed berekend. Die taak was om er door middel van de dreiging van een plotselinge vernietigende luchtaanval voor te zorgen dat Seoul eerlijk bleef. Zelfs nu er Patriot-raketten stonden opgesteld, was die

dreiging nog steeds reëel: de Patriot was ontworpen voor het opsporen en vernietigen van raketten, en liet hun explosieve lading zelf vaak intact, zodat die alsnog tot ontploffing kwam in de omgeving van het doelwit.
Kolonel Ki-Soo was de hoogste officier op de lanceerinstallatie in het Taibak-gebergte en hij was nogal verrast toen de schildwacht hem meldde dat kolonel Sun er aankwam. De gezette officier met het ronde gezicht had liggen slapen in zijn tent aan de voet van een steile heuvel, maar hij kwam snel uit zijn bed en toen de jeep arriveerde, stond hij klaar om de kolonel te begroeten. Zonder dat hij iets hoefde te vragen overhandigde Sun hem zijn opdracht, en Ki-Soo liep zijn verduisterde tent weer binnen.
Toen hij de tentopening weer veilig achter zich had gesloten, stak hij de lantaarn aan, trok het document uit de leren map en vouwde het open.

Opperbevel Pyongyang, 15 juni, 16.30 uur

Van: Kolonel Dho Oko
Aan: Kolonel Kim Ki-Soo

Kolonel Lee Sun heeft opdracht gekregen van generaal Pil van de Inlichtingendienst om de beveiliging van uw raketten te inspecteren. Hij zal zich niet met uw operatie bemoeien tenzij de beveiliging van de lanceerinrichting dat vereist.

Onder aan het document waren de zegels van de opperbevelhebber van de strijdkrachten en van generaal Pil bevestigd.
Ki-Soo vouwde het document zorgvuldig op en stopte het weer in de map. Het was authentiek, maar toch leek er iets niet in de haak te zijn. Sun had twee assistenten meegebracht: één per raket, en dat was heel verstandig. Maar toch klopte er iets niet.
Hij keek naar de veldtelefoon en dacht erover om het hoofdkwartier te bellen. Buiten hoorde hij laarzen in het grind knarsen. Ki-Soo doofde de lantaarn en trok de tentflap opzij: in het donker stond kolonel Sun naar de tent te kijken. Hij had zijn handen op zijn rug in een stijve, gespannen houding.
'Is alles in orde?'
'Het lijkt er wel op,' zei Ki-Soo, 'maar ik vraag me één ding af.'
'Wat?' vroeg kolonel Sun.
'Over het algemeen staat er in zo'n bevel als dit ook hoeveel mensen er deel uitmaken van het inspectieteam. In uw bevel staat dat niet vermeld.'
'Toch wel. Mijn naam wordt erin genoemd.'
Ki-Soo keek naar de andere man, die nu naast de jeep stond, en wees hem

aan met zijn duim. 'En die dan?'
'Dat is geen inspecteur,' zei Sun. 'Ons departement heeft het op dit ogenblik heel druk, en deze man is alleen maar meegestuurd om me niet alleen door de heuvels te laten rijden. Hij blijft hier en rijdt me dan weer terug. Dat is zijn enige taak.'
'Ik begrijp het,' zei Ki-Soo. Hij overhandigde Sun de map. 'Maakt u het zich gemakkelijk in mijn tent. Als u wilt, kan ik u wat eten laten brengen.'
'Nee, dank u,' zei Sun. 'Ik ga liever meteen even de omtrek van het kamp bekijken om te zien of er kwetsbare plekken in de bewaking zitten. Als ik iets nodig heb, laat ik het u wel weten.'
Ki-Soo knikte. Sun liep weer terug naar de jeep en pakte een afgeschermde zaklantaarn uit een gereedschapskist achterin. Toen ging hij er samen met zijn manschappen op uit, weg van het kamp, het kleine veldje over naar de plek waar de raketten stonden opgesteld.

56

Woensdag, 02.45 uur
De gedemilitariseerde zone

Kohs waarschuwing bereikte Lee kort nadat hij de blikken tabun in een uitholling in de wand van de tunnel had geplaatst. Hij klom de tunnel uit om naar het bericht te luisteren, en liet zich toen langs het henneptouw weer naar beneden zakken.
Dus Donald zou over een paar uur een ontmoeting hebben met generaal Hong-Koo. Dat mocht niet gebeuren. Het zou sympathie opwekken voor het Noorden en misschien zelfs een paar wereldleiders ervan overtuigen dat Pyongyang onschuldig was. Fase twee en drie van de operatie zouden moeten plaatsvinden terwijl de spanning een hoogtepunt bereikt had.
Donald zou moeten sterven. En snel ook.
Lee vertelde soldaat Yoo wat er aan de hand was. Yoo was bij hem gebleven. De andere man had de vrachtwagen weer naar de basis gereden; als die niet op tijd weer terug was, zou generaal Norbom misschien een zoektocht laten houden.
Ze zouden het gas door de tunnel naar het Noorden brengen, zoals

gepland, maar als het eenmaal daar was, zou Yoo de blikken zelf op hun plaats moeten zetten terwijl Lee Donald voor zijn rekening nam. Yoo begreep het, en was dankbaar dat hij de klus zelf mocht afhandelen. Iets anders had Lee ook niet verwacht. Alle leden van zijn team waren erop getraind om de missie zelfstandig te voltooien als een van hun kameraden iets zou overkomen.

Ineengehurkt in het donker, begonnen de mannen aan een karwei dat ze op papier al talloze malen hadden doorgenomen.

De tunnels waren gegraven door de Noordkoreanen en vormden een ingewikkeld netwerk over een gebied van meer dan anderhalve kilometer van noord naar zuid en ongeveer vierhonderd meter van oost naar west. Hoewel de militaire inlichtingendienst van het bestaan ervan op de hoogte was en zo nu en dan een poging deed om ze af te sluiten, waren de Noordkoreanen net mieren; als er een ingang werd afgesloten, werd er ergens anders weer een nieuwe gegraven. Als er een tunnel onder water werd gezet of vol met gas werd gepompt, werd er een nieuwe gegraven. Af en toe werd het hele gebied beschoten met granaten, maar hoewel er dan steevast grote delen van het tunnelnetwerk instortten, groeven de Noordkoreanen gewoon weer nieuwe, en diepere, tunnels.

Lee en zijn mannen hadden kort geleden een eigen verbindingstunnel gegraven, die zogenaamd bedoeld was om het Noorden te bespioneren. Hoewel de negen meter diepe schacht een middellijn van meer dan een meter had, was de tunnel zelf wat nauwer, nog geen negentig centimeter, net als de Noordkoreaanse tunnels; deze tunnel sloot aan op een Noordkoreaanse die op nog geen tien meter van de grens lag.

Om de vier vaten met honderddertig liter tabun naar beneden te krijgen, was een van de mannen op de bodem van de schacht gaan staan terwijl Lee op de uitkijk stond en de derde de vaten één voor één aan een touw naar beneden liet zakken. De vaten werden in een nis geplaatst die ze hadden uitgegraven in de tegenovergelegen tunnelwand; anders zouden de mannen er niet langs hebben gekund. Nu zou Yoo achteruit door de tunnel moeten lopen om de vaten op koers te houden terwijl Lee ze één voor één voor zich uit rolde. Op hun zijkant zouden de vaten er net in passen, en op de plekken waar de tunnel niet breed genoeg was, zou het nodig zijn om ze een kwartslag te draaien en ze voorzichtig door de vernauwing te schuiven.

Lee had berekend dat het hun vijfenzeventig minuten zou kosten om één enkel vat door het labyrint te loodsen en op zijn plaats te zetten, en er waren vier vaten. Dat liet hem weinig tijd om Donald te bereiken, maar het kon nu eenmaal niet anders; hij durfde het werk nu niet stil te leggen om die andere kwestie even te regelen, want als hij gepakt werd, zou hij zijn

missie hier niet kunnen voltooien.
Majoor Lee trok de kleine zaklantaarn uit de zak van zijn uniform, knipte hem aan en bevestigde hem aan de lus op zijn schouder. Yoo liep een eindje achteruit de tunnel in terwijl Lee voorzichtig het eerste vat uit de nis haalde en het naar de ingang manoeuvreerde. Hij ging op handen en knieën zitten en rolde het vat achter Yoo aan, die de tunnel controleerde op scherpe uitsteeksels die ze tijdens een van de vorige controles misschien over het hoofd hadden gezien...

57

Woensdag, 02.55 uur
Seoul

Met piepende banden kwam de KCIA-wagen tot stilstand voor de ingang van de afdeling Eerste Hulp van het National University Hospital aan de Yulgongno. Ze sprong uit de wagen en terwijl ze door de automatische schuifdeuren rende, riep ze luid om hulp voor een gewonde man. Twee artsen liepen haastig de motregen in, de een naar Hwan, de ander naar de gedaante voor in de wagen.
'Die is dood!' riep Kim tegen nummer twee. 'Help deze maar!'
De dokter deed toch het portier open om de pols van de man te voelen, en klom toen half in de wagen om hem mond-op-mondbeademing te geven. Achter in de wagen maakte de dokter snel maar voorzichtig de riem los en trok de sokken van de wonden. Toen ze waren aangekomen, was de doodsbleke Hwan half bij bewustzijn geweest, maar toen er twee verplegers met een brancard naar buiten kwamen rennen en hem erop legden, was hij weer volledig bij zijn positieven.
Plotseling stak hij zijn arm uit, en met zijn hand door de lucht maaiend, riep hij: 'Kim!'
Ze kwam naar hem toe rennen en pakte zijn hand vast. 'Ik ben hier,' zei ze, en ze bleef zijn hand vasthouden terwijl ze hem naar de deur reden.
'Zorg voor... het andere...'
'Ik weet het,' zei ze. 'Ik zal ervoor zorgen.' Ze liet zijn hand los en zag hoe hij naar binnen werd gereden. Toen liep ze naar de wagen, waar de andere

arts inmiddels zijn pogingen om de moordenaar tot leven te wekken had opgegeven en nu aandachtig naar de schotwonden stond te kijken. Hij wees naar de deuren van het ziekenhuis.
'Wat is er gebeurd?'
'Het was afschuwelijk,' zei Kim. 'Meneer Hwan en ik waren onderweg naar ons huisje in Yanguu. We zijn gestopt om deze man hier te helpen. Hij leek motorpech te hebben met zijn scooter, maar ineens stak hij meneer Hwan neer, en toen heeft die hem doodgeschoten.'
'En u hebt geen idee waarom?'
Ze schudde haar hoofd.
'Komt u even mee, mevrouw? U zult ons wat meer informatie over de gewonde moeten geven, en de politie zal u ook willen spreken.'
'Natuurlijk,' zei ze terwijl er een tweede brancard naar buiten werd gereden. 'Eerst even de wagen parkeren.'
Twee verpleeghulpen trokken het lijk uit de wagen, hesen het op de brancard en legden er een laken overheen. Toen ze weg waren, ging Kim achter het stuur zitten en reed naar het parkeerterrein. Ze zette de wagen in een van de vakken, nam de telefoon op en drukte op de rode knop op het apparaat zelf. De baliemedewerker van de KCIA nam het gesprek aan.
'Ik bel u over de autotelefoon van Kim Hwan,' zei Kim. 'Hij is gewond geraakt en ligt in het National University Hospital. De man die het gedaan heeft is dood, maar zijn lijk is ook naar het ziekenhuis gebracht. Meneer Hwan gelooft dat die man iets te maken heeft met de aanslag op het paleis, en hij wil dat u zijn vingerafdrukken controleert om erachter te komen wie het is.'
Kim hing op, en toen de telefoon begon te piepen, sloeg ze daar geen acht op. Nadat ze even zoekend het parkeerterrein had rondgekeken, zag ze een wagen van een type waarmee ze bekend was, een Toyota Tercel. Ze pakte haar radio van de achterbank, zette hem aan en legde hem op de vloer, zodat het licht van de wijzerplaat de ruimte onder het dashboard bescheen. Ze zocht naar de draden van de ontsteking, vond ze op de plek waar de instructeurs haar destijds hadden verteld dat ze hoorden te zitten, bond ze aan elkaar, startte de wagen en reed weg in noordelijke richting.

58

Dinsdag, 13.10 uur
Het Op-Center

Toen Hood Matt Stolls kantoor binnen rende, was de chef Operationele Ondersteuning juist bezig zijn werk af te ronden. Er lag een brede grijns op zijn ronde vollemaansgezicht en hij had een triomfantelijke blik in zijn ogen.

'Paul, dit was puur geniaal,' zei hij. 'Ik heb allerlei beveiligingen, diagnostische programma's en viruscheckers ingebouwd om er zeker van te kunnen zijn dat de binnenkomende software niet besmet was, en ze hebben het er toch doorheen weten te krijgen.'

'Wie en hoe?'

'De Zuidkoreanen, of in ieder geval iemand die toegang heeft tot hun software. Hier is het, op diskette SK-17.'

Hood boog zich over het scherm en zag een reeks knipperende cijfers en letters.

'Waar sta ik naar te kijken?'

'Het spul dat met behulp van deze ene diskette in onze computer is gedumpt. Ik ben bezig het weg te spoelen: ik heb de computer opdracht gegeven om het oorspronkelijke programma te lezen en het er volledig uit te halen.'

'Maar hoe heeft het in vredesnaam binnen kunnen komen?'

'Het zat verborgen in een update van het algemene personeelsbestand. Dat soort bestanden kunnen zowel heel groot als heel klein zijn en daarom wordt de omvang ervan niet gecontroleerd. In ieder geval niet zo grondig als een overzicht van zoiets als onze agenten op de Mascarenische eilanden. Als zo'n bestand plotseling veel groter was, zou dat zeker opvallen.'

'Dus het virus zat verborgen in dat bestand?'

'Juist. Het was afgesteld om precies op het moment waarop het dat ook gedaan heeft een nieuw satellietprogramma in ons systeem te dumpen, een programma dat ons Library-programma heeft gescand om te kijken wat de kenmerken van de inkomende beelden waren en die toen heeft nagebootst... zodat wij de beelden te zien kregen die de saboteurs ons wilden laten zien.'

'Hoe is het het NRO binnengekomen?'

'Via de telefoonverbinding. Ze zijn goed beveiligd tegen infecties van buitenaf... maar niet tegen virussen die van binnenuit komen. Daar zullen we toch eens iets aan moeten doen.'

'Maar ik begrijp nog steeds niet waarom het virus ineens in werking is getreden.'
De grijns op Stolls gezicht werd nog breder. 'Dat is het geniale ervan. Kijk hier maar 's.' Hij trok een laptop naar zich toe en nadat hij de diskette voorzichtig, bijna met eerbied, uit de drive van de andere computer had gehaald, duwde hij hem in de laptop en startte het programma dat erop stond. Toen de titel oplichtte, wees hij naar het scherm.
Hood las alles wat er op het scherm stond. 'Zuid-Korea, diskette nummer 17, gearchiveerd door hem, gecontroleerd door haar, goedgekeurd door een generaal en vijf weken geleden door een ordonnans hierheen gebracht. Wat maak je daaruit op?'
'Niets. Helemaal onderaan.'
Hood keek. Hij moest iets dichterbij gaan zitten omdat de lettertjes zo klein waren. 'COPYRIGHT 1988 BY ANGIRAS SOFTWARE. Wat is daar zo vreemd aan?'
'Alle overheidsinstellingen schrijven hun eigen software, maar anders dan een bedrijf als WordPerfect nemen ze meestal niet de moeite om hun auteursrecht te laten registreren. Toch krijgen onze computers zo nu en dan wel eens software met een copyright-vermelding erin, en ik heb het systeem opdracht gegeven om die te negeren.'
Hood begon het te begrijpen. 'En deze heeft dat virus actief laten worden?'
'Nee. Deze heeft het systeem laten uitvallen, zodat het virus onopgemerkt binnen kon dringen. Zie je dat jaartal? 1988? Het is niet alleen een datum, maar ook een klok. Of liever gezegd: een klein programmaatje dat in de jaaraanduiding verborgen zat, heeft zijn klauwen in onze klok geslagen en hem uitgeschakeld gedurende een periode van exact 19,8 seconden.'
Hood gaf een knikje. 'Goed werk, Matty.'
'Waardeloos, Paul. We zien de hele dag dat soort tekstregeltjes voorbijflitsen. We merken ze niet eens meer op. Ik in ieder geval niet, en iemand in Zuid-Korea heeft daar gebruik van gemaakt.'
'Wie dan?'
'Misschien dat het jaartal daar een aanwijzing voor is. Ik heb even in onze archieven gezocht. Een van de belangrijke gebeurtenissen van 1988 was de grimmige confrontatie tussen de politie en een groep radicale studenten die betoogden voor hereniging. De regering heeft die herenigingsbeweging snel de kop ingedrukt, en is daar niet zachtzinnig in geweest. Iemand die voor of tegen hereniging is, zou dat jaartal als motto kunnen hebben gekozen. Je weet wel, net zoals die boef die uit een soort verknipte ijdelheid altijd aanwijzingen achterliet voor Batman.'
Hood grinnikte. 'Als ik jou was, zou ik het woord Batman maar weglaten uit mijn officiële rapport. Maar dit is net dat extra duwtje dat we nodig

zouden kunnen hebben om de president ervan te overtuigen dat de Zuidkoreanen hier inderdaad achter zitten.'
'Precies.'
'Nou, je hebt je beloften meer dan waargemaakt. Stuur die titelpagina maar naar mijn computer, dan zullen we eens kijken hoe Lawrence er nu over denkt.'

'Hoe weten we dat dit niet gedaan is door een Noordkoreaanse mol die in het Zuiden actief is?' vroeg Michael Lawrence.
'Dat weten we niet, meneer de president,' zei Hood. Hij zat via de beveiligde lijn te luisteren terwijl de president en Steve Burkow het document bestudeerden. 'Maar waarom zouden de leiders in Pyongyang met onze satellieten willen knoeien om de indruk te wekken dat ze een oorlog aan het voorbereiden zijn? Ze kunnen ook gewoon wat troepen inzetten, dus waarom zouden ze al deze moeite doen?'
'Om ons de agressor te laten lijken,' zei Burkow.
'Nee, Steve. Paul heeft groot gelijk. Het lijkt me niet dat de Noordkoreaanse regering hierachter zit. Zo subtiel zijn die mensen niet. Het is een politieke groepering, en die kan net zo goed uit het Noorden komen als uit het Zuiden.'
'Dank u wel,' zei Hood met duidelijke opluchting.
Zijn E-mail-indicator begon te piepen. Bugs zou Hood nooit durven storen terwijl hij de president aan de lijn had, en dus stuurde hij een boodschap naar Pauls monitor. Omdat de boodschap rechtstreeks naar de monitor werd gestuurd en niet naar de computer zelf, zou de president haar niet te zien krijgen.
Terwijl hij het korte memo doorlas, voelde Hood zijn maag samentrekken.

> *Van KCIA-directeur Yung-Hoon: Kim Hwan neergestoken. In ziekenhuis. Noordkoreaanse spionne ontsnapt. Aanvaller overleden. Diens identiteit wordt vastgesteld.*

Hood bracht zijn hand naar zijn voorhoofd. Wat een geweldige leider van de Crisisgroep Korea was hij toch. Hij rende voortdurend achter de feiten aan, terwijl hij wist dat de een of andere groep wanhopig graag oorlog wilde en hij geen flauw idee had wie de daders konden zijn. Plotseling begreep hij waarom Orly soms zo bot kon zijn tegen zijn patiënten. Dat was geen onverschilligheid, maar kwam voort uit frustratie over een vijand op wie hij maar geen greep kon krijgen.
Hij stuurde Bugs een memo met de opdracht om de ontwikkelingen op de voet te blijven volgen en het bericht door te sturen aan Herbert en McCas-

key. Bovendien moest hij Yung-Hoon een bedankje sturen en hem verzoeken om Hood onmiddellijk op de hoogte te stellen als er iets meer bekend was over Hwans toestand of de identiteit van de aanvaller.

'... maar, zoals ik je al eerder heb gezegd, Paul,' zei de president, 'dat stadium zijn we nu voorbij. Het maakt nu niet meer uit wie deze fase van de confrontatie begonnen is: we zitten ermiddenin.'

Hood dwong zichzelf om zijn aandacht weer op het gesprek te richten.

'Ja, dat is volkomen duidelijk,' zei Burkow. 'Eerlijk gezegd, zou ik het *first strike*-scenario uit de nota Beleidsopties willen kiezen. Paul, denk je dat dat zou werken...'

'Christus ja. Het plan van de minister van Defensie zou ze helemaal platwalsen! Uit onze informatie blijkt dat het Noorden een tweede Desert Storm verwacht, met daaraan voorafgaand een fikse opwarmingsperiode. Een troepenmacht van een half miljoen man die het noorden binnentrekt, luchtaanvallen op communicatiecentra, raketten op alle vliegvelden en militaire bases in het hele land... zeker, Steve, dat werkt wel, en het zou ons maar drieduizend levens kosten, op zijn hoogst. Waarom zouden we dit vreedzaam afhandelen als we ook zware verliezen kunnen lijden en een land kunnen veroveren dat de komende veertig tot zestig jaar een zware financiële last zal vormen voor het Zuiden?'

'Zo is het wel genoeg,' zei de president. 'In het licht van deze nieuwe informatie zal ik de ambassadeur opdracht geven om te informeren naar de mogelijkheid van een diplomatieke oplossing.'

'Informéren?' Hoods onbeveiligde telefoon ging. Hij keek naar het LCD-schermpje en zag dat het ziekenhuis aan de lijn was. 'Meneer de president, er komt een dringend gesprek binnen. Als u me even wilt excuseren?'

'Ja, Paul, maar ik wil dat degene die deze software heeft doorgelaten eruit vliegt.'

'Prima, meneer de president, maar dan ben ik ook weg.'

Die klootzak, dacht Hood terwijl hij de hoorn op de haak smeet. Alles moet altijd met grote gebaren. Je bent aangenomen. Je bent ontslagen. Het is oorlog. Ik heb vrede gesloten. Had Lawrence maar een hobby. Iedereen die vierentwintig uur per dag met zijn werk bezig is, raakt vroeg of laat zijn gevoel voor verhoudingen kwijt.

Hood nam de hoorn op. 'Sharon, hoe gaat het met hem?'

'Een stuk beter,' zei ze. 'Het was of er een dijk doorbrak. Hij haalde één keer diep adem en stopte toen ineens met hijgen. De dokter zegt dat zijn longen nu twintig procent beter functioneren. Het komt weer goed met hem, Paul.'

Voor de eerste keer die dag klonk Sharons stem ontspannen en licht van toon. Eindelijk hoorde hij het meisje weer dat ze vroeger geweest was, en

was blij dat dat weer terug was.
Darrell McCaskey en Bob Herbert bleven op de drempel staan en Hood wenkte dat ze binnen konden komen.
'Shar, ik hou van je, en van Alex...'
'Dat weet ik. En nu moet je weer aan het werk.'
'Inderdaad,' zei Hood. 'Het spijt me.'
'Dat is nergens voor nodig. Je hebt je best gedaan. Heb ik je al bedankt omdat je even langs bent gekomen?'
'Ik denk van wel.'
'Nou, voor het geval ik het vergeten was, in ieder geval alsnog bedankt,' zei Sharon. 'Ik hou van je.'
'Geef Alex maar een kus van me.'
Sharon hing op en Hood legde zachtjes de hoorn neer. 'Mijn zoon is weer in orde en mijn vrouw is niet kwaad op me,' zei hij terwijl hij van de ene man naar de andere keek. 'Dus als jullie slecht nieuws hebben, is dit het juiste moment.'
McCaskey deed een stap naar voren. 'Die verkenner die gedood is, Judy Margolin? Het schijnt dat een van de laatste foto's die ze gemaakt heeft er een was van de naderende MiG's.'
'Heeft iemand dat aan de pers verteld?'
'Erger nog,' zei McCaskey. 'De computerjongens van het Pentagon zijn erin geslaagd om de identificatienummers op het vliegtuig te lezen, en daarna zijn ze alle recente verkenningsfoto's nagelopen om erachter te komen waar het zijn thuisbasis heeft.'
'God, nee...'
'Jawel,' zei Herbert. 'De president heeft de luchtmacht zojuist toestemming gegeven voor een luchtaanval.'

59

Woensdag, 03.30 uur
Sariwon

Sariwon lag in Noord-Korea, tweehonderdvijftig kilometer ten westen van de Japanse Zee, tachtig kilometer ten oosten van de Gele Zee en tachtig

kilometer ten zuiden van Pyongyang.
De luchtmachtbasis van Sariwon maakte deel uit van de eerste verdedigingslinie tegen een lucht- of raketaanval vanuit Zuid-Korea. Het was een van de oudste bases in het land. Hij was al in 1952 aangelegd, tijdens de oorlog, en werd alleen maar gemoderniseerd op momenten dat de Sovjetunie of China moderne technologie beschikbaar stelden. Dat deden ze minder vaak dan Pyongyang graag zou willen; Noord-Korea's bondgenoten waren altijd bang geweest dat een hereniging met het Zuiden het Westen toegang zou geven tot hun geavanceerde militaire apparatuur en technologie en daarom werd het Noorden altijd op enige achterstand van Moskou en Peking gehouden.
Sariwon beschikte over een radarsysteem dat effectief was binnen een straal van tachtig kilometer en dat objecten kon waarnemen met een diameter van minimaal zes meter. De Noordkoreanen waren dus in staat om bijna alle naderende vliegtuigen, helikopters en raketten te signaleren. Tijdens oefeningen was gebleken dat een aanval uit het westen geen tijd gaf om hun straaljagers te laten opstijgen, maar dat zelfs een aanval met vliegtuigen die met de snelheid van het geluid vlogen, hun nog tijd genoeg gaf om het luchtdoelgeschut te bemannen.
Het RCS – het radarprofiel – van een vliegtuig was groter van de zijkant dan van voren af gezien. Bommenwerpers als de oude B-52's hadden een extreem hoge RCS-waarde, tot duizend vierkante meter, en waren daardoor makkelijk op te merken en een goed doelwit. Zelfs de F4 Phantom II, met zijn RCS van honderd, en de F15 Eagle, met een RCS van vijfentwintig, waren gemakkelijk te signaleren. Aan het andere eind van het spectrum bevond zich de B-2 Advanced Technology-bommenwerper, met een RCS van ongeveer een miljoenste vierkante meter – ongeveer evenveel als een kolibrie.
De Lockheed F-117A Nighthawk had een RCS van 0,01. Zijn radarprofiel werd gereduceerd door zijn unieke facetstructuur: duizenden kleine platte vlakjes die de radargolven allemaal onder een net iets andere hoek weerkaatsten dan de naburige vakjes. Het RCS werd nog verder teruggebracht door het materiaal waarvan het vliegtuig gemaakt was. Slechts tien procent van het casco bestond uit metaal; de rest was van een versterkte koolstofvezel die niet alleen een deel van de radargolven absorbeerde, maar ook de infrarooduitstraling van het vliegtuig zelf aanzienlijk verminderde. Bovendien was het toestel bekleed met Fibaloy, een plastic bekledingsmateriaal vol met luchtbellen en glasvezels, dat het RCS nog verder terugbracht.
Het zwarte vliegtuig was bijna veertig meter lang, vier meter tachtig hoog en had een spanwijdte van twaalf meter. Toen hij in oktober 1983 operationeel was geworden, was de F-117A toegewezen aan de 4450th Tactical

Group op luchtmachtbasis Nellis in Nevada; de Furtim Vigilans-eenheid Team One, "de heimelijke wakers", was permanent gestationeerd op het noordwestelijke deel van het testgebied van de luchtmachtbasis. Sinds Desert Storm waren de vliegtuigen van de eenheid echter veel op reis geweest. Met opgevouwen vleugels kon de F-117A in een C-5A-transportvliegtuig geladen worden; dat was de enige manier waarop het vliegtuig onopgemerkt langere afstanden kon afleggen, want als het tijdens de vlucht bijtankte, was het mondstuk van de tankslang duidelijk zichtbaar op de radar.

Op zijn topsnelheid van Mach 1 kon de Nighthawk in vier minuten tachtig kilometer afleggen. Met zijn twee GE F404-HB-turbofans zonder nabrander – die elk bijna zesduizend kilo wogen – had hij een gevechtsbereik van meer dan zeshonderd kilometer.

De F-117A bevond zich aan boord van het vliegdekschip *Halsey*, dat, toen Defcon 4 was afgekondigd, vanuit de Filipijnen in noordelijke richting was gevaren en dat zich nu midden op de Oostchinese Zee bevond. Nadat het was opgestegen vloog het vliegtuig, terwijl het voortdurend bleef stijgen, met gedoofde lichten in noordelijke richting langs de westkust van Zuid-Korea en boog toen af naar de Gele Zee. Op een hoogte van ruim drie kilometer verhoogde het zijn snelheid van Mach 0,8 naar Mach 1 en drong het het Noordkoreaanse luchtruim binnen; met zijn vleugels in de pijlstand en zijn 'zwaluwstaartvormige' kielvlak sneed het met nauwelijks waarneembare weerstand door de lucht.

Het werd bijna onmiddellijk opgepikt door de radar. De radartechnicus riep zijn chef erbij, die ook vond dat het witte puntje op het scherm wel een vliegtuig leek en daarom radiocontact opnam met het commandocentrum. Dit hele proces nam vijfenzeventig seconden in beslag. De commandant van de luchtmachtbasis werd gewekt en gaf toestemming om de sirene te laten gaan. Er waren nu precies twee minuten en vijf seconden verstreken sinds het vlekje op het scherm voor het eerst was waargenomen. Aan alle vier zijden van de luchtmachtbasis stond luchtdoelgeschut opgesteld, maar alleen de installaties ten oosten en ten westen van de basis werden bemand, zodat ze de indringer zowel tijdens zijn nadering als tijdens zijn vertrek onder vuur zouden kunnen nemen. Er renden achtentwintig mannen naar buiten, zeven per stuk geschut, twee stuks geschut aan beide zijden van de basis. Het kostte hun één minuut en twintig seconden om hun post te bereiken. Bij elk stuk geschut zette één man een koptelefoon op. Nog eens vijf seconden.

'Zuidwestelijk geschut aan toren,' zei een van de mannen. 'Wat is de positie van de indringer?'

'We nemen hem waar op 277 graden, naderend met een snelheid van...'

In de verte klonk een luide ontploffing. De radiografisch bestuurde raket – type ABM-136A 'Tacit Rainbow' – had de radarschotel opgespoord en vernietigd.
'Wat was dat?' vroeg de schutter.
'We zijn hem kwijt!' riep de man in de toren.
'Het vliegtuig?'
'De radar!'
De mensen aan het controlepaneel toetsten snel de laatst-bekende coördinaten in en terwijl enorme tandwielen geruisloos begonnen te draaien, zwenkten de gigantische zwarte lopen naar hun nieuwe positie. Ze waren nog steeds in beweging toen een supersone knal aankondigde dat het pijlvormige vliegtuig de basis had bereikt.
Met behulp van zijn laser-radar en een weinig licht uitstralend tv-scherm kostte het de F-117A geen moeite om het vliegtuig dat de Mirage had aangevallen te identificeren. Het stond op de startbaan, tussen twee andere MiG's.
De piloot bracht zijn hand naar beneden, tot vlak naast zijn knie, en duwde op een rode knop in een geel vlakje met schuine zwarte strepen. Onmiddellijk daarna werd de lucht buiten het vliegtuig aan flarden gescheurd door het luide sissen van de optisch bestuurde ABM-65-raket. Binnen twee seconden had het slanke projectiel de zestienhonderd meter naar zijn doel afgelegd.
Een titanische vuurbal greep de MiG, wierp hem omhoog en scheurde hem aan flarden; de nacht veranderde in een fel brandende dag en ging toen over in een smeulende schemering. De vliegtuigen aan weerszijden van de MiG werden ondersteboven gesmeten en het puin van de ontploffing vloog alle kanten op. Door de schokgolf zelf sprongen de ruiten van de controletoren, de hangars en van meer dan de helft van de tweeëntwintig vliegtuigen op het vliegveld. Overal regenden brandende stukken weefsel en plastic neer, zodat er brandjes uitbraken in verschillende gebouwen en in het struikgewas langs de start- en landingsbanen.
Een van de schutters werd gedood toen een vijfentwintig centimeter lange metaalsplinter zijn rug doorboorde.
De commandant slaagde erin om vier straaljagers te laten opstijgen, maar de F-117A had al weer koers gezet naar zee en racete al naar de *Halsey* voordat ze zelfs maar los van de grond waren.

60

Woensdag, 03.45 uur
Het hoofdkwartier van de KCIA

Directeur Yung-Hoon was uitgeput, maar met nog een kopje koffie zou hij wel op de been kunnen blijven. Alleen moest die koffie dan eerst wel zijn kantoor zien te bereiken, samen met de laboratoriumverslagen. Ze hadden al een kwartier geleden de vingerafdrukken van die klootzak genomen en ze onmiddellijk gescand en ingevoerd in de computer. Het verdomde ding werd verondersteld met de snelheid van het licht te werken... zoiets in ieder geval.

Yung-Hoon wreef met zijn dunne, breekbare vingers door zijn diep in hun kassen liggende ogen, veegde zijn lange grijzende haar van zijn voorhoofd en keek zijn kantoor rond. Hier zat hij dan: het hoofd van een jonge, nieuwe inlichtingendienst die het helemaal ging maken, vier verdiepingen en drie kelders vol met de allernieuwste apparatuur voor analyse en detectie, en niets daarvan leek naar behoren te functioneren.

Hun databank zat vol met allerlei soorten vingerafdrukken uit politieregisters, universiteitsarchieven en van glazen en telefoons die waren aangeraakt door Noordkoreanen. Hun agenten hadden zelfs de moeite genomen om deurkrukken uit Noordkoreaanse legerbases te stelen.

Hoe lang zou het duren voor ze de vingerafdrukken geïdentificeerd hadden?

De telefoon ging en hij drukte op de luidsprekerknop.

'Ja?'

'Met Ri, meneer. Ik wil deze afdrukken naar het Op-Center in Washington sturen.'

Yung-Hoon snoof. 'Heb je niets gevonden?'

'Tot nu toe niet. Maar misschien zijn het geen Noordkoreanen en hebben ze ook geen strafblad. Wie weet komen ze wel uit een ander land.'

De tweede telefoon ging; het was zijn assistent Ryu. 'Prima,' zei de directeur. 'Stuur ze er maar heen.' Hij drukte het gesprek op de eerste telefoon weg en drukte op de luidsprekerknop van de tweede. 'Ja?'

'Meneer, nieuws van generaal Sams hoofdkwartier. Ze hebben net gebeld. Een Amerikaanse straaljager heeft zojuist een aanval uitgevoerd op de luchtmachtbasis bij Sariwon.'

'Eén enkele straaljager?'

'Ja, meneer. Het schijnt dat een Nighthawk de MiG heeft vernietigd die hun Mirage heeft beschoten.'

Eindelijk, dacht Yung-Hoon. Eindelijk iets waarom ik kan glimlachen.
'Uitstekend. En hoe gaat het met Kim Hwan?'
'Nog geen bericht, meneer. Hij wordt nog geopereerd.'
'Juist. Is de koffie al klaar?'
'Er wordt aan gewerkt, meneer.'
'Waarom gaat alles hier altijd zo langzaam, Ryu?'
'Omdat we te weinig mensen hebben, meneer?'
'Onzin. Eén man is erin geslaagd Sariwon aan te vallen. We zijn te zelfgenoegzaam. Dit heeft alleen maar kunnen gebeuren omdat we te vadsig zijn geworden en weinig initiatief tonen. Misschien zijn we aan verandering toe...'
'Ik zal u inschenken wat er al is doorgelopen, meneer.'
'Je begint het door te krijgen, Ryu.'
De directeur drukte het gesprek weg. Hij wilde koffie, maar wat hij tegen Ryu had gezegd was waar. De organisatie had haar scherpte verloren, hun beste man lag plat op zijn rug en God mocht weten hoe ernstig hij eraan toe was. Yung-Hoon was kwaad geweest toen hij had gehoord wat Hwan had gedaan: hij had de spionne laten oppakken en haar om hulp gevraagd. Zo werkte het gewoon niet. Maar misschien was dat juist een reden om het wel eens zo te proberen.
Toon medeleven en vertrouwen in situaties waarin je meestal woede en twijfel zou tonen. Maak de mensen onrustig. Zet hen op het verkeerde been.
Hij was een geheim agent van de oude stempel en Hwan was van een nieuwe lichting. Als zijn adjunct-directeur deze aanslag zou overleven, zou het misschien tijd worden voor een verandering.
Of misschien was hij gewoon zo moe, dat hij niet helder meer kon denken. Nadat hij koffie had gedronken, zou hij er nog eens over nadenken. En terwijl hij daarop zat te wachten, hief hij zijn lange rechterhand op en gaf de Amerikanen een korte militaire groet; ze hadden hun steentje bijgedragen en Noord-Korea weer even op het verkeerde been gezet.

61

Dinsdag, 14.00 uur
Het Op-Center

Het laboratorium van het Op-Center was bijzonder klein, nog geen vijfentachtig vierkante meter, maar veel meer hadden dr. Cindy Merritt en haar assistent Ralph ook niet nodig. De databestanden waren allemaal volledig geautomatiseerd en de apparatuur die ze nodig hadden om hun werk te kunnen doen, was opgeborgen in ladenkasten of onder de tafels gezet; alles was aangesloten op de computers en werd met behulp daarvan bediend en in de gaten gehouden.

De vingerafdrukken uit de computer van de KCIA waren via een beveiligde modem naar Merritts computer gestuurd. Meteen nadat ze waren overgeseind, begon de apparatuur de lussen en krullen te scannen en te vergelijken met soortgelijke patronen in bestanden die afkomstig waren van de CIA, de Mossad, MI5 en andere inlichtingendiensten, plus bestanden van politieorganisaties als Interpol en Scotland Yard en verschillende militaire inlichtingendiensten.

Anders dan de software van de KCIA, die de volledige vingerafdruk vergeleek met de afdrukken in zijn gegevensbestanden en er op die manier twintig per seconde kon afhandelen, verdeelde de software van het Op-Center – ontwikkeld door Matt Stoll en Cindy Merritt – iedere vingerafdruk in vierentwintig even grote delen en gebruikte die als vergelijkingsmateriaal; pas als één van de vierentwintig deeltjes herkend werd in één van de archiefbeelden, werd de volledige vingerafdruk vergeleken. Met behulp van deze techniek kon iedere computer die het Op-Center voor deze taak inschakelde, maximaal 480 vingerafdrukken per seconde verwerken.

Toen de vingerafdruk was ontvangen, waren Bob Herbert en Darrell McCaskey even langsgekomen om Cindy te vragen of ze een aantal computers op deze klus wilde zetten. De onverstoorbare doctor in de chemie had er drie beschikbaar en had gezegd dat ze maar even moesten blijven wachten. Het zou niet lang duren.

Daarin had ze zich niet vergist. Het kostte de computer precies drie minuten en zes seconden om de vingerafdruk te identificeren, en Ralph zette hem op het scherm.

'Soldaat Jang Tae-Un,' las hij voor. 'Sinds vier jaar soldaat, toegewezen aan de explosievendienst van majoor Kim Lee...'

'Zie je wel,' zei Herbert met iets triomfantelijks in zijn stem.

'... specialist in gevechten van man tot man.'

'Zolang de ander maar geen pistool heeft,' mompelde Herbert.
McCaskey vroeg Ralph om een printout van de gegevens en zei toen tegen dr. Merritt: 'Mooi werk, Cindy.'
'Zeg dat maar tegen Paul,' zei de knappe brunette. 'We zitten dringend verlegen om een goede parttime wiskundige om ons te helpen bij het schrijven van software om de algoritmen te verbeteren die we nodig hebben om modellen van biomoleculen te maken.'
'Ik zal het hem laten weten,' zei McCaskey met een knipoog terwijl hij het papier van Ralph aannam. 'In precies dezelfde bewoordingen.'
'Doe dat,' zei ze. 'Zijn zoontje legt hem wel uit wat we bedoelen.'

Hood hield zich meer bezig met majoor Lee dan met Cindy's verzoek. Samen met Liz Gordon en Bob Herbert zat hij het dossier van de majoor door te kijken dat generaal Sam hem had toegestuurd uit Zuid-Korea. De directeur kon zich maar moeilijk concentreren. Sinds het begin van de crisis had hij zich nog niet zo zwaar onder druk voelen staan. Hij móest te weten zien te komen wie er achter de bomaanslag zat; niet alleen omdat de stijgende internationale spanning al aan één persoon het leven had gekost, maar ook omdat hij het gevoel had dat zijn behoedzame, diplomatieke aanpak ertoe had geleid dat de president het Op-Center naar de zijlijn had verwezen. Pas twee minuten voor de aanval op het Noordkoreaanse vliegveld had Steve Burkow hem daarvan op de hoogte gesteld. Het hoofd van de Crisisgroep Korea had niet eens deel uitgemaakt van het Strategieteam. De president wilde een gevecht en deed alles wat hij kon om er een uit te lokken. Op zich was daar niets tegen, als zo'n gevecht gerechtvaardigd was.
Als hij het mis had, en Noord-Korea was niet onschuldig, zou hij meer hebben om zich bezorgd over te maken dan de woede van de president. Dan zou hij zich moeten gaan afvragen of hij werkelijk de halfslachtige compromissensluiter was geworden die hij ooit beweerd had te zijn.
Hij dwong zich om zijn aandacht op de monitor te richten.
Lee was een veteraan die al twintig jaar in het leger zat. Hij had de pest aan het Noorden, en met goede redenen. Zijn vader, generaal Kwon Lee, was tijdens de oorlog gesneuveld bij Inchon. De moeder van de majoor, Mei, was gevangen genomen en opgehangen wegens het bespioneren van troepenbewegingen in het spoorwegstation van Pyongyang. Hij was opgegroeid in een weeshuis en onder dienst gegaan toen hij achttien was. Tegenwoordig diende hij onder kolonel Lee Sun, die in zijn middelbareschooltijd ooit een keer was gearresteerd wegens het verspreiden van separatistische pamfletten. Lee was geen lid van ondergrondse bewegingen als de Broederschap van de Deling en de Kinderen des Doods – zoons en

dochters van soldaten die in de oorlog gesneuveld waren – maar hij had wèl de leiding over een elite-eenheid die gespecialiseerd was in contraspionage. Bovendien was hij ongetrouwd en deed hij behoorlijk veel verkenningswerk in het Noorden om te helpen bij het kalibreren van de Amerikaanse spionagesatellieten; door duidelijk zichtbare objecten op te meten, verschafte hij het NRO een referentiekader.
'Wat denk jij ervan, Liz?' vroeg Hood.
'In dit vak is niets helemaal zeker, maar dit lijkt me een uitgemaakte zaak.'
Bugs liet de intercom piepen.
'Wat is er?'
'Directeur Yung-Hoon is aan de lijn, de beveiligde, en het is dringend. Hij belt vanuit het hoofdkwartier van de KCIA.'
'Dank je wel.' Hood drukte op het oplichtende knopje. 'Met Paul Hood.'
'Directeur Hood,' zei Yung-Hoon. 'Ik heb zojuist een bijzonder interessant bericht ontvangen van de Noordkoreaanse spionne met wie Kim Hwan vannacht op stap is geweest. Ze zegt dat hij haar heeft gevraagd radiocontact op te nemen met het Noorden om erachter te komen of er in de Democratische Volksrepubliek Korea de afgelopen tijd ergens legerschoenen en explosieven zijn gestolen.'
Herbert knipte met zijn vingers en keek Hood indringend aan. 'Dat was de uitzending waarover Rachel me hier in uw bureau gebeld heeft,' fluisterde hij.
Hood knikte en legde zijn hand op zijn oor om geen last te hebben van Liz die op het toetsenbord van de computer aan het typen was. 'Wat hebben de Noordkoreanen gezegd, meneer Yung-Hoon?'
'Dat er vier weken geleden verscheidene legerschoenen, kneedbommen en handwapens zijn gestolen uit een legervrachtwagen op weg naar het depot in Koksan.'
'Ze hebben haar die informatie over de radio gestuurd, en daarna heeft ze u op de hoogte gesteld?'
'Precies. Het is heel vreemd, want nadat ze Hwan naar het National University Hospital had gebracht, heeft ze een wagen gestolen en is ze ervandoor gegaan. Ze wordt nu gezocht.'
'Verder nog iets, meneer?'
'Nee. Hwan wordt nog steeds geopereerd.'
'Bedankt. Ik neem nog contact met u op. Misschien hebben we straks iets voor u.'
Verkenningstochten in het Noorden, dacht Hood. Hij legde de hoorn neer. 'Bob, neem contact op met generaal Sam en vraag of onze vriend Lee vier weken geleden soms op verkenning in het Noorden is geweest.'
'Natuurlijk,' zei Herbert, en hij reed de kamer uit met een enthousiasme

dat Hood nooit eerder van hem had gezien.
Liz Gordon keek naar de computer. 'Weet je, Paul, als er werkelijk sprake is van een komplot, zou die kolonel Sun daar ook wel eens iets mee te maken kunnen hebben.'
'Waarom?'
'Ik heb net zijn dossier hierheen laten sturen, en er staat in dat hij heel slecht kan delegeren.'
'Dus hij houdt alle touwtjes in handen?'
'Integendeel. Sun lijkt zich niet veel met Lee's werk te bemoeien.'
'Dat wijst er dus op dat hij er niets mee te maken heeft...'
'Of dat hij die Lee zo volkomen vertrouwt, dat hij het niet nodig vindt om toezicht op hem te houden.'
'Dat lijkt me nogal vergezocht...'
'Maar dat is het niet. Bij twee mensen die op dezelfde golflengte zitten, komt dat zelfs veel voor. Juist officieren als Sun, die niets uit handen willen geven, hebben een sterke neiging om met zo'n geestverwant een symbiotische relatie aan te gaan.'
'Oké, ik zal Bob ook laten navragen waar die Sun uithangt.' Hood wierp een snelle blik op de aftelklok, en toen op de half opgegeten salade naast hem op zijn bureau. Hij pakte een lauw stukje wortel op en begon erop te kauwen. 'Weet je, het heeft bijna tien uur geduurd voor we onze eerste echte aanwijzing te pakken hadden, en daar hebben we dan ook nog de hulp van een Noordkoreaanse spionne voor nodig gehad. Wat zegt dat over onze organisatie?'
'Dat we nog het een en ander te leren hebben.'
'Nee, dat is te gemakkelijk. We hebben dingen over het hoofd gezien. Wij zijn degenen die contact hadden moeten opnemen met het Noorden om te vragen of er soms iets gestolen was. Daar hadden we geëigende kanalen voor moeten hebben. En we hadden ook een dossier moeten hebben over Zuidkoreaanse separatisten.'
'Dat is wijsheid achteraf, en bovendien niet helemaal terecht. Gezien het feit dat we worden tegengewerkt door de president en een paar van zijn naaste adviseurs doen we het helemaal zo slecht nog niet.'
'Kan zijn.' Hij glimlachte. 'Jij was de eerste die zei dat de Noordkoreaanse president hier niet bij betrokken was. Hoe vind je het om de rest van ons van mening te zien veranderen?'
'Angstaanjagend,' zei ze.
'Prima. Ik wilde even weten of ik soms de enige was.' Hij sloeg de Zuidkoreaanse bestanden op in het computergeheugen. 'Nu moet ik Mike Rodgers op de hoogte stellen. Laten we maar eens kijken of het Op-Center ook nog een stukje van de militaire koek kan bemachtigen. Wie weet? Mis-

schien heeft Mike wel een paar ideeën die zelfs al die pas uit het ei gekropen haviken in het Witte Huis nog een verrassing zullen bezorgen.'

62

Dinsdag, 08.40 uur
Ten oosten van het eiland Midway

Ruim een uur tevoren, in het luchtruim boven Hawaii, was de donderende C-141A bijgetankt door een tankvliegtuig van het type KC-135. Het toestel was nu in staat om opnieuw een afstand van meer dan zesduizend kilometer af te leggen; meer dan voldoende om Osaka te bereiken. En doordat er boven de Pacific een sterke staartwind stond, kon captain Harryhausen overste Squires melden dat ze Japan ongeveer een uur eerder zouden bereiken dan gepland, om ongeveer vijf uur dus. Squires nam contact op met de navigator, die hem vertelde dat de zon in het oostelijke deel van Noord-Korea pas om een paar minuten over zes zou opgaan. Met een beetje geluk zouden ze zich dan in het gebied van het Taibak-gebergte bevinden.

Met zijn armen over elkaar en zijn ogen dicht, zat Mike Rodgers dromerig te mijmeren over van alles en nog wat. Losse beelden uit het verleden, van vrienden die inmiddels overleden waren, vermengden zich met zijn ideeën over hoe het Taibak-gebergte eruit zou zien. Hij dacht aan het Op-Center en vroeg zich af wat daar op dit moment zou gebeuren. Hij wilde dat hij erbij was om het zaakje in het gareel te houden... maar was blij dat hij zich in het veld bevond.

Met opzet liet hij alles voor zijn geestesoog passeren, als een paar wolken. Hij had gemerkt dat dit de beste manier was om ingewikkelde plannen snel in zijn geheugen te prenten: ze een of twee keer doorlezen, ze dan gewoon wat door zijn geest laten dwarrelen en ze een paar uur later nog eens doornemen. Met behulp van die techniek, die hij had geleerd van een vriend die acteur was, bleef het materiaal een paar dagen hangen. Daarna was je het weer kwijt. De methode beviel Rodgers omdat hij niet veel tijd kostte en je hersencellen niet voor eeuwig bezet hield. Hij vond het vreselijk dat hij zich nog steeds allerlei nutteloze informatie kon herinneren die hij op

de middelbare school in zijn hoofd had gestampt voor zijn eindexamen: dat Frances Folsom Cleveland, de weduwe van president Grover Cleveland, de eerste First Lady was geweest die ooit hertrouwd was, en dat de *Speedwell* het niet-zeewaardige zusterschip van de *Mayflower* was.
Maar het prettigste was dat het laten dwarrelen van de actieplannen die Squires met hem had doorgenomen, Rodgers de kans gaf om zich tijdens de lange vlucht wat te ontspannen, zijn gedachten te ordenen voor de opdracht die ze voor de boeg hadden...
'Generaal!'
... en zo nu en dan een telefoontje van Paul Hood te beantwoorden. Rodgers ging rechtop zitten en trok de oordopjes uit zijn oren. 'Ja, soldaat Puckett.'
'Het is meneer Hood, generaal.'
'Dank je wel, soldaat.'
Puckett zette de radio naast Rodgers op de bank en ging weer in zijn stoel zitten. Terwijl Rodgers de koptelefoon opzette, bewoog overste Squires zich in zijn slaap.
'Met Rodgers.'
'Mike, er zijn wat nieuwe ontwikkelingen. De Noordkoreanen hebben een van onze spionagevliegtuigen beschoten en een verkenningsofficier gedood, en de president heeft teruggeslagen door het vijandelijke vliegtuig op de grond te laten vernietigen.'
'Goed gedaan, meneer de president!'
'Mike, we zijn het daarover niet met hem eens.'
Rodgers klemde zijn tanden op elkaar. 'O?'
'We denken dat iemand anders Noord-Korea de schuld van die bomaanslag in de schoenen probeert te schuiven,' zei Hood. 'Waarschijnlijk is de aanslag in werkelijkheid gepleegd door een Zuidkoreaanse officier.'
'Heeft hij onze verkenner ook neergeschoten?'
'Nee, Mike, maar we bevonden ons diep in Noord-Korea.'
'Dan hadden ze ons vliegtuig zonder te schieten tot een landing moeten dwingen,' zei Rodgers. 'Maar dat hebben die klootzakken zeker niet gedaan, hè?'
'Nee, inderdaad niet, maar daar zullen we het een andere keer nog wel eens over hebben. We zitten in Defcon 3, en we denken dat de zaak nog veel verder zal escaleren. Als dat gebeurt, kunnen we alle Nodongs die op vaste lanceerinrichtingen staan vanuit de lucht bereiken, maar jullie zullen met de mobiele lanceerinrichtingen moeten afrekenen.'
'Kan ik daarbij op mijn eigen oordeel afgaan?'
'Voer jij het bevel of overste Squires?'

'Hij heeft het bevel, maar we hebben dezelfde manier van denken. Op òns eigen oordeel dan?'
'Je zult misschien geen tijd hebben voor overleg met het Pentagon en de president wil er niets over weten. Ja, Mike. Als het erop begint te lijken dat die raketten gelanceerd zullen worden, kunnen jullie ze uitschakelen. Eerlijk gezegd, Mike, hebben we hier nogal een flater geslagen. We hebben aangedrongen op een vreedzame benadering, maar die aanval op dat vliegveld bij Sariwon zal het heel goed doen in de publieke opinie. Ik moet nu zelf ook wat gooi- en smijtwerk hebben.'
'Bericht ontvangen, Paul.'
Inderdaad. Ook dit keer wilde een politicus die in de problemen zat weer eens een militaire aanval om zijn kiezers – in dit geval de president – opnieuw achter zich te krijgen. Hij viel Hood nu wel erg hard; hij mocht de man werkelijk heel graag, als een vierde pokerspeler, of naast zich op de tribune bij een wedstrijd van de Redskins. Maar Rodgers was een fervente aanhanger van de diplomatieke methode van George Patton: eerst je tegenstander helemaal verrot schoppen en pas gaan onderhandelen als je met je voet op zijn keel staat. En hij was er nog steeds van overtuigd dat het Op-Center niet alleen effectiever zou functioneren, maar ook meer gerespecteerd en gevreesd zou worden als het wat minder zou vertrouwen op computers en wat meer op vuurwapens.
'Ik hoef je niet te zeggen dat je goed op jezelf moet passen,' zei Hood. 'En veel geluk. Als er iets mis gaat, kan niemand jullie helpen.'
'Dat weten we. Ik zal de manschappen doorgeven dat je ze het beste wenst.'
Meteen nadat Rodgers het gesprek beëindigd had, stond Puckett weer naast hem om de radio mee te nemen.
Squires trok een van zijn oorpluggen uit. 'Iets nieuws, generaal?'
'Jazeker.' Rodgers stak zijn arm onder de bank, trok zijn tas eronder vandaan en zette hem op zijn knieën. 'Misschien zullen we onze zwaarden wel moeten gebruiken voordat de chef ze heeft laten verroesten.'
'Generaal?'
'Henry Ward Beecher. Weet je wat die gezegd heeft over angst?'
'Nee, generaal. Niet zo uit mijn hoofd.'
'Hij zei: "Van werken gaan mensen niet dood, maar wel van angst en zorgen. Werken is gezond. Piekeren is roest op het zwaard." Paul maakt zich te veel zorgen, Charlie, maar hij heeft me gezegd dat als een van die Nodong-raketten ook maar iets probeert, we het niet hoeven te laten bij het uitbrengen van een situatierapport aan het Op-Center.'
'Mooi zo,' zei Squires.
'En daarom wordt het nu tijd om je te laten zien hoe je deze schatjes kunt

gebruiken.' Hij haalde er twee bolletjes van 1,25 centimeter uit. Het ene was grasgroen, het andere dofgrijs. 'De EBC's. Ik heb er twintig bij me. De ene helft is groen, de andere tien zijn grijs. Ze hebben allemaal een bereik van anderhalve kilometer.'
'Geweldig,' zei Squires, 'maar wat doen ze?'
'Precies wat de broodkruimels in *Hans en Grietje* werden verondersteld te doen.' Hij gaf de bolletjes aan Squires, rommelde opnieuw even in de tas en haalde er een apparaatje uit dat eruitzag als een kleine nietmachine. Hij trok het open bij het scharnier en onthulde een klein LCD-schermpje met daaronder vier knoppen: een grijze, een groene, een rode en een gele. Aan de zijkant van het apparaatje was een oorplug bevestigd en Rodgers maakte die los. Hij drukte de rode knop in, en terwijl het apparaatje luid begon te piepen, verscheen er een pijl op het scherm die naar Squires wees.
'Houd die balletjes eens omhoog,' zei Rodgers.
Dat deed Squires en de pijl volgde hem.
'Als je verder van me af gaat zitten, wordt het gepiep zwakker. Matt Stoll heeft het voor me in elkaar gezet. Het is eenvoudig maar briljant. Terwijl je een bepaald terrein binnentrekt, leg je deze balletjes neer. Groen in een bosrijke omgeving, grijs in een rotsachtige. Als je je terug wilt trekken, hoef je alleen maar de spoorzoeker aan te zetten en de oorplug in te doen, zodat de vijand je niet kan horen, en dan kun je zo teruglopen, van het ene balletje naar het andere.'
'Het lijkt wel zo'n kinderspelletje,' zei Squires.
'Precies. Met deze dingen en onze nachtzichtbrillen zijn we zo snel als een stel bergleeuwen.'
'Elektronische broodkruimels.' Lachend gaf Squires ze terug aan Rodgers. '*Hans en Grietje.* Dit is toch niets voor volwassenen, generaal?'
'Kinderen zijn dol op vechten en denken zelden aan de dood. Het zijn ideale soldaten.'
'Wie heeft dat nu weer gezegd?'
Rodgers glimlachte. 'Ik, Charlie. Dat heb ik zelf gezegd.'

63

Woensdag, 05.20 uur
De gedemilitariseerde zone

Gregory Donald had een uur geleden van de aanval op Sariwon gehoord, nadat hij voor het Op-Center een tweede verkenningstocht had gemaakt, en hij kon het nog steeds niet geloven. Schneider was ervoor gewekt, en hij had het nieuws aan hem doorgegeven met een genoegen dat Donald weerzinwekkend vond.

Er was nog een mens gestorven. Omdat de president van de Verenigde Staten flink wilde lijken, was er een einde gemaakt aan een mensenleven. Donald vroeg zich af of Lawrence die piloot net zo gretig gedood zou hebben als hij op een meter afstand naar hem zou hebben staan te kijken... langs de loop van een geweer.

Natuurlijk niet. Een beschaafd mens dóet zoiets niet.

Hoe kwam het dan dat die zelfde beschaafde mensen wèl wilden doden voor een stijging in de opiniepeilingen of om iets te bewijzen? Net als vele presidenten vóór hem zou Lawrence aanvoeren dat zo'n enkel slachtoffer als dit grotere toekomstige verliezen kon helpen voorkomen. Maar Donald was van mening dat je met een dialoog nog veel grotere verliezen kon vermijden, zolang een van beide partijen maar niet bang was om een zwakke indruk te maken of al te vergevingsgezind te lijken.

Hij staarde in de verte, naar het conferentiegebouw dat de grens overbrugde. Om te voorkomen dat iemand via het gebouw de grens over zou proberen te steken, werd het aan beide zijden hel verlicht en streng bewaakt. De vlaggen van het Noorden en het Zuiden hingen slap aan het einde van hun surrealistisch hoge vlaggemasten. Zuid-Korea had laatst de bal op zijn vlaggemast vervangen door een piek, zodat hun mast nu twaalfenhalve centimeter hoger was dan die van het Noorden. Voor zolang het duurde, want er was ongetwijfeld al een piek van vijftien centimeter besteld, en als die eenmaal geïnstalleerd was, zou het Zuiden op zijn beurt er een nog hogere piek erop laten zetten, of misschien een windvaantje, of een antenne. De mogelijkheden waren absurd en eindeloos...

Al hun problemen konden binnen die vier muren worden opgelost als de deelnemers dat maar zouden willen. Tijdens een bijeenkomst van zwarten en Koreanen in New York, in 1992, toen de spanning tussen die twee etnische groepen op zijn hoogst was, had Soonji daar ooit eens een toespraak over gehouden.

'Probeer het te zien als een kettingbrief,' had ze gezegd. 'Als van beide par-

tijen ook maar één mens vrede wil, en hij slaagt erin om iemand anders tot zijn standpunt over te halen, en als die twee dan allebei weer twee mensen tot hun standpunt weten over te halen, en die vier dan nog eens vier mensen, dan hebben we het beginnetje dat we nodig hebben.'
Een begin... geen einde. Niet nog meer bloedvergieten, nog meer verspilling van schaarse grondstoffen, niet nog meer haat die als een brandmerk in de psyche van een nieuwe generatie werd gedrukt.
Donald liep weg van de grens, weg van het kampement. Hij richtte zijn blik op de sterren.
Plotseling voelde hij zich heel erg moe en werd hij overmand door verdriet en een diep gevoel van wanhoop en twijfel. Misschien had Schneider ook wel gelijk. Misschien zouden de Noordkoreanen hem alleen maar gebruiken en zou hij meer kwaad dan goed doen met zijn pogingen om *peace in our time* te bereiken.
Hij bleef stilstaan, liet zich zwaar op de grond ploffen en ging op zijn rug liggen, met zijn hoofd op een graspol. Soonji zou hebben gezegd dat hij moest doorzetten. Ze was een optimiste geweest, geen realiste, maar toch was ze er meestal in geslaagd om het doel te bereiken dat ze zich had gesteld.
'Ik ben een pragmaticus,' zei hij terwijl de tranen in zijn ogen sprongen, 'en dat ben ik altijd geweest. Dat weet je best, Soon.' Hij zocht de hemel af naar bekende sterrebeelden, naar een vleugje van orde, maar het enige wat hij zag was een chaotische verzameling sterren. 'Als ik nu niet bij mijn overtuiging durf te blijven, is mijn leven altijd een leugen geweest, of leef ik van nu af aan in een leugen. Ik denk niet dat ik het mis heb gehad, en dus moet ik doorzetten. Help me, Soonji. Schenk me iets van je sterke vertrouwen.'
Er streek een warme wind over zijn gezicht, en Donald sloot zijn ogen. Ze zou natuurlijk nooit naar hèm toe komen, maar hij kon nog altijd naar háár gaan, zo niet in het leven dan wel in de slaap. En terwijl hij daar zo in het donker lag, in stilte, zwevend tussen dromen en waken, voelde hij geen onzekerheid meer en was hij niet langer alleen.

Drie kilometer verderop, ten westen van waar hij nu lag en een paar meter onder de grond, werd het laatste blik met dodelijk gas centimeter voor centimeter naar het Noorden geduwd. Het was de brenger van een ander soort slaap...

64

Dinsdag, 16.00 uur
Het Op-Center

'Hoe is het weer buiten?' vroeg Hood terwijl hij Matt Stolls kantoor binnen liep.
Stoll drukte op shift/F8, 3 en 2. 'Zonnig, 25,6 graden Celsius, zuidwestenwind.' Daarna richtte hij zijn aandacht weer op het toetsenbord. Hij tikte een paar instructies in, bleef even wachten, en tikte er toen nog een paar in.
'Hoe gaat het, Matty?'
'Ik heb het systeem schoon weten te krijgen, op de satellieten na. Die zijn over anderhalf uur klaar.'
'Waarom duurt het zo lang? Kun je niet gewoon een programma schrijven dat het virus uitwist?'
'In dit geval niet. Het virus heeft zich in ieder fotobestand genesteld dat we van dit gebied hebben, tot in bestanden uit de jaren zeventig. Ze hebben overal beelden vandaan gehaald: de satellietbeelden van vandaag bevatten een compleet historisch overzicht van al het Koreaanse materieel. En er zit geen enkel hiaat in de beelden. Ik zou de vent die dit gemaakt heeft graag nog even willen spreken voor we hem fusilleren.'
'Dat kan ik je niet beloven.' Hood wreef over zijn ogen. 'Heb je vandaag al pauze gehad?'
'Jazeker. En u?'
'Daar ben ik nu mee bezig.'
'Een werkpauze. Even de benen strekken. Even kijken of ik de zaak weer aan het verknoeien ben.'
'Matty, niemand heeft jou de schuld gegeven van wat er vandaag is gebeurd.'
'Behalve ik zelf dan. Shit, vroeger moest ik lachen om... wie was het ook weer? Shakespeare? De vent die zei: "Uit gebrek aan een spijker, ging er een hoefijzer verloren..." Nou, hij had gelijk. Meteen toen ik de spijker miste, vlogen de brokstukken van het koninkrijk me om de oren. Mag ik u iets vragen?'
'Ga je gang.'
'Vond u het nou leuk toen de computers ineens amok begonnen te maken, of heb ik me dat maar verbeeld?'
'Je hebt het je niet verbeeld, maar "leuk" is niet het juiste woord. Ik was...'
'Zelfvoldaan. Sorry, Paul, maar zo is het op me overgekomen.'

'Misschien. Het lijkt wel of we verzeild zijn geraakt in een situatie waarin alles steeds maar sneller moet gaan, alleen omdat het sneller kàn. Toen de verbindingen wat trager waren en terreinverkenning tijd kostte, hadden de mensen tenminste nog even tijd òm na te denken en tot bedaren te komen voordat ze elkaar verrot begonnen te slaan.'
'Maar slaan deden ze toch wel. De Amerikaanse burgeroorlog zou ook wel zijn uitgebroken zonder actualiteitenrubrieken en computers. Ik denk dat jij gewoon graag een vaderrol wilt spelen, en zolang er niets misgaat, hebben deze computerkindertjes ons helemaal niet nodig.'
Voordat Hood kon protesteren – en toen hij daar later over nadacht, was hij blij dat hij dat niet gedaan had, want Matt had niet helemaal ongelijk – ging zijn pieper. Hij zag dat Bob Herbert hem wilde spreken, nam de hoorn van Matts telefoon van de haak en toetste Herberts nummer in.
'Met Hood.'
'Slecht nieuws, chef. We zijn erachter gekomen wat majoor Lee vandaag heeft uitgespookt, in ieder geval gedurende een deel van de dag.'
'Nog meer terrorisme?'
'Het lijkt er wel op. Hij heeft vier blikken met honderddertig liter gifgas, tabun, meegenomen uit de gevaarlijke-materialenkluis van de legerbasis in Seoul. Allemaal volkomen legaal, dat wil zeggen: de documenten waren in orde. Er staat dat hij ermee naar de gedemilitariseerde zone gaat.'
'Wanneer is dat gebeurd?'
'Ongeveer drie uur na de ontploffing.'
'Dus dan heeft hij tijd genoeg gehad om de springlading te plaatsen, naar de basis te gaan en van daaruit naar het Noorden te rijden, àls hij daarheen gaat. En onderweg heeft hij op een gegeven moment besloten Kim Hwan te overvallen.'
'Dat klinkt aannemelijk.'
Hood keek op zijn horloge. 'Als hij naar het Noorden is gegaan, moet hij daar al minstens zeven uur zijn.'
'Maar wat heeft hij daar te zoeken? Tabun heeft een hoog soortelijk gewicht. Als hij met een raket loopt te zeulen, zou dat opgemerkt worden, en als hij het wil inzetten tegen troepen in het veld, heeft hij een sproeivliegtuig nodig.'
'En dan is er nog de vraag wèlke troepen. Hij zou het tegen die van ons kunnen gebruiken, om Lawrence echt razend te maken, of tegen de Noordkoreanen, zodat die over de rooie gaan. Maar ik kan hier niet mee aankomen bij de president. Bel generaal Schneider in de gedemilitariseerde zone en vertel hem over Lee. Als het nodig is, bel je hem maar uit bed. En vraag hem ook om Donald op te sporen en hem te zeggen dat hij mij moet bellen.'

'Wat ga je Greg vertellen?'
'Dat hij radiocontact moet opnemen met generaal Hong-Koo om hem te zeggen dat er een gek aan het werk is.'
Herbert hapte zo luid naar adem, dat het over de telefoon te horen was. 'We gaan Noord-Korea vertellen dat de Zuidkoreanen hierachter zitten? Chef, de president maakt je af.'
'Als ik het mis heb, zal ik zelf het geweer voor hem laden.'
'En wat zeggen we tegen de pers? De Noordkoreanen zullen ons overal zwart maken.'
'Daar zal ik het even met Ann over hebben, zodat ze straks een verklaring klaar heeft liggen. Bovendien zou de wereldopinie de president wel eens zo lang kunnen tegenhouden, dat we de gelegenheid krijgen om te bewijzen dat we het bij het rechte eind hebben.'
'Of dat hij de gelegenheid krijgt om ons eruit te schoppen.'
'Het gaat hier om mensenlevens. Doe het nou maar gewoon, Bob. We hebben weinig tijd.'
Hood hing op.
'Ik weet het,' zei Stoll. 'Ik typ al zo snel als ik kan. Als u uitzoekt in wat voor een vrachtwagen Lee heeft gereden, zorg ik ervoor dat de satellieten zo snel mogelijk weer operationeel zijn.'

65

Woensdag, 06.30 uur
De gedemilitariseerde zone

In zijn lange carrière als tunnelkruiper had Lee nooit kunnen besluiten waaraan hij de voorkeur gaf: aan stinkende, vochtige tunnels die je longen vulden met rommel die er weken in bleef zitten en waarin je voortdurend wortels over je gezicht voelde strijken, of aan droge, benauwde tunnels, zoals deze, die je een kurkdroge mond bezorgden en waarin je neus en ogen vol met zand kwamen.
Dit is erger, zei hij in zichzelf. Aan stank kun je gewend raken, maar aan dorst niet.
In ieder geval was hij nu bijna klaar. Ze kropen door het laatste deel van de

tunnel met het laatste blik. Nog maar een paar minuten en dan zouden ze bij de nis zijn die ze aan de andere kant hadden uitgegraven. Hij zou Yoo naar boven helpen met de blikken en die zou dan voor de rest moeten zorgen. Voor zonsopgang zou hij de blikken naar het doelwit moeten rollen en ze dan moeten installeren. Zijn gereedschap had Yoo al overgebracht; een paar dagen eerder hadden ze de route 's nachts al eens verkend, en tussen al die heuvels en schaduwen zou niemand hen kunnen opmerken.
Terwijl Yoo aan het werk was, zou Lee teruggaan om met Gregory Donald af te rekenen voordat hij Hong-Koo zou kunnen ontmoeten. Het was zo typisch Amerikaans: als het geen imperiumbouwers waren, dan waren het zelfvoldane bemoeials. Dat was de reden waarom hij hen haatte, dat en vanwege het feit dat ze de oorlog hadden gestaakt in het zicht van de overwinning. Nadat ze hem hadden geholpen de regering in Pyongyang te vernietigen, zou hij ervoor ijveren dat ze het land uit werden geschopt.
Zijn land. Niet het land van Harry S. Truman of Michael Lawrence, noch dat van generaal Norbom of generaal Schneider. De persoonlijkheid van zijn volk was al te lang gefnuikt; er was al te lang misbruik gemaakt van hun geploeter. En nu zou daar een eind aan komen.
Ondanks de kniebeschermers waren Lee's knieën helemaal rauw geschuurd van al het kruipen. Zijn ooglapje was doordrenkt met zweet en hij had een brandend gevoel in zijn goede oog. Maar dat kon hem er nauwelijks van weerhouden om de laatste paar meter haastig af te leggen. Nog een paar minuten en dan zouden de tweede en derde gebeurtenis werkelijkheid worden; het ogenblik waar ze al die tijd naartoe hadden gewerkt sinds hij kolonel Sun twee jaar geleden benaderd had met zijn idee.
Hij bleef naar voren kruipen, met gebogen schouders, steunend op zijn linkerhand, en gebruikte zijn rechterhand om het blik voort te rollen. Terwijl hij verder kroop, bewoog hij zijn goede oog langzaam heen en weer om de wanden van de tunnel af te speuren. De meters veranderden in centimeters, de minuten in seconden, en toen zetten ze het vierde blik rechtop naast de drie andere.
Yoo haalde een opgerolde touwladder uit de nis, en met zijn rug tegen de ene muur van het smalle gangetje en zijn benen tegen de andere, klom hij omhoog. Hij maakte de ladder vast aan een rotsblok, en nadat hij hem had laten zakken, brachten ze de blikken naar boven.

Op handen en voeten kroop majoor Lee terug door de tunnel. Soms raakten zijn knieën niet eens de grond. Hij zette zich af met de bal van zijn voeten en nam zulke grote stappen, dat zijn benen langs zijn ellebogen schoven. In de gang aan de zuidelijke kant van de grens trok hij de zaklantaarn van zijn schouder en knipte hem uit. Daarna liep hij snel naar het hennep-

touw, sprong op, en klom snel hand over hand naar boven tot hij net onder de rand hing.
Er was niemand te bekennen. Nadat hij zich door de opening had getrokken, klopte majoor Lee op zijn linkerzak om er zeker van te zijn dat het stiletto er nog in zat, en rende toen de nacht in.

66

Woensdag, 07.00 uur
Het Taibak-gebergte, Noord-Korea

De 7,65 x 17-mm-Browning, Noordkoreaans fabrikaat en officieel bekend als Type 64, was een ruwe kopie van de Belgische Fabrique Nationale Browning Mle. 1900, maar wat kolonel Sun er zo aantrekkelijk aan vond, en de reden waarom hij kolonel Oko specifiek om dat type had gevraagd, was dat er een geluiddemper bij werd geleverd.
Suns oppasser boog zich over de achterbank van de jeep en pakte de twee pistolen. Hij gaf er één aan de kolonel en hield de andere voor zichzelf. Terwijl ze het strand af reden, had Sun al gecontroleerd of ze geladen waren. Hij vertrouwde kolonel Oko niet helemaal. Toen Korea nog één land was, hadden hun vaders zij aan zij tegen de Japanners gestreden en als kind waren ze speelkameraadjes geweest, maar hoewel iedereen die omwille van de goede zaak toeliet dat zijn eigen manschappen werden gedood bewondering verdiende, kon je zo iemand nooit helemaal vertrouwen.
Is wat ik doe dan iets anders? vroeg Sun zich af. De soldaten die met majoor Lee en hemzelf samenwerkten, waren allemaal vrijwilligers, maar hoe zat het met de duizenden, misschien wel tienduizenden mensen die de dood zouden vinden nadat de oorlog was uitgebroken? Dat waren geen vrijwilligers.
Maar toch, wat ze nu aan het doen waren, móest gedaan worden. Dat had hij al geweten sinds 1989, toen zijn gedachten hun definitieve vorm hadden aangenomen en hij een anoniem pamflet had gepubliceerd met als titel *Het Zuiden ís Korea.* De intellectuelen en de herenigingsactivisten waren er woedend om geworden, en daardoor had hij geweten dat hij op

de juiste weg was. In het boekje had hij gesteld dat de uiteindelijke hereniging van Korea niet alleen op een culturele en economische ramp zou uitdraaien, maar ook de doodsteek zou zijn voor de carrières en politieke aspiraties van vele legerofficieren aan weerszijden van de grens. Dat alleen al zou chaotische toestanden veroorzaken, want militairen als Oko zouden zich echt niet goedschiks laten afvloeien en al evenmin genoegen nemen met een puur symbolische functie. In plaats daarvan zouden ze een staatsgreep plegen die het schiereiland in een oorlog zou storten die groter en dodelijker zou zijn dan het betrekkelijk kleine conflict dat ze nu aan het voorbereiden waren. Bovendien zou een onomkeerbare deling verhinderen dat het ooit nog tot zulke heftige confrontaties zou komen als in 1994, toen er in Seoul zevenduizend militairen slaags waren geraakt met meer dan tienduizend voorstanders van hereniging. Daarbij waren toen meer dan tweehonderd mensen gewond geraakt. Die protesten zouden alleen maar heviger worden als de Verenigde Staten de Democratische Volksrepubliek Korea zouden blijven helpen met het vervangen van zijn oude kernreactoren met grafietmoderator. Nieuwe kernreactoren zouden de hoeveelheid plutonium die het Noorden kon produceren aanzienlijk verminderen, en dus ook het aantal kernbommen waarover het land kon beschikken. En daardoor zou Noord-Korea meer genegen zijn tot het sluiten van een pact met het Zuiden.

Maar op de lange duur verdiende de weg die hij en zijn kameraden hadden gekozen toch de voorkeur. En als de president van de Verenigde Staten zich ermee wilde bemoeien en zou proberen om het Zuiden een hereniging op te dringen, zouden hij en zijn bondgenoten geconfronteerd worden met een situatie waarin ze alleen een Pyrrusoverwinning zouden kunnen behalen.

Het begon laat te worden. Het was tijd om in actie te komen. Sun en Kong kromden hun linkerhand om de kolf van hun pistool en hielden het met de loop omhoog vast, zodat de geluiddemper bijna tot aan hun elleboog kwam. Terwijl ze in het duister naar de tent van Ki-Soo slopen, kwamen ze langs een schildwacht die liep te patrouilleren: een man met medailles op, een groot litteken op zijn voorhoofd en een sinistere manier van doen. Hij salueerde energiek.

Het zeil voor de tentopening was los en de kolonel liep naar binnen.

Sun aarzelde niet, hoewel hij het met tegenzin deed. Hij had Ki-Soo's dossier doorgelezen en ondanks zichzelf had hij respect voor de man. Zijn moeder was tijdens de Tweede Wereldoorlog een meisje van plezier geweest en hij was verwekt door een Japanse soldaat. Ki-Soo had hard gevochten om het stigma van zijn afkomst te boven te komen. Hij had een diploma verbindingstechniek gehaald en was daarna bij het leger gegaan,

waar hij snel promotie had gemaakt. Het was jammer voor hem: het beste wat hem te wachten stond was de dood, en op zijn ergst zou hij zijn eer verliezen. Maar hij had een vrouw en een dochter, en de kolonel hoopte dat hij zich redelijk zou opstellen.
Suns oppasser liep naar de holster die aan de stoel achter Ki-Soo's bureau hing, trok het TT 330 Tokarev-pistool eruit en duwde het onder zijn riem. Sun had zich inmiddels naast het bed van Ki-Soo op één knie laten zakken en terwijl hij zijn vrije hand naast het rechteroor van de kolonel legde, duwde hij de loop van het pistool in diens linkeroor.
Ki-Soo schrok wakker. Sun duwde het hoofd van de man tegen de tromp van het pistool en bleef het stevig vasthouden.
'Niet bewegen, kolonel.'
Ki-Soo trok met zijn hoofd en probeerde overeind te gaan zitten, maar Sun had zijn hoofd stevig vast.
'Ik zei: niet bewegen.'
Hij tuurde door de duisternis. 'Sun?'
'Ja. Luister goed, kolonel.'
'Ik snap het niet...'
Ki-Soo probeerde rechtop te gaan zitten, maar hield daarmee op toen Sun het pistool nog wat harder in zijn oor duwde.
'Kolonel, ik heb geen tijd voor dit gedoe. Ik heb uw hulp nodig.'
'Waarvoor?'
'Ik wil de code hebben waarmee de lanceercoördinaten van de Nodongs veranderd kunnen worden.'
'Maar uw opdracht! Er staat niets in over...'
'Dit is een nieuwe opdracht, kolonel. Zonder uw hulp is dit heel moeilijk, maar mèt uw hulp wordt het een stuk gemakkelijker... en dan overleeft u dit. Uw keuze?'
'Ik wil weten voor wie u werkt.'
'Uw keuze, kolonel.'
'Ik ga die raketten niet op een ander doel richten zonder dat ik weet wat het is.'
Sun ging staan, maar hield het pistool op het hoofd van de man gericht. Hij doet alleen maar wat een goed officier behoort te doen, bedacht hij. Dat kun je hem toch wel vertellen?
'Ze zullen niet op een doel in dit land worden gericht, kolonel. Dat is het enige wat ik u kan zeggen.'
Ki-Soo keek van Sun naar diens oppasser. 'Voor wie werken jullie?'
Sun bewoog zijn arm en toen het van een geluiddemper voorziene pistool werd afgevuurd, klonk er een ploppend geluid, gevolgd door het sissen van vrijkomend gas. Ki-Soo schreeuwde het uit toen zijn linkerhand in het bed

werd geperst en hij sloeg snel zijn rechterhand over de bloederige wond. Een ogenblik later hoorden ze buiten gehaaste voetstappen en Sun zag een zaklantaarn naderbij komen vanuit een nabijgelegen tent.
'Alles in orde, kolonel?'
De kolonel bewoog zijn arm, zodat het pistool opnieuw op Ki-Soo's hoofd gericht was. 'Zeg tegen uw oppasser dat alles prima is.'
Terwijl hij de pijn verbeet, zei Ki-Soo: 'Ik... ik heb mijn teen gestoten.'
'Zoekt u iets, kolonel? Ik heb een zaklantaarn bij me.'
'Néé! Dank je wel. Niets aan de hand.'
'Ja, kolonel.'
De oppasser draaide zich om en liep terug naar zijn tent.
Sun keek woedend neer op de officier. 'Kong, scheur een stuk van het laken en verbind zijn hand.'
'Blijf van me af!' siste Ki-Soo. Hij trok de sloop van het kussen en duwde die tegen zijn hand.
Sun gaf hem een ogenblik de tijd en zei toen: 'Mijn volgende schot richt ik hoger. En nu, kolonel, de code...'
Ki-Soo probeerde uit alle macht zijn zelfbeheersing te bewaren. 'Vijf-één-vier-nul op de onderste rij... de toegangscode. Nul-nul-nul-nul in de middelste rij... daarmee worden de coördinaten gewist, zodat je ze kunt veranderen. Als je daarmee klaar bent, kun je op de onderste rij alle codes intikken die je maar wilt om de coördinaten op te slaan.'
De coördinaten. In het Zuiden moesten ze daar een beetje om lachen. De systemen van Amerikaanse makelij werkten met ingebouwde topografische kaarten en fotografische beelden die door luchtverkenners of satellieten waren aangeleverd. Dat soort raketten was in staat om in een druk kampement één bepaalde jeep te vinden en neer te komen in de schoot van een van de vier inzittenden. De Nodongs daarentegen, konden slechts in 360 verschillende richtingen gericht worden en de elevatiehoek waaronder ze werden afgeschoten werd bepaald door de afstand tot het doel. Zelfs het raken van één bepaald huizenblok was nauwelijks mogelijk.
Maar Sun hoefde niet nauwkeurig te kunnen mikken. Hij hoefde alleen maar één bepaalde stad te raken en het maakte niet uit waar.
'Wanneer wisselen de mensen in de heuvels elkaar af?' vroeg Sun.
'Ze worden... afgelost om acht uur.'
'Brengt de officier van dienst bij u verslag uit?'
Ki-Soo knikte.
Sun zei: 'Ik laat Kong bij u achter. De tent blijft dicht en u ontvangt geen bezoek. Als u de bevelen niet gehoorzaamt, wordt u doodgeschoten. We blijven hier niet lang, en als we klaar zijn is het kamp weer van u.'
Ki-Soo huiverde toen hij met zijn duim de sloop op de wond drukte.

'Ik verlies mijn eer.'
'U hebt een gezin,' zei Sun. 'U hebt er goed aan gedaan om daaraan te denken.' Hij draaide zich om en wilde de tent uit lopen.
'De raketten staan op Seoul gericht. Welk doel... kan belangrijker zijn?'
Sun zei niets. Daar zou Ki-Soo – en de rest van de wereld – snel genoeg achterkomen.

67

Woensdag, 07.10 uur
Osaka

'Generaal Rodgers, ik dacht dat de piloot ons naar de zon zou brengen!'
Toen ze over de Baai van Ise op Osaka aanvlogen regende het zo hard, dat overste Squires en zijn manschappen de regen zelfs nog boven het gedreun van de motoren uit op de fuselage hoorden roffelen. Rodgers was altijd al gefascineerd geweest door dat soort onverwachte en disproportionele verschijnselen. Het was net of je te midden van een orkest ineens een harp hoorde. Op een bepaalde manier leek het wel wat op de filosofie achter het Striker Team. Van David en Goliath tot de Amerikaanse revolutie, was de grootste niet altijd de sterkste gebleken. De toneelschrijver Peter Barnes had ooit iets geschreven over een klein stukje onkruid dat de tegels van het trottoir deed splijten, en met dat beeld – dat aangaf dat het in de geschiedenis niet alleen om grote namen draaide – had Rodgers zich tijdens enkele van zijn moeilijkste uren op de been weten te houden. Hij had zijn zuster het zelfs op zijn plunjezak laten borduren, zodat hij het nooit zou kunnen vergeten.
Soldaat Puckett verstoorde Rodgers' gemijmer met een saluut en een fel 'Generaal!'
Rodgers trok de oordopjes uit zijn oren. 'Wat is er, soldaat Puckett?'
'Generaal, generaal-majoor Campbell zegt dat hij een C-9A klaar heeft staan om ons over te vliegen.'
'Laat dat maar aan het leger over,' zei Squires. 'We krijgen een ongewapende Nightingale om over Noord-Korea te vliegen.'
'Zelf zou ik ook de voorkeur geven aan een knusse Black Hawk,' zei Rod-

gers, 'maar dan krijgen we problemen met de actieradius. Bedankt, soldaat.'
'Niet te danken, generaal.'
Terwijl Puckett weer naar zijn plaats liep, begon Squires te grinniken. 'Johnny Puckett is een heel goede soldaat, generaal. Hij beweert dat zijn vader toen hij klein was een zelfgebouwde radio in zijn kamertje heeft neergezet, en een mobiel voor hem heeft gemaakt van oude onderdelen.'
'Er valt wel iets te zeggen voor dat soort dingen. Net als vroeger, toen mensen één vak leerden en daar heel goed in werden.'
'Dat is waar, generaal. Alleen, als je dan net niet goed genoeg bent, zit je wel goed fout. Zoals mijn vader, die profvoetballer wilde worden.'
'Ben jij goed genoeg?'
'Ik dacht van wel.'
'Die inzet en ambitie heb je van hem geërfd, hè? Koning Arthur had niet de gelegenheid om zelf op zoek te gaan naar de Heilige Graal en het was Mozes niet vergund om de Jordaan over te steken, maar ze hebben anderen er wel toe weten te inspireren.'
Squires hield zijn hoofd een beetje scheef. 'Door u begin ik me er schuldig over te voelen dat ik niet naar huis heb geschreven.'
'Je kunt op de terugweg vanuit Osaka een briefkaart sturen.'
Rodgers voelde het vliegtuig naar het zuidoosten zwenken. Op de terugweg. Die woorden grepen hem altijd bij de keel. Je wist nooit of je wel zou terugkeren; je ging er alleen maar van uit. Maar het kwam vaak voor dat iemand niet terugkeerde, en zelfs ervaren soldaten konden plotseling door dat besef overvallen worden. Zoals zo vaak, speelden de woorden van Tennyson door zijn hoofd.

> *Geveld brachten zij haar strijder thuis. Ze viel niet in zwijm, liet niets van tranen blijken; en al haar maagden keken toe, en zeiden: 'Als zij niet schreit, zal zij eraan bezwijken.'*

Ze landden, en terwijl captain Harryhausen zat te klagen over het weer, sprongen de strijders van het Striker Team uit het transportvliegtuig en renden naar de gereedstaande helikopter. Vier minuten nadat het luik van de C-141A was geopend, zaten ze allemaal in de helikopter.
Terwijl de regen bleef neergutsen, steeg de ranke, van een straalmotor voorziene helikopter van het Military Airlift Command snel op en zette koers naar het noordwesten. Net als in het vliegtuig zaten de manschappen op banken langs de wanden, maar de stemming was volkomen omgeslagen. Tijdens de vlucht naar Osaka hadden ze zitten slapen of kaarten, maar nu was iedereen bloednerveus. Ze zaten hun spullen te controleren,

zeiden opwekkende dingen tegen elkaar en een paar zaten zelfs te bidden. Het was de taak van soldaat Bass Moore om toezicht te houden op het touwwerk van de parachutes, en terwijl de helikopter laag over de Japanse Zee vloog, hortend en stotend tegen de felle wind en de steeds dunner wordende regenvlagen in, controleerde hij alle lijnen.
Er was een officier uit Seoul aan boord, die samen met Squires de exit-strategie doornam. Er zou een Sikorsky S-70 Black Hawk klaarstaan om hen te komen ophalen: binnen enkele minuten zou de helikopter de gedemilitariseerde zone kunnen oversteken en het Taibak-gebergte bereiken. En wat nog belangrijker was: de elfzitter beschikte over een paar evenwijdig aan de romp gemonteerde M-60-machinegeweren, om de kans dat ze inderdaad terug zouden komen wat groter te maken.
Twintig minuten voor de landing riep Rodgers Puckett bij zich en vroeg hem contact op te nemen met Hood.
De directeur klonk geïrriteerder dan Rodgers hem ooit had gehoord. Verfrissend zoiets.
'Mike, het begint erop te lijken dat jullie in het heetst van de strijd zullen belanden.'
'Wat is er gebeurd?'
'De president gelooft ons niet, maar we zijn ervan overtuigd dat er een Zuidkoreaans team achter dit hele gedoe zit, en we zijn ook te weten gekomen dat een piloot twee mensen heeft opgepikt van een veerboot op de Japanse Zee. Die vent was zo nerveus, dat hij zijn landing heeft verknoeid. Zijn vliegtuig is zwaar beschadigd geraakt en hij heeft de kustwacht alles opgebiecht. Hij zegt dat hij de mannen naar Kosong heeft gebracht.'
'Kosong? Dat is vlak bij de Nodong-raketten.'
'Precies. En er lagen twee lijken op die veerboot, van mensen die gokwinsten uit Japan naar Noord-Korea vervoerden. Tienduizenden dollars.'
'Daar kun je veel mee bereiken in het Noorden. Voor duizend dollar verkopen de meesten van die klootzakken hun eigen kinderen.'
'Dat zei Bob Herbert ook al. Het is een nogal grote stap om er dan meteen maar van uit te gaan dat iemand uit het Zuiden van plan is om dat geld te gebruiken om de bemanning van de lanceerinrichting om te kopen, maar we kunnen die mogelijkheid niet uitsluiten.'
'Dus wij moeten daarheen gaan en te weten zien te komen of het werkelijk zo is.'
'Precies. Het spijt me, Mike.'
'Dat hoeft niet. Dit is waarvoor we getekend hebben. Om George Chapman te parafraseren: juist doordat we bedreigd worden, veranderen we in leeuwen.'

'Inderdaad. En zoals Kirk Douglas heeft gezegd in *Champion*. "Het gaat hier net als in elke andere branche, alleen is het bloed hier zichtbaar." Pas goed op jezelf, en zeg tegen Charlie en de jongens dat ze dat ook doen.'
'Tien minuten,' riep Squires naar achteren.
'Dat was het dan, Paul,' zei Rodgers. 'Als we iets hebben gevonden, neem ik wel weer radiocontact op. En als dat een troost voor je is: in deze zaak ontwijk ik liever kogels dan kritische vragen van de pers. Jij ook veel geluk.'

68

Woensdag, 07.20 uur
De gedemilitariseerde zone

Meteen toen zijn oppasser binnenkwam, was generaal Schneider zijn droom vergeten. Het enige wat hij zich nog kon herinneren, was dat hij ergens aan het skiën was en dat hij er veel plezier in had gehad. De realiteit, en de droge nachtlucht, brachten hem altijd met een onplezierige schok weer bij zijn positieven.
'Generaal, er is iemand aan de lijn voor u, uit Washington.'
'De president?' zei hij.
'Nee, generaal. Niet dàt Washington. Een zekere meneer Bob Herbert van het Op-Center.'
Schneider vloekte binnensmonds. 'Waarschijnlijk willen ze dat ik die arme Donald in een dwangbuis laat stoppen.' De generaal schoof zijn voeten in zijn slippers en liep naar zijn bureau. Met een zucht van opluchting nestelde hij zich in de draaistoel en nam de hoorn op. 'Met generaal Schneider.'
'Generaal, u spreekt met Bob Herbert, de inlichtingenmedewerker van het Op-Center.'
'Ik heb wel eens van je gehoord. Libanon?'
'Ja. U moet een enorm goed geheugen hebben.'
'Bob, als we iets stoms doen, vergeet ik dat nooit. Die godverdomde ambassade had net zo goed een levensgroot bord met "Geef me een schop" erop kunnen neerzetten om terroristen te trekken. Geen zware barricades voor het gebouw, niets om een bommengooier tegen te houden die in een vrachtwagen naar Allahs voordeur wilde rijden.' Hij leunde achter-

over in zijn stoel en trok zijn wenkbrauwen op om zich wat wakkerder te maken. 'Maar genoeg over vergissingen van jaren geleden. Je belt om te vermijden dat we er nog een maken.'
'Ik hoop van wel,' zei Herbert.
'Ja, ik weet niet wat er in die man gevaren is. Nee, dat is niet waar. Hij heeft gisteren zijn vrouw verloren. Donald is een goeie vent. Hij denkt alleen niet helder op dit moment.'
'Wel helder genoeg om daar met officiële instructies heen te gaan, hoop ik,' zei Herbert.
Schneider boog zich met een ruk voorover. 'Wacht 's even! Probeer je me wijs te maken dat jullie dat idiote conferentietje van hem gaan sanctioneren?'
'Directeur Hood verzoekt hem een boodschap over te brengen: dat we geloven dat een team Zuidkoreanen voor de bomaanslag verantwoordelijk is, dat ze zich voordoen als Noordkoreanen... en dat deze aanslag wel eens de eerste zou kunnen zijn van een reeks terreurdaden die erop gericht zijn om ons in een oorlog te betrekken.'
'Onze eigen kant?' Schneider zat nu doodstil. 'Verdomme, weten jullie dat zeker?'
'De stukjes beginnen in elkaar te passen,' zei Herbert. 'We denken dat een zekere majoor Lee de organisator is.'
'Lee? Die heb ik wel eens ontmoet. Een ijskouwe vent, een superpatriot. Ik mocht hem wel.'
'Hij schijnt een klein team gevormd te hebben,' zei Herbert, 'en bevindt zich nu waarschijnlijk ergens in uw gebied... met vier blikken gifgas.'
'Ik zal contact opnemen met generaal Norbom en een patrouille uitsturen om hem op te laten pakken.'
'Dat is nog niet alles. Het zou kunnen dat een paar van zijn manschappen in het oostelijke deel van Noord-Korea een mobiele Nodong-lanceerinrichting in handen proberen te krijgen.'
'Ambitieus,' zei Schneider. 'Weet je zeker dat jullie willen dat Donald dit allemaal aan Hong-Koo vertelt? Voordat hij zelfs maar uitgesproken is, staat het bij alle grote persbureaus op de telex.'
'Dat weten we.'
'En ze zullen Lee's mensen neerschieten zodra ze hen gevonden hebben,' zei Schneider. 'Realiseren jullie je wel wat er gebeurt als bekend wordt dat de Verenigde Staten verantwoordelijk zijn voor de dood van Zuidkoreanen? Seoul ontploft. Het wordt godverdomme een tweede Saigon.'
'Dat beseft Hood ook,' zei Herbert. 'Hij is samen met onze perswoordvoerder iets aan het voorbereiden.'
'Een dubbele begrafenis, dat lijkt me het beste. Jullie zouden zelfs wel eens

de een of andere constitutionele crisis kunnen veroorzaken; in wezen verhinderen jullie het Oval Office om zelf te besluiten dat het oorlog wil voeren.'
'Zoals ik al zei,' zei Herbert, 'de baas weet het.'
'Nou, Bob, ik zal de boodschap overbrengen. En hier is er een voor meneer Hood. Zijn hersens zouden wel eens niet al te groot kunnen zijn, maar sinds Oliver North heb ik niemand meer gezien die zulke grote kloten had.'
'Dank u wel,' zei Herbert. 'Ik weet zeker dat hij wel begrijpt dat dat een compliment was.'

Toen Gregory uit zijn korte slaapje ontwaakte, voelde hij zich opmerkelijk fris en helder van geest.
Terwijl hij rechtop ging zitten op de met struikgewas begroeide vlakte, tuurde hij naar de andere kant van de helverlichte grens. Hoe toepasselijk dat beide zijden uit haat en achterdocht hun vuren opbrandden. Wantrouwen laat mensen altijd in het donker achter.
Hij haalde zijn pijp uit zijn zak en stopte hem met zijn laatste beetje Balkan Sobranie-tabak. Nadat hij hem had opgestoken, hield hij de lucifer bij zijn horloge.
Het was bijna tijd.
Hij trok langzaam aan zijn pijp en mijmerde wat over de rook, over de Balkan en over dat enkele incident daar, de aanslag op aartshertog Ferdinand, dat de aanleiding had gevormd tot de Eerste Wereldoorlog. Zou één enkele gebeurtenis hier tot een Derde Wereldoorlog leiden? Het was denkbaar. Er hing een bepaalde stemming in de lucht die meer was dan alleen spanning. Gillende waanzin, dat was het. Je ego in stand houden door mensenlevens op te offeren, een mooi beeld van jezelf schetsen in bloed. Wat is er mis met ons?
Twee koplampen achter hem vonden de voormalige diplomaat. Donald draaide zich om en terwijl er een jeep op hem af kwam rijden, hield hij zijn hand boven zijn ogen om ze te beschermen tegen het felle licht.
'In nauw contact met het firmament?' zei generaal Schneider terwijl hij uit de passagiersstoel stapte. Hij liep naar Donald toe, een ontzagwekkend silhouet.
'Nee, generaal, met mijn muze.'
'Je had me moeten zeggen waar je heen ging. Als je die pijp niet had opgestoken, zouden we tot zonsopgang naar je hebben lopen zoeken.'
Donald voelde zijn maag samenkrimpen. Hij hoopte maar dat de generaal geen contact met het Witte Huis had opgenomen.
Generaal Schneider vertelde hem wat Herbert had gezegd en Donald voel-

de een enorme last van zich af vallen. Niet alleen was het heel bevredigend dat Kim Hwan en hij het met hun eerste vermoeden bij het rechte eind hadden gehad, maar bovendien was er nu een goede kans dat dit veenbrandje snel uitgetrapt zou kunnen worden.
Vreemd genoeg, bedacht hij, verraste het hem niet dat Lee hierbij betrokken was. Tijdens hun ontmoeting had de man iets in zijn blik gehad, vooral op het laatst, dat niet helemaal in de haak was. De man had een intelligent gezicht, maar er was nog meer in zijn blik te lezen geweest: achterdocht misschien, of minachting.
'Ik zal niet doen alsof ik hier blij mee ben,' besloot Schneider. 'Maar ik zal je nu niet tegenhouden.'
'Was je dat dan wel van plan?'
'Ik had wel sterk de neiging, ja. Ik ben nog steeds van plan om in het openbaar te verklaren dat ik tegen verzoening ben, maar we kunnen nu eenmaal niet overal hetzelfde over denken.' Schneider liep weer naar de wagen. 'Stap in, dan geef ik je een lift.'
'Ik denk dat ik maar ga lopen. Even mijn geest vrijmaken.'
Zonder om te kijken klom Schneider in de jeep en zijn oppasser reed de wagen met een wijde bocht weg, stof en dieseldampen in zijn kielzog achterlatend.
Donald liep achter hen aan. Tevreden nam hij een trekje van zijn pijp. Hij wist dat Soonji blij verrast zou zijn over de manier waarop de zaken waren verlopen.
Terwijl hij daar liep, voelde hij iets in zijn nek prikken. Hij bracht zijn hand naar achteren om te krabben, voelde staal en bleef stokstijf staan.
'Ambassadeur Donald,' zei een bekende stem terwijl het scherpe mes over Donalds nek werd getrokken en vlak onder zijn kin weer tot stilstand kwam.
Donald voelde een bloeddruppel over zijn nek lopen en onder de knoop van zijn das verdwijnen, en in de gloed van zijn pijp zag hij het dofrood verlichte gezicht van majoor Lee.

69

Dinsdag, 17.30 uur
Het Op-Center

Toen Ann Farris het kantoor van Matt Stoll binnen liep, begon de chef Operationele Ondersteuning nerveus te hinniken.
'Jee, mensen,' zei Stoll, 'jullie moeten me niet te veel onder druk zetten, hoor.'
Paul Hood zat op een klein leren bankje achter in de kamer. Er hing een 25-inch tv-scherm aan het plafond en op een plankje boven de bank lag een controlepaneel voor videospelletjes. Als hij ontspannen wilde nadenken, ging Stoll altijd op dit versleten meubelstuk liggen.
'Ik probeer je niet onder druk te zetten,' zei Hood. 'Maar als we weer contact hebben met de satellieten, wil ik dat onmiddellijk weten.'
'We zullen heel stil zijn,' zei Ann terwijl ze ging zitten. Ze keek naar Hood met ogen vol verdriet. 'Paul, ik kan niet tegen je liegen. Ze maken ons af, zelfs als we gelijk hebben.'
'Dat weet ik. Over een half uur heeft Donald zijn ontmoeting met het Noorden, en daarna zal de wereldpers de president en Seoul flink in de tang nemen omdat ze deze crisis hebben laten escaleren terwijl we wisten dat Pyongyang onschuldig was. Het resultaat? Lawrence zal zich koest moeten houden.'
'Want anders lijkt hij een oorlogshitser.'
'Precies. En als blijkt dat majoor Lee hier niet bij betrokken is, dan is in ieder geval de aandacht van de hele wereld op het Noorden gericht, zodat ze hun verontschuldigingen kunnen aanbieden, de schuldigen kunnen bestraffen en zelf hun eigen huis op orde kunnen brengen. En als Pyongyang toch verantwoordelijk blijkt voor de aanslag, kunnen ze zich hergroeperen en opnieuw aanvallen. In beide gevallen staat de president met lege handen.'
'Dat heb je netjes samengevat,' zei Ann. 'Ik vind het niet prettig om het met Lowell eens te zijn, maar hij vindt dat je Donald die bijeenkomst moet laten uitstellen. Dat zal het Noorden ook gebruiken voor propagandadoeleinden, maar daar weten we wel raad mee. We zeggen gewoon dat hij op eigen houtje iets geregeld heeft.'
'Dat doe ik hem niet aan, Ann.' Hij keek naar Stoll. 'Matty, ik heb die satellieten nodig!'
'Je zei dat je me niet onder druk zou zetten!'
'Nou, ik heb me vergist.'

'Wat heb je nu nog aan satellietverkenning?' vroeg Ann.
'Er zijn al soldaten naar Lee aan het zoeken, maar er is nog niemand op zoek naar de mensen die misschien die Nodongs in handen proberen te krijgen. Het duurt niet lang meer voordat Mike en het Striker Team er zijn. Als we materiaal weten te vinden waarmee we kunnen bewijzen dat die lui een inval hebben gepleegd, en als Mike erin slaagt ze tegen te houden, bewijst dat ons gelijk... en bovendien krijgt de president dan een sexy militaire actie in de schoot geworpen die wonderen zal doen voor zijn imago. Het Noorden zal erover zeuren dat we een actie hebben uitgevoerd op hun grondgebied, maar dat waait wel over, net als toen met de Israeli's in Entebbe.'
Ann zat hem met grote ogen aan te kijken. 'Briljant, Paul. Dat is heel goed.'
'Bedankt, maar het lukt alleen als ik de beschikking heb over...'
'En dat hèb je!' zei Stoll terwijl hij zijn stoel naar achteren schoof en één keer in zijn handen klapte.
Terwijl Hood naar hem toe rende, drukte Stoll op de toets waarmee hij verbinding kon leggen met het NRO. Stephen Viens nam onmiddellijk de hoorn op en Stoll zette het gesprek op de luidspreker.
'Steve, je bent weer on-line!'
'Dat dacht ik al,' zei hij. 'Toen ik dat ouwe Sovjet-oorlogsschip uit de Japanse Zee zag verdwijnen.'
'Steve, met Paul Hood. Laat me de Nodongs in het Taibak-gebergte zien. Van zo dichtbij, dat ik ze alle drie kan zien.'
'Dat zou dan overeenkomen met een hoogte van ongeveer zestig meter. Ik voer nu de coördinaten in en... er wordt gereageerd. Ik heb de nachtzichtlens ervoor gezet, de foto is genomen, en de camera is het beeld nu aan het digitaliseren. Het verschijnt nu op het beeldscherm...'
'Stuur het meteen hierheen, zonder te wachten tot het volledig op je scherm staat.'
'In orde, Paul,' zei Viens. 'Goed gedaan, Matty.'
Stoll stelde de computer zo in, dat hij de foto kon ontvangen, en terwijl Hood zich over het scherm boog, begon het beeld vorm aan te nemen. Het werd met snelle vegen van bovenaf opgebouwd. Ann stond achter hem en legde zachtjes haar hand op zijn schouder. Hij sloeg geen acht op Matty's opgetrokken wenkbrauwen, maar terwijl de zwart-witfoto van het terrein op het scherm verscheen, lukte het hem niet om haar prikkelende aanraking te negeren.
'De bovenste raket staat naar het Zuiden gericht,' zei Hood. 'De raketten links en rechts daarvan...'
'Jezus,' viel Stoll hem in de rede.

'Dat kun je wel zeggen, ja.'
Ann boog zich over Hood heen . 'De twee buitenste raketten staan in verschillende richtingen.'
'Een naar het Zuiden,' zei Stoll, 'en de ander naar...'
'Het oosten,' zei Hood. 'Dat betekent dat iemand eraan heeft zitten knoeien.' Hij kwam overeind en liep haastig naar de deur. Het was niet zijn bedoeling om Anns arm van zich af te schudden, maar dat was wel het resultaat.
'Hoe weet je dat?' zei Ann.
Terwijl hij haastig de hal in liep, riep Hood over zijn schouder: 'Omdat zelfs de Noordkoreanen niet gek genoeg zijn om een raket op Japan te richten.'

70

Woensdag, 07.35 uur
De gedemilitariseerde zone

'Majoor Lee,' zei Donald zachtjes. 'Om de een of andere reden is dit geen verrassing voor me.'
'Voor mij wel.' Lee duwde het mes wat dieper in het vlees onder Donalds kin. 'Ik dacht dat ik nu aan het werk zou zijn en in plaats daarvan sta ik hier nu met u.'
'En uw werk is het vermoorden van onschuldigen om een oorlog te ontketenen.'
'Onschuldige mensen bestaan niet...'
'U hebt het mis. Mijn vrouw was onschuldig.'
Langzaam bracht Donald zijn arm omhoog. Lee duwde het mes wat dieper in zijn keel, maar Donalds arm bleef omhoogkomen.
'Uw vrouw en u, meneer de ambassadeur, probeerden het leven gemakkelijker te maken voor mensen die ons land in de steek hebben gelaten. U bent al net zo corrupt als de rest, en het is tijd dat u zich bij uw...'
Donald bewoog zo snel, dat Lee niet de tijd kreeg om te reageren. Met de kop van de pijp in zijn linkerhand, draaide hij de steel naar voren, haakte hem van bovenaf om het mes en duwde het naar links. De kop wees nu in

Lee's richting en Donald ramde hem naar voren zodat de hete tabak in Lee's rechteroog werd geperst. Lee gilde het uit. Hij liet het mes vallen en Donald raapte het haastig op.
'Nee!' schreeuwde Lee terwijl hij zich omdraaide en de donkerblauwe ochtend in rende.
Met het mes nog steeds in zijn hand rende Donald achter hem aan.
Lee liep naar een gebied waarvan bekend was dat er Noordkoreaanse tunnels onderdoor liepen en hij vroeg zich af of de majoor hem opzettelijk van de legerbasis aan de Zuidelijke kant wilde weglokken. Wilde hij het gas daartegen gebruiken?
Waarschijnlijk niet, dacht hij. Lee was gekleed in zijn eigen Zuidkoreaanse uniform en het was bijna zeker dat hij naar het Noorden rende om op de een of andere manier het gas te laten ontsnappen. Als hij werd opgemerkt, zou het Zuiden de schuld krijgen. Donald dacht er even over om Schneider op de hoogte te brengen, maar wat kon de generaal doen? Hij kon Lee niet tot in het Noorden achtervolgen.
Nee. Donald besefte dat hij de enige was die daarheen kon gaan. Terwijl hij half rennend, half struikelend achter de steeds kleiner wordende gestalte van de majoor aan rende, liep hij piepend te hijgen, zo hard, dat het hem pijn deed.
Lee kreeg een steeds grotere voorsprong, minstens tweehonderd meter nu, maar hij liep naar het oosten. Donald verloor nog steeds terrein, maar omdat de nachtelijke duisternis langzaam overging in een blauwe ochtendhemel, kon hij in ieder geval zien waar zijn prooi naartoe ging.
En toen was Lee ineens verdwenen.
Om weer wat op adem te komen, ging Donald wat langzamer lopen. Het leek wel alsof Lee van de aardbodem verdwenen was, en Donald realiseerde zich dat de man zich in een van de tunnels had laten zakken. Hij prentte de plek waar hij Lee voor het laatst had gezien goed in zijn geheugen. Het was een bosje met een diameter van ongeveer twintig meter, en terwijl hij er snel naartoe liep, begon hij zijn stappen te tellen om niet al te veel op de hevige pijn in zijn longen en benen te hoeven letten.
Slechts een paar minuten na Lee's verdwijning stond Donald bij de ingang van de tunnel. Hij bleef niet wachten. Als de man een wapen had gehad, zou hij dat daarnet wel gebruikt hebben. Donald klapte het mes dicht en stopte het in zijn zak. Toen ging hij op zijn knieën zitten, greep het henneptouw beet en liet zich de gang in zakken. Terwijl hij probeerde om langs de wand lopend af te dalen, stootte hij herhaaldelijk zijn rug, en toen hij de bodem bereikte, was hij bijna uitgeput. Hij bleef even staan luisteren. Ergens voor zich hoorde hij schuivende en krabbelende geluiden en nadat hij een lucifer had aangestreken, zag hij de tunnel en besefte waar

Lee naartoe was gevlucht.
Als hem iets zou overkomen, wilde hij dat Schneider zou weten waar hij heen was gegaan. Daarom draaide hij zich om en stak het henneptouw in brand. Toen de schacht vol dikke rook hing, ging hij op zijn buik liggen en kroop de tunnel in. Hij hoopte maar dat de generaal de rook en de vlammen zou opmerken. Hij hoopte ook dat hij niet zou stikken voordat hij de andere kant bereikte... en als hij het haalde, dat hij Lee dan zou kunnen vinden voordat hij erin zou slagen zijn om zijn krankzinnige visioen te verwezenlijken.

71

Woensdag, 07.48 uur
Het Taibak-gebergte, Noord-Korea

De meeste mensen die het voor de eerste keer doen, verwachten iets heel anders van een parachutesprong: de lucht is opmerkelijk stevig, en een vrije val is net zoiets als in de branding worden meegesleurd door een golf. Omdat alles zo plat en ver weg is, heb je overdag nauwelijks enig besef van diepte en 's nachts heb je dat zelfs helemaal niet.
Hoewel de anderen allemaal al gesprongen waren, verraste het Mike Rodgers dat hij zich zo alleen voelde: er viel niets te zien, het enige wat hij voelde, was de luchtweerstand, en terwijl hij hardop tot twintig telde voordat hij aan het trekkoord trok, kon hij zijn eigen stem nauwelijks horen. Toen veranderde het beuken van de wind in een zachte windvlaag, en verder bleef alles stil en rustig.
Ze waren gesprongen van niet meer dan vijftienhonderd meter, en zoals de co-piloot hem al gewaarschuwd had, kwam de grond snel op hem af. Meteen nadat hij een haal aan het trekkoord had gegeven, had Rodgers een oriëntatiepunt uitgekozen, een hoge boomtop, felgroen in het vroege ochtendlicht, en terwijl hij afdaalde, bleef hij die goed in de gaten houden. Dat was de enige manier waarop hij zijn hoogte kon inschatten, en toen hij zich op gelijk niveau met de boom bevond, bereidde hij zich voor op de landing. Hij hield zijn benen licht gebogen, en toen zijn voeten de grond raakten, ving hij de klap op door zich door zijn knieën te laten zakken en zich

om te laten rollen. Terwijl hij op zijn zij lag, maakte hij de parachute los en gaarde de stof met beide armen bij elkaar. De enige plek waar het pijn deed, waren zijn achillespezen; de geest was gewillig, maar het vlees was niet meer zo soepel als het ooit geweest was.

Bass Moore kwam al op hem af rennen, gevolgd door Johnny Puckett met zijn TAC SAT-radio.

'Hoe is het gegaan?' vroeg Rodgers zachtjes.

'Iedereen is heelhuids neergekomen.'

Puckett vouwde de parabole antenne uit en nog voordat de rest van het team gearriveerd was, had hij de verbinding al tot stand gebracht. Terwijl Moore Rodgers parachute aannam en in looppas naar een dichtbijgelegen meertje rende om hem daarin af te zinken, kwam Squires naast hem staan.

'Alles goed, generaal?'

'Mijn oude botten hebben het doorstaan.' Rodgers wees naar de radio. 'Spreek het bericht in. Ik heb toch gezegd dat jij de leiding had?'

'Bedankt, generaal,' zei Squires.

De overste ging op zijn hurken zitten. Hij nam de koptelefoon van Puckett over, en terwijl hij hem op zijn hoofd zette, tikte Puckett de frequentie in. Bugs Benet gaf antwoord en Hood kwam snel aan de lijn.

'Mike, zijn jullie op de grond?'

'Met Squires, meneer, en ja, we zijn allemaal heelhuids neergekomen.'

'Goed. Een nieuwe ontwikkeling. De afgelopen tien minuten zijn alle drie de Nodongs opnieuw ingesteld en in plaats van op Seoul staan ze nu op Japan gericht.'

'Alle drie de raketten staan op Japan gericht,' zei Squires terwijl hij opkeek naar Rodgers. 'Begrepen.'

'Christus,' zei Rodgers.

'Jullie gaan erheen, en op mijn bevel schakelen jullie ze uit.'

'Ja, meneer.'

'Uit,' zei Hood.

Squires zette de koptelefoon af. Terwijl hij Rodgers op de hoogte bracht, stonden de leden van het Striker Team hun automatische Beretta's te laden. Sergeant Chick Grey, die verantwoordelijk was voor de kaarten, controleerde de printouts die overste Squires hem had gegeven.

Toen hij hoorde dat het bijna zeker was dat ze de Nodongs zouden moeten vernietigen, wenste Rodgers dat ze explosieven hadden meegebracht. Maar hoewel Noord-Korea in het verleden bereid was gebleken tot onderhandelen over het vrijlaten van mensen die bewapend waren geweest met geweren of pistolen, waren mensen met explosieven die geschikt waren voor de sabotage van zwaar materieel altijd ter plekke neergeschoten. Toch was dit een van de weinige beslissingen waar hij achteraf graag op terug zou zijn gekomen. De controlecircuits van die raketten zaten weggeborgen in zware metalen omhulsels en zouden buitengewoon moeilijk te bereiken zijn, vooral als er weinig tijd was. Als er op het lanceerterrein zelf geen explosieven te vinden waren, wist hij niet wat ze zouden moeten doen.

Sergeant Grey kwam op Squires af lopen. Terwijl het om hen heen snel licht begon te worden, wees hij met een laserlampje ter grootte van een pen naar de kaart.

'Generaal, de piloot heeft zijn werk goed gedaan. We zijn nog geen zes kilometer van het lanceerterrein... hier.' Hij wees naar een bos ten zuidoosten van de holte waar de raketten stonden opgesteld. 'De tocht gaat grotendeels heuvelopwaarts, maar de helling is niet al te steil.'

Squires hing zijn rugzak om en laadde zijn pistool. 'Vooruit dan, sergeant,' zei hij bijna fluisterend. 'Achter elkaar. Moore, jij gaat voorop. Bij het eerste teken van leven laat je ons halt houden.'

'Jawel, overste!' Moore salueerde en ging voorop lopen.

Squires was de volgende, en daarna kwam Rodgers.

Terwijl ze door het veld liepen, ging de diepblauwe kleur van de horizon langzaam over in azuur en geel en nadat ze een glooiende helling op gelopen waren kwamen ze in een steeds dichter wordend bos.

Dit was het moment dat Rodgers altijd het best beviel. Vanwege de verwachte actie waren zijn zintuigen nu op hun gevoeligst, maar de pure reflexen, het overlevingsinstinct, had het roer nog niet overgenomen en er was nog tijd om te genieten van de voor hen liggende uitdaging. Voor Rodgers, en voor de meeste anderen die voor het team waren geselecteerd, was een uitdaging belangrijker dan hun veiligheid, dan hun leven en hun gezin. Het enige wat belangrijker voor hen was dan een uitdaging, was hun vaderland, en het was juist die combinatie van durf en patriottisme die deze mannen zo uniek maakte. Hoe graag ze allemaal ook naar huis wilden, geen van hen zou daarvoor een klus in de steek laten of afraffelen.

Rodgers was er trots op om in hun gezelschap te verkeren, hoewel hij zich opvallend oud voelde toen hij over zijn schouder keek en de gezichten van de twintigers achter zich zag, en daarna weer verder liep op zijn pijnlijke, vijfenveertig jaar oude hielen. Hij hoopte dat het vlees tegen de uitdaging bestand zou blijken en bracht zichzelf in herinnering dat Beowulf zelfs vijftig jaar na zijn confrontatie met het monster Grendel nog een vuurspuwende draak had weten te verslaan. Natuurlijk was de oude koning van de Jutten daarna zelf eveneens aan zijn verwondingen bezweken, maar Rodgers zei tegen zichzelf dat als het zijn tijd was, hij ook best op zo'n grote brandstapel zou willen liggen, terwijl al die vazallen eromheen reden en loofliederen zongen.

Twaalf vazallen, herinnerde Rodgers zich, en hij probeerde daar niet over

door te denken. Toen bereikte Moore de top van de heuvel. Hij kroop plat op zijn buik een eindje vooruit, hield toen zijn hand omhoog en stak twee keer vijf vingers op.
Ergens vóór hen bevonden zich tien mensen.
Terwijl de mannen diep gebukt verder liepen, besefte Rodgers dat de tijd van genieten voorbij was...

72

Woensdag, 07.50 uur
De gedemilitariseerde zone

Donald wist dat er een punt was waarop het lichaam zelfs de wil van de sterkste geest niet meer kon gehoorzamen en dat punt naderde hij nu snel. Nog steeds zwaar ademend van het hollen, wurmde Donald zich door de tunnel. Hij zweette als een otter en zijn keel was zo droog dat hij regelmatig moest hoesten. Zijn ellebogen, die hij strak tegen zijn lijf duwde, waren rauw en bloedden. Om ze te beschermen had hij zijn jasje aangehouden, maar zonder resultaat. De hitte was drukkend, zijn ogen prikten van het zweet en het zand en er was geen licht. Elke bocht in de schijnbaar eindeloze tunnel ontdekte hij pas als zijn schouder hard tegen een aarden muur aan botste.
Tegelijkertijd hoorde hij voor zich echter het geluid van majoor Lee, en daardoor wist hij toch vol te houden. En toen hij niets meer hoorde, ging hij verder omdat hij wist dat Lee nu buiten de tunnel moest zijn en dat de uitgang dus dichtbij was.
Uiteindelijk, met een lichaam dat om rust schreeuwde, en armen en benen die volkomen verkrampt waren van inspanning, zag hij het licht en bereikte hij de gang die hem uit deze afschuwelijke onderwereld zou bevrijden. Terwijl hij moeizaam overeind kwam, en een scheut van pijn in zijn onderrug voelde toen hij rechtop probeerde te staan, gunde Donald zich een ogenblik de tijd om de koelere lucht in te ademen... en toen zag hij dat er geen uitweg was. Als er ooit een ladder geweest was, moest Lee die hebben opgetrokken.
Hij keek om zich heen. De schacht was smal en terwijl hij zijn rug tegen de

ene muur duwde, en zijn armen en benen stevig tegen de andere, begon hij als een kreeft omhoog te schuifelen. Om te voorkomen dat hij naar beneden zou vallen, moest hij tijdens de bijna drie meter lange klim twee keer stoppen. Terwijl hij klom, hield hij Lee's mes tussen zijn tanden geklemd, en als hij rust nam, duwde hij het in de muur om als houvast te dienen terwijl hij zijn krachten verzamelde om door te klimmen. Toen hij eindelijk de top had bereikt, ging de zon op en besefte hij waar hij zich bevond; dit terrein had hij aan de andere kant van de afrastering al gezien. Hij was in Noord-Korea.

Donald stond midden in een krater die duidelijk was ontstaan door artillerieoefeningen. De uitgang van de tunnel bevond zich in de zuidwestelijke wand van de krater, waar hij niet te zien was vanuit de basis, die ongeveer vierhonderd meter westelijker lag, en van de afrastering, zo'n tweehonderd zuidelijker. Het moest wel een nieuwe tunnel zijn, een die door Lee en zijn manschappen gegraven was. De Noordkoreanen zouden de ingang dichter bij hun eigen gebouwen geplaatst hebben, zodat ze ongezien contact konden houden met het Zuiden.

Terwijl hij zich plat tegen de wand van de krater aan drukte, keek Donald over de rand. Lee was nergens te bekennen. Ten noorden van de krater lagen lage heuvels met bomen en oneffenheden in het terrein waarachter iemand zich goed kon verbergen. Op de harde, droge grond waren geen voetsporen te zien, en Donald had geen idee of Lee naar de heuvels of naar de basis was gegaan.

Niet dat het iets uitmaakte, zei hij tegen zichzelf. Het was van groter belang om het gifgas te vinden. Of dat nu naar de basis ging of naar het Noorden – naar Pyongyang, als vergelding voor de ontploffing in Seoul – hij moest generaal Hong-Koo zien te bereiken om hem te vertellen wat er was gebeurd.

Donald begon te lopen, en zette er flink de pas in. Nu hij de tunnel uit was en zijn spieren even de kans hadden gekregen om zich te ontspannen, voelde hij zich ineens een stuk beter. Hij tuurde voor zich uit en hoopte Lee te zien, maar aan deze kant van de basis was alles doodstil. Ten zuiden van de gebouwen keerden een paar eenheden terug van hun patrouille en nieuwe eenheden trokken erop uit om hun plaats in te nemen.

Natuurlijk, dacht Donald. Dat was de reden waarom Lee deze tijd had gekozen. Bewakers waren altijd het minst alert als hun dienst er bijna op zat. Hij keek opnieuw naar de achtermuren van de gebouwen en meende achter een hoge heuvel iets te zien schitteren in het licht van de rijzende zon. Hij bleef stilstaan, tuurde door zijn samengeknepen oogleden en zag het opnieuw. Het was iets metaligs, en hij rende een paar meter naar het zuiden om het beter te kunnen zien.

Er hurkte een man achter een van de gebouwen, diep in de schaduw. Er zat iets in de muur naast hem, misschien een kleine generator. Met zijn ogen op de man gericht, rende Donald in zijn richting. Hij had zich gerealiseerd dat het geen generator was, maar een luchtverversingsinstallatie, en dat de stralen weerkaatsten op de achterkant ervan. Hij zag nu ook dat er iets onder stond dat op een doos leek.
Een doos... of een blik. Donald begon langzamer te lopen. Gas in de airconditioningleidingen zou zich heel snel verspreiden en afgrijselijk goed werken. De soldaten die net van patrouille waren teruggekeerd, zouden vermoeid zijn en bijna onmiddellijk in slaap vallen, zonder te merken dat er iets mis was. Hij begon harder te rennen en toen hij dichterbij kwam, zag hij dat de achterplaat van de luchtverversingsinstallatie eraf was. Het ding eronder was inderdaad een blik en de man was bezig het boven op de installatie te zetten.
Donald rende nu zo snel als hij maar kon.
'Houd hem tegen,' riep hij. 'Laat iemand die man tegenhouden, achter de kazerne!'
De man keek zijn richting uit en dook toen nog verder weg in de schaduw.
'*Saram sallyo!*' riep hij in het Koreaans. 'Hèlp! Laat hem niet ontsnappen!'
Op een toren in het Zuiden floepte een zoeklicht aan, en toen ook een in het Noorden. De Zuidelijke lichtbundel vond Donald onmiddellijk, maar het duurde een ogenblik voor de Noordelijke lichtbundel hem ook te pakken had.
De soldaten die net op patrouille zouden gaan, kwamen om de kazerne heen gelopen. Donald zwaaide met zijn armen boven zijn hoofd.
'Haal iedereen uit dat gebouw! Er is gas... gifgas...'
Ze waren met ongeveer tien man en ze leken nogal in de war te zijn. Enkelen haakten hun AKM-aanvalsgeweren los van hun schouders en een paar richtten die op Donald.
'Verdomme, néé! Niet ik! Ik probeer alleen maar te helpen...'
De mannen stonden tegen elkaar te schreeuwen. Donald kon niet goed verstaan wat ze zeiden. Toen hoorde hij een van de mannen roepen dat de generaal er aankwam en dat deze man een *naifu* bij zich had.
Het mes. Hij had het mes nog steeds in zijn hand.
'Nee,' schreeuwde Donald. 'Dat is niet van mij!' Hij hield het mes boven zijn hoofd, zodat ze het goed konden zien, en draaide zijn pols om het weg te kunnen gooien.
Er klonken twee schoten door de vroege ochtend. Nog lang nadat Donalds dreunende voetstappen tot stilstand waren gekomen, bleven hun echo's weergalmen tussen de heuvels.

73

Woensdag, 07.53 uur
Seoul

Bijna vijf uur nadat hij voor het eerst de operatiekamer was binnengereden, was Kim Hwan weer enigszins bij kennis. Hij keek om zich heen en de herinneringen aan de gebeurtenissen bij het boerderijtje kwamen weer in hem op. Hij herinnerde zich de terugtocht... Kim... hun aankomst in het ziekenhuis.
Hij ging op zijn linkerzij liggen. Net voorbij de zak met infuusvloeistof zag hij de knop van de bel hangen. Hij hief voorzichtig zijn arm op en drukte op de rode knop.
Degene die binnenkwam was geen verpleegster. Het was Choi Hongtack, een agent van de afdeling Interne Beveiliging van de KCIA. Hij droeg een driedelig zwart pak van een goede snit. Het was een slimme jongen, iemand die carrière zou gaan maken, maar directeur Yung-Hoon had hem volledig in zijn macht, en zolang je geen serieuze bedreiging kon vormen voor zijn carrière, kon je hem niet vertrouwen.
Hongtack tilde een stoel op en zette die naast het bed.
'Hoe voelt u zich, meneer Hwan?'
'Neergestoken.'
'Dat bent u ook. Twee keer. U hebt een wond in uw rechterlong en een in de dunne darm, eveneens aan de rechterkant. De chirurgen zijn erin geslaagd om de schade te herstellen.'
'Waar is... mevrouw Chong?'
'Ze heeft uw auto op het parkeerterrein laten staan en een andere gestolen, die ze inmiddels alweer gedumpt heeft. In het deel van de stad waar de wagen is aangetroffen is geen autodiefstal gemeld, dus we hebben geen flauw idee waar ze nu in rijdt of waar ze heen gaat.'
'Mooi zo,' zei Hwan met een glimlach.
Hongtack keek hem bevreemd aan. 'Neem me niet kwalijk?'
'Ik zei... mooi zo. Ze heeft mijn leven gered. De man die me aanviel?'
'Het was een Zuidkoreaan. We zijn nu op jacht naar de mensen die we ervan verdenken zijn opdrachtgevers te zijn. Die zijn op dit moment ook actief in het veld, en het zijn eveneens Zuidkoreanen.'
Hwan knikte zwakjes.
'Uw chauffeur, Cho. Die is niet teruggekeerd.'
'Ik denk... dat hij dood is. Ga naar het boerderijtje... in Yanguu. Daar woont Kim.'

Hongtack haalde een notitieblokje uit zijn binnenzak. 'Yanguu,' zei hij terwijl hij iets opschreef. 'Denkt u dat ze daarheen is gegaan?'
'Nee. Ik weet niet waar ze... naartoe is.'
Dat was niet waar, maar dat ging hij Hongtack niet vertellen. Ze zou naar Japan proberen te gaan, naar haar broer, en hij hoopte met hart en ziel dat ze daarin zou slagen. Maar hij besefte dat dat niet genoeg was en dat haar welzijn nu voorrang moest hebben... net zoals ze voorrang had gegeven aan zijn leven.
'Als ze wordt gevonden... moeten jullie haar niet arresteren.'
'Pardon?'
'Laat haar gaan, waar ze ook heen gaat.' Hwan stak zijn arm uit en greep Hongtack bij zijn mouw. 'Heb je dat... begrepen? Jullie moeten haar niet tegenhouden.'
Uit de nauwelijks verholen ergernis in zijn felle ogen kon Hwan niet opmaken wat Hongtack het ergste vond: het bevel of dat hij aan zijn kleren werd getrokken.
'Ik... ik begrijp het. Als ze wordt gevonden, wilt u haar laten volgen.'
'Nee.'
Hongtacks semafoon begon te piepen. Hij keek naar het nummer dat op het schermpje was verschenen.
'Maar dan...'
'Niets.' Hwan verplaatste zijn hand van de mouw naar de revers. 'Doe... wat ik zeg, Hongtack.'
'Goed, meneer, maar als u me nu wilt verontschuldigen? Ik moet het kantoor bellen.'
'Vergeet niet wat ik je heb gezegd.'
'Nee, ik zal het onthouden.'

In de hal trok Hongtack zijn mouw weer in model en haalde toen de draagbare telefoon uit zijn binnenzak.
'Kwakende kleine kikker,' mompelde hij terwijl hij in de hoek naast de frisdrankautomaat ging staan. Hij toetste het nummer dat op zijn semafoon had gestaan: het kantoor van directeur Yung-Hoon.
'Hoe gaat het met hem?' vroeg Yung-Hoon. 'Wordt hij goed behandeld?'
Hongtack ging met zijn rug naar de gang staan en hield zijn hand beschermend om het mondstuk. 'Hij is bij kennis en de artsen zeggen dat hij er weer bovenop komt. Maar meneer, hij wil die spionne beschermen.'
'Pardon?'
'De spionne beschermen. Hij heeft me gezegd dat ze niet mocht worden aangehouden.'
'Geef me hem zelf even.'

'Meneer, hij ligt nu te slapen.'
'Verwacht hij dat we haar laten terugkeren naar het Noorden, nadat ze hèm heeft gezien plus een aantal van onze andere agenten?'
'Kennelijk wel,' zei Hongtack terwijl zijn felle ogen zich vernauwden. 'Dat is precies wat hij verwacht.'
'Heeft hij daar ook een reden voor gegeven?'
'Nee. Hij heeft alleen maar gezegd dat ze niet moest worden opgepakt en dat ik hem daar niet in moest dwarsbomen.'
'Juist,' zei Yung-Hoon. 'Jammer genoeg zou dat een probleem scheppen. De auto die ze heeft gestolen is aangetroffen op het parkeerterrein van een BMW-dealer en iedereen is naar haar op zoek. We hebben zowel de gemeentepolitie als de rijkspolitie ingeschakeld en ik heb helikopters boven alle uitvalswegen gestationeerd. Het is niet mogelijk om die allemaal terug te roepen.'
'Prima. Wat zal ik meneer Hwan vertellen als hij ernaar vraagt?'
'De feiten. Ik weet zeker dat hij het wel zal begrijpen als hij weer helder kan denken.'
'Natuurlijk,' zei Hongtack.
'Bel me over een uur weer. Ik wil weten hoe het dan met hem gaat.'
'Dat zal ik doen, meneer' zei Hongtack. Daarna liep hij weer naar zijn stoel naast de deur van Hwans kamer. Er lag een glimlach op zijn ascetische gezicht.

74

Woensdag, 07.59 uur
Het Taibak-gebergte, Noord-Korea

Rodgers en Squires kropen naar het punt waar Bass Moore plat op de grond lag. Hij overhandigde de overste zijn verrekijker.
'Dat is de eenheid die de oostkant van het lanceerterrein bewaakt,' zei Squires. 'Het horen niet meer dan vijf man te zijn.'
Rodgers tuurde over de rand. De rotsige helling vóór hem had een lengte van ongeveer zevenhonderd meter en liep steil naar beneden, naar de rotsrichel waar de soldaten zaten. Op een paar grote rotsblokken na was er

niets wat ze als dekking zouden kunnen gebruiken. Op de richel, aan de voet van de heuvel, waren twee stuks mobiel luchtdoelgeschut opgesteld en links van beide lag een keurige stapel munitie, tweeduizend patronen per stapel. Daarachter, in de lagergelegen vallei, scheen de rijzende zon op de met een bladerdak gecamoufleerde Nodong-raketten.
'Ik denk dat we het best twee aan twee kunnen gaan,' zei Squires. 'Moore, ga naar achteren en zeg de mannen dat ze paren vormen. Puckett en jij gaan eerst. Jullie lopen naar dat rotsblok dáár, op zestig meter links. Dat ding dat eruitziet als een zuurtje, zie je wel?'
'Ja, overste.'
'Daarna gaan jullie naar rechts, heuvelafwaarts tot aan die hoop stenen, en van daaruit bepalen jullie zelf de route. Wij komen achter jullie aan. Als we niet lager kunnen komen, openen de generaal en ik het vuur vanuit de achterhoede, zodat ze de kans krijgen om zich over te geven. Dat doen ze beslist niet, en als ze over de helling op ons af komen, vallen we ze aan vanaf de flanken. Ik stel ieder paar op de hoogte terwijl ze hier langskomen.'
Moore salueerde, en liep toen weer de heuvel op om de sergeant te halen.
Rodgers bleef het terrein bestuderen. 'Wat doen we als ze zich wel overgeven?'
'We ontwapenen ze en laten vijf man bij hen achter. Maar dat doen ze niet.'
'Waarschijnlijk heb je gelijk,' zei Rodgers. 'Die vechten wel. En als de soldaten bij de raketten de schoten horen, zullen ze mensen van de andere posten hierheen laten komen.'
'Dan zijn wij hier al weg. Ik stel de mannen in paren op, zodat de vijand zich moet verspreiden. We schieten er zoveel neer als we maar kunnen, komen daarna bij elkaar bij de commandotent daar beneden en dan bedenken we wel een manier om die raketten uit te schakelen. Ik hoop alleen maar dat ze dan nog niet gelanceerd zijn.'
Rodgers leende de verrekijker en keek naar de commandotent. 'Weet je, er is daar beneden iets niet in orde.'
'Zoals?'
'Die commandotent. Er loopt niemand in en uit, zelfs de commandant niet.'
'Alles is al klaar voor de lancering. Misschien zit hij te ontbijten.'
'Ik weet het niet. Hood zei dat er twee man vanaf die veerboot naar het Noorden zijn gevlogen. Als dit inderdaad een samenzwering tegen de Volksrepubliek is, zal de commandant ze niet zomaar naar binnen laten lopen om die raketten op een ander doelwit te richten.'
'Opdrachten kunnen vervalst worden.'
'Niet hier. Ze werken met een dubbel controlesysteem. Als de comman-

dant nieuwe instructies krijgt, neemt hij radiocontact op met Pyongyang om die te laten bevestigen.'
'Misschien zit er ook een samenzweerder in Pyongyang.'
'Waarom zouden ze hier dan twee man naartoe hebben gestuurd? Waarom zouden ze de instructies dan niet gewoon vanuit het hoofdkwartier hebben veranderd?'
Squires knikte toen Moore en Puckett aankwamen. 'Ik zie wat u bedoelt.'
Rodgers bleef de commandotent aandachtig bestuderen. Alles was doodstil. De tentopening was dicht. 'Charlie, ik heb zo'n gevoel... kan ik met twee naar beneden gaan?'
'Wat wilt u dan doen?'
'Ik wil daar eens even luisteren, kijken of degene die daar de leiding heeft ook degene is die de leiding hoort te hebben.'
Squires schudde zijn hoofd. 'Dat kost tijd, generaal. Het kost u minstens een uur om beneden te komen.'
'Dat weet ik, en het is jouw beslissing. Maar we staan tegenover twee keer zoveel mensen als we hadden verwacht, en dat betekent dat het een zwaar vuurgevecht wordt, waarvan de uitslag helemaal niet vaststaat.'
Squires beet op zijn bovenlip. 'Ik heb altijd al eens "nee" willen zeggen tegen een generaal, en nu ik de kans krijg... doe ik het niet. Oké. Veel geluk daar beneden, generaal.'
'Bedankt. Ik neem zo snel mogelijk contact met je op over de veldtelefoon.'
Snel zetten Rodgers en Moore samen een koers uit die hen uit de buurt van de geschutsemplacementen zou houden, terwijl Puckett de rugzak met zijn radio erin afdeed en die bij Squires achterliet.
'O, Charlie, wat ik nog wilde zeggen,' zei Rodgers voordat ze op weg gingen, 'neem geen radiocontact op met het Op-Center tenzij er iets gebeurt. Je weet hoe Hood soms op mijn plannen reageert.'
'Inderdaad, generaal,' zei Squires met een glimlach. 'Als een terriër die een stuk gebraden vlees ruikt.'
'Precies,' zei Rodgers.
Toen de drie mannen op pad gingen, stond de zon hoog aan de horizon en wierp lange schaduwen achter de rotsblokken.

75

Woensdag, 08.00 uur
De Noordkoreaanse zijde van de gedemilitariseerde zone

Het eerste schot raakte Gregory Donald in zijn rechterbeen, en terwijl hij op de grond viel, werd hij in zijn schouder getroffen door een tweede kogel die zich schuin door zijn bovenlijf ging. Meteen toen hij tegen de grond sloeg, probeerde hij zich met zijn linkerarm weer overeind te duwen. Toen dat niet lukte, begon hij met zijn hand over de grond te klauwen om zich zo vooruit te slepen. Terwijl hij centimeter na centimeter vooruitkroop, viel het mes uit zijn gevoelloze rechterhand.
De soldaten kwamen op hem af rennen.
'Lucht...' hijgde Donald in het Koreaans. 'Lucht...'
Donald bewoog zich niet meer en zakte op zijn linkerzij. Hij had een licht brandend gevoel in zijn linkerbeen en voelde golven van pijn tot aan zijn middel, maar daarboven voelde hij niets.
Hij wist dat hij was neergeschoten, maar zijn aandacht was op andere zaken gericht. Hij probeerde zijn hoofd om te draaien en zijn arm omhoog te brengen om te kunnen wijzen.
'De luchtverversings...' zei hij, en realiseerde zich toen dat hij de weinige adem die hem nog restte waarschijnlijk aan het verspillen was. Niemand luisterde naar hem. Of misschien praatte hij wel niet hard genoeg.
Er kwam een arts aanhollen. Hij knielde naast Donald neer, keek even in Donalds keel om te zien of er geen obstructie was, en nam toen zijn pols op en bekeek zijn ogen.
Donald keek naar het bebrilde gezicht van de man. 'De gebouwen,' zei hij. 'Luister naar me... de ventilatie...'
'Kalm nou maar,' zei de arts. Hij sloeg Donalds jasje open en maakte de knoopjes van zijn overhemd los. Hij veegde het bloed weg met een gaasje en keek snel even naar de schotwond en naar de plek, links van de navel, waar de kogel Donalds lichaam weer verlaten had.
Donald slaagde erin om zich op zijn linkerschouder te draaien en probeerde overeind te komen.
'Stilliggen!' snauwde de arts.
'U... begrijpt het... niet! Gifgas... in... de gebouwen.'
De arts hield op en keek Donald verbaasd aan.
'De ven... ti... la... tie...'
'De airconditioning? Iemand probeert de manschappen in de kazernegebouwen te vergiftigen?' Er verscheen een begrijpende en verdrietige uit-

drukking op het gezicht van de arts. 'Je probeerde ze tégen te houden?'
Donald knikte zwakjes, en zakte hijgend weer achterover. De arts gaf de informatie door aan de soldaten die om hem heen stonden en ging toen verder met het verzorgen van zijn patiënt.
'Arme man,' zei de arts. 'Ik vind het heel erg voor je, heel, heel erg.'
Achter hem hoorde Donald mannen schreeuwend terugrennen naar de gebouwen. Hij probeerde iets te zeggen.
'Wat...?'
'Wat gebeurt er?' vroeg de arts aan zijn assistent.
'De soldaten verlaten de kazernegebouwen, meneer.'
'Heb je dat gehoord?' vroeg de arts aan Donald.
Donald had het gehoord, maar kon zijn hoofd niet meer bewegen. Hij knipperde langzaam met zijn ogen en tuurde langs de arts naar de langzaam blauw wordende lucht.
'Niet opgeven,' zei de arts terwijl hij riep dat er een brancard moest komen. 'Ik laat je naar het ziekenhuis brengen.'
Donalds borstkas bewoog nauwelijks meer.
'Wat gebeurt er nu?' vroeg de arts terwijl hij op Donalds borst ging zitten.
Zijn assistent draaide zich om. 'Er staan soldaten bij de luchtverversingsinstallatie en de andere gebouwen worden gecontroleerd. Nu gaan de lichten uit. Waarschijnlijk hebben ze de elektriciteit afgesloten.'
'Je bent een held,' zei de arts tegen Donald.
Zou het? dacht hij terwijl de blauwe hemel grijs werd, en toen zwart.

Er klonken schoten, maar de arts besteedde er geen aandacht aan. Hij drukte zijn mond op die van Donald, kneep zijn neus dicht en begon hem te beademen.
Na vier snelle beademingen legde hij zijn vinger op de halsslagader, maar voelde geen hartslag. Daarna herhaalde hij de procedure. Nog steeds geen hartslag.
De arts liet zich van Donalds borstkas af glijden, ging naast hem op zijn knieën zitten, en legde de middelvinger van zijn rechterhand op de plek waar het borstbeen bij de onderkant van de ribbenkast komt. Daarna plaatste hij de muis van zijn linkerhand op de onderste helft van het borstbeen, naast de wijsvinger, en begon ritmisch te duwen, tachtig keer per minuut. Zijn assistent voelde Donalds pols.
Vijf minuten later leunde de arts, die nog steeds op zijn hurken zat, iets achterover. De brancard lag naast hem en hij hielp zijn assistent om Donald erop te leggen. Terwijl de brancard werd weggedragen, kwam er een officier naar hen toe. Ze sloegen geen acht op de Zuidelijke soldaten die stonden toe te kijken.

'Had hij een identiteitsbewijs bij zich?'
'Daar heb ik niet naar gekeken.'
'Wie het ook geweest mag zijn, hij heeft een eervolle vermelding verdiend. Iemand had blikken met gas op de luchtverversingsinstallaties van de vier kazernegebouwen aangesloten. Toen we hem te pakken kregen, wilde hij net de ventielen opendraaien.'
'Niet meer dan één man?'
'Ja, hoewel hij dit waarschijnlijk niet in zijn eentje heeft georganiseerd. Maar van hem zullen we dat niet te weten komen.'
'Zelfmoord?'
'Nou, nee. Toen we dichterbij kwamen, probeerde hij het blik te openen, dus moesten we hem wel neerschieten.' De officier keek op zijn horloge. 'Ik kan generaal Hong-Koo maar beter op de hoogte brengen. Hij is op weg naar zijn bespreking met de Amerikaanse ambassadeur en dit zou wel eens een nieuw licht op de zaak kunnen werpen.'

Verscholen achter de stam van een grote eik, zag hij hoe het kleine konvooi van drie jeeps de Noordkoreaanse ingang van het conferentiegebouw naderde. Ze kwamen van het meest noordelijke punt van de basis, waar de generaal zijn hoofdkwartier had. Ze zouden recht naast de deur van het gebouw parkeren en pas uitstappen als het Zuidkoreaanse contingent was aangekomen. Dat waren ze in ieder geval van plan.
Maar als Lee werkelijk had gezien wat hij gezien meende te hebben – dat Donald werd neergeschoten terwijl hij naar de kazernegebouwen toe rende – zou er geen contingent uit het Zuiden komen. Het begon er ook op te lijken dat de gasaanval op de kazernegebouwen niet zou doorgaan. Die andere schoten, het gebrek aan opwinding over wat nu allang gebeurd had moeten zijn... het plan was duidelijk volkomen mislukt.
Zijn handpalmen waren droog en hij hield het pistool stevig vast. Had hij dat maar tegen Donald gebruikt, in plaats van dat mes. Het zou de aandacht getrokken hebben, maar hij had kunnen wegvluchten...
Het maakte niet uit. Het noodlot had hem nog een kans gegeven, een kans die bijna even goed was.
De wagens kwamen tot stilstand en Lee's blik viel op generaal Hong-Koo, een kleine man met een mond zo breed als die van een slang en, zo had hij gehoord, een bijpassend temperament. De generaal zou niet langer dan twintig minuten wachten voordat hij het gebouw binnen zou gaan. Als er niemand kwam, zou hij tegenover de hele wereld verkondigen dat het Noorden vrede wilde, maar het Zuiden niet, en daarna zou hij terugkeren naar zijn hoofdkwartier.
Dat moesten ze wel zo gepland hebben, dacht hij weer. Maar Lee was niet

van plan om de generaal zijn plannen uit te laten voeren.
Lee bevond zich nu op ruwweg honderdvijftig meter afstand van het konvooi van Hong-Koo. De generaal zat stijf rechtop op de achterbank van de middelste jeep. Op dit moment vormde hij een moeilijk te raken doelwit, maar dat zou niet lang duren. Zodra hij uit de jeep stapte, zou Lee naar hem toe rennen. Hij zou de generaal neerschieten, plus zoveel mogelijk van de zes anderen, en dan weer terugrennen naar de tunnel.
Toch was hij bereid om te sterven als het nodig was. Hij zou hier òf als leider, òf als martelaar vandaan komen. Ze hadden allemaal klaargestaan om hun leven te geven voor deze zaak, want zelfs als de bomaanslag, de moord op de generaal en Suns aanval op Tokyo geen oorlog zouden uitlokken, zouden hun daden de tegenstanders van de hereniging een hart onder de riem steken.
Hong-Koo's chauffeur keek op zijn horloge, draaide zich om en zei iets tegen de generaal. Die gaf een knikje.
Het was bijna tijd... tijd om de Verenigde Staten uit het Zuiden te verdrijven, tijd voor een opleving van vaderlandsliefde en militarisme die Zuid-Korea tot de machtigste, welvarendste en meest gevreesde natie in de regio zou maken.

76

Woensdag, 08.02 uur
De weg naar Yangyang

Op een begraafplaats ten oosten van de stad had Kim bijna vier miljoen won begraven, ongeveer vijfduizend dollar. Terwijl ze voor de grafstenen neerknielde, op een bankje zat of onder de bomen wat uitrustte, had ze de munten en biljetten verborgen in kleine kuiltjes, of onder boomwortels en keien. Alles lag er nog. Mensen gingen niet naar een kerkhof om naar geld te zoeken.
In het donker had het haar bijna drie uur gekost om alles terug te vinden. Daarna had ze getankt en was ze langs de Pukangang-rivier naar het noordoosten gereden, naar het Soyang-meer. Terwijl ze daar even uitrustte, zocht ze in haar aantekenboekje naar iemand die haar tegen betaling

aan een paspoort en vervoer naar Japan zou kunnen helpen.
Toen ze in de auto zat, had ze de radio aan laten staan, op de frequentie die Hwan had gebruikt om contact op te nemen met de KCIA. Ze wilde horen of er iets over haar werd gemeld en een tijd lang leek het erop dat ze geen flauw idee hadden waar ze uithing of zelfs in wat voor een wagen ze nu reed. Maar toen, niet meer dan een paar minuten voordat ze weer zou vertrekken, had de KCIA haar Tercel aangetroffen op het terrein van de BMW-dealer. Terwijl ze bezig waren om uit te zoeken welke wagen ze toen had gestolen, zat zij weer op de weg en reed naar de zee.
De tweebaansweg liep door een prachtige landelijke omgeving, maar het was er bijna uitgestorven en ze begon zich bezorgd af te vragen of ze wel een andere wagen zou kunnen vinden. Ze moest het nationale park van Sorak-san zien te bereiken voordat de autoriteiten haar zouden vinden. Dat was haar enige kans. Meestal kwamen er veel toeristen en aan de westkant van het park, iets ten noorden van de tempel van Paektam-sa, was een grote parkeerplaats. Van hieruit was het park alleen te bereiken via de Taesunnyong-pas en daarom reed ze daar maar naar toe.
Kim had er nu spijt van dat ze bij het meer even pauze had genomen. Dat was stom geweest, maar het had geleken of er geen einde aan de dag zou komen... en bovendien zat ze met een schuldgevoel over de man die ze had gedood. Op het moment zelf was het verbazend gemakkelijk geweest: een goed mens bevond zich in gevaar en daarom had ze zijn aanvaller neergeschoten. Pas toen ze het had gedaan, besefte ze dat ze niets van de aanvaller wist, en al evenmin of ze wel tijdig had ingegrepen, en of de man die ze had gedood haar ook zou hebben aangevallen of haar juist zou hebben helpen ontsnappen.
Het enige wat ertoe deed, was dat ze iemand had vermoord. De spionne die geen spionne was, de Noordkoreaanse die gedoemd was geweest om hierheen te gaan omdat ze van haar broer had gehouden, had nu de zwaarste zonde begaan die er was. De uitdrukking op zijn gezicht toen ze hem neerschoot, zou haar altijd bijblijven. In het licht van de vlam uit de tromp van het pistool had ze verrassing en pijn gezien, en een lichaam dat op een flodderige manier in elkaar zakte, in plaats van met wild zwaaiende armen en benen achterover te slaan, zoals in de film...
Er klonk een heldere stem uit de radio op de voorstoel naast haar.
'Helikopter zeven, sergeant Eui-Soon hier. Over.'
'Helikopter zeven, ik hoor u luid en duidelijk, over.'
'De witte BMW is ongeveer negentig minuten geleden gesignaleerd in de omgeving van het benzinestation bij het Tongdaemum Stadion. Hij is in oostelijke richting weggereden, dus moet hij Inje inmiddels wel voorbij zijn. Over.'

‘We zullen het uitzoeken en dan verslag uitbrengen. Over en uit.’
Kim vloekte. Ze was net langs Inje gekomen, aan het meest noordoostelijke punt van het meer, en ze zouden haar nu binnen enkele minuten te pakken hebben. De politie van Zuid-Korea was dol op het uitschrijven van bekeuringen en daarom durfde ze niet sneller te gaan rijden; niet zonder autopapieren en met miljoenen won in het koffertje van de radio naast haar op de vloer. Daarom hield ze zich netjes aan de maximumsnelheid en speurde wanhopig naar een geparkeerde wagen. Ze vond er echter geen en uiteindelijk bereikte ze het park met zijn grillige bergtoppen en al van veraf zichtbare, dreunende watervallen. Parkwachters deden minder moeilijk dan politiemensen en ze wilde juist harder gaan rijden om snel bij het parkeerterrein te komen, toen ze in de verte het ratelende geluid van helikopterrotoren hoorde.
Ze gaf plankgas en speurde verwoed naar een plek waar ze naast de weg zou kunnen gaan staan. Maar nét toen ze had besloten om de wagen achter te laten en te voet verder te gaan, kwam de helikopter overvliegen. Vrijwel meteen daarna maakte hij een schuine bocht en kwam weer terug.
Ze trapte hard op de rem.
De helikopter bleef ongeveer zestig meter boven haar hangen, met de cabine in haar richting. Ze zag de twee inzittenden naar haar wijzen en hoorde een schrille fluittoon toen de luidspreker werd aangezet.
‘Er is grondpersoneel onderweg,’ zei de luidspreker. ‘We raden u aan om te blijven waar u bent.’
‘Want anders...’ fluisterde ze. ‘Wat doen jullie dan?’
Ze speurde de weg vóór zich af. Ongeveer twee kilometer verderop begon een bochtig traject door de bergen, waar auto’s haar niet gemakkelijk klem konden rijden en waar de helikopter haar moeilijk zou kunnen volgen.
Krijg de tering jullie, dacht ze, en terwijl ze het gaspedaal tot op de bodem indrukte, schoot de BMW met gierende banden onder de helikopter weg, in de richting van de blauwgrijze bergpieken.

77

Dinsdag, 18.05 uur
Het Op-Center

In zijn kantoor zat Hood met Ann Farris en Lowell Coffey II te overleggen wat ze tegen de pers zouden zeggen als er iemand van het Striker Team gevangen genomen of gedood zou worden. Zoals de president al had gezegd, zou het Witte Huis iedere betrokkenheid bij de operatie ontkennen, en volgens de standaardprocedure zou het Op-Center dan hetzelfde doen. Maar Ann had het idee dat het voor de pr wel handig zou kunnen zijn om de wereld te laten weten dat ze zich hadden ingezet voor de veiligheid van Japan, en hoewel Hood moest toegeven dat daar iets in zat, stond het idee hem tegen.

Toen Bugs Hood meldde dat generaal Schneider aan de lijn was met dringend nieuws uit Panmunjom, werd de discussie snel beëindigd.

'Met Hood.'

'Meneer de directeur,' zei generaal Schneider, 'het spijt me u te moeten mededelen dat een van uw mensen, Gregory Donald, doodgeschoten schijnt te zijn door de Noordkoreanen terwijl hij zich aan hun zijde van de grens bevond, nog maar een paar minuten geleden.'

Hood verbleekte. 'Generaal, zij hebben hem zelf uitgenodigd om daarheen te komen...'

'Dit had niets te maken met die bespreking. Hij bevond zich niet in de conferentieruimte.'

'Waar dan wel?'

'Hij kwam met een mes in zijn hand op de kazernegebouwen af rennen.'

'Gregory? Weet u dat zeker?'

'Dat is wat de officier van piket in zijn rapport zal zetten. En dat hij in het Koreaans liep te schreeuwen over gifgas.'

'Lieve hemel.' Hood sloot zijn ogen. 'Dat was het dus. Gregory. Jezus... waarom heeft hij dat niet aan de militairen overgelaten?'

'Paul,' zei Ann, 'wat is er gebeurd?'

'Gregory Donald is dood. Hij heeft geprobeerd een gasaanval te verhinderen.' Hij richtte zich weer tot Schneider. 'Generaal, majoor Lee moet dat gas het Noorden hebben binnengesmokkeld, en waarschijnlijk is Gregory hem gevolgd.'

'Dat dachten wij ook al, maar het was verdomde stom van hem. Hij had toch kunnen weten dat die troepen meteen zouden gaan schieten.'

Het was geen domheid geweest, besefte Hood. Zo was Donald nu eenmaal.

'Hoe is de situatie nu?'
'Onze uitkijkpost zegt dat de soldaten iemand neergeschoten schijnen te hebben die kennelijk een poging heeft gedaan om het tabun de kazernegebouwen binnen te laten stromen. Zoals ik minister Colon net heb verteld, lopen ze daar op dit moment rond als kippen zonder kop. Een van onze wachttorens houdt generaal Hong-Koo in de gaten. Hij zit aan hun kant van het conferentiegebouw, in een jeep... kennelijk wacht hij ergens op. Hij moet nu toch weten dat Donald niet komt.'
'Misschien weet hij niet dat Donald degene was die is doodgeschoten.'
De woorden klonken zo akelig, zo verkeerd. In een poging om steun te vinden, keek Hood naar Ann, maar zag daar alleen maar een weerspiegeling van zijn eigen verdriet.
'Daar komt hij snel genoeg achter. Maar het probleem waar wij nu mee zitten is dit: het Pentagon heeft contact opgenomen met Pyongyang, maar de mensen daar geloven niet dat Lee en zijn trawanten op eigen houtje gehandeld hebben; ze denken dat het deel uitmaakt van een komplot dat beraamd is in Seoul. Met die zakkenwassers valt niet te praten.'
'Hoe reageren we daarop?'
'Zorgen dat onze troepenmacht even sterk is als de hunne. Generaal Norbom stuurt er nu alle materieel en alle manschappen waarover hij beschikt op af. Rechtstreeks bevel van de president. Als iemand daar alleen maar even niest, breekt er al een oorlog uit.'
Na die woorden liet generaal Schneider zich excuseren en Hood legde boos en ontdaan de hoorn neer. Hij voelde zich alsof ze na een seizoen vol overwinningen alsnog de finale hadden verloren, en nog wel in de laatste minuut. De situatie was rampzalig. Er was eigenlijk maar één ding dat alles nog erger zou kunnen maken: dat Mike Rodgers en het Striker Team iets deden dat tot een grootschalig gewapend conflict zou leiden. Hij dacht er even over om hen terug te roepen, maar realiseerde zich dat Rodgers niets overhaasts zou doen, en dat die raketten bovendien nog steeds op Japan gericht stonden. Oorlog of geen oorlog, als Japan werd geraakt, zou de drang tot herbewapening daar niet meer te stuiten zijn. En dat zou China en de beide Korea's er weer toe brengen hun eigen troepenmachten verder uit te breiden, zodat er een bewapeningswedloop op gang gebracht zou worden die de Koude Oorlog van de jaren zestig naar de kroon zou steken.
Nadat hij Ann en Coffey op de hoogte had gebracht van de ontwikkelingen, vroeg Hood hun om de andere afdelingshoofden van het Op-Center op de hoogte te brengen, en nadat ze het vertrek hadden verlaten, legde hij zijn hoofd in zijn handen...

En toen schoot het hem te binnen. Pyongyang zal geen geloof hechten aan de woorden van iemand uit het Zuiden, maar wat als iemand uit het Noorden...

Hij belde zijn assistent.

'Bugs, Kim Hwan ligt in het National University Hospital in Seoul. Als hij al bij kennis is, wil ik hem spreken.'

'Ja, meneer. Over de beveiligde lijn?'

'We hebben geen tijd om daarop te wachten. En Bugs, laat je niet afbluffen door een van de artsen of door de KCIA. Als het moet, neem je rechtstreeks contact op met directeur Yung-Hoon.'

Terwijl hij op Bugs zat te wachten, belde Hood Herbert op.

'Bob, ik wil een radiobericht versturen op die golflengte uit Yanguu.'

'Versturen, zei u?' vroeg Herbert.

'Precies. We proberen een telefonische conferentie op te zetten waarmee we een oorlog kunnen voorkomen.'

78

Woensdag, 08.10 uur
Seoul

Kim Hwan lag te slapen toen Choi Hongtack hem op de schouder tikte.

'Meneer?'

Langzaam opende Hwan zijn ogen. 'Ja, wat is er?'

'Het spijt me dat ik u moet storen, maar er is een telefoontje uit Washington, een zekere meneer Paul Hood.'

Hongtack hield hem de hoorn voor, maar het kostte Hwan veel moeite om zich voorover te buigen en hem aan te nemen. Hij legde hem naast zijn oor op het kussen en draaide zijn gezicht ernaartoe.

'Hallo Paul,' zei hij met zwakke stem.

'Kim... hoe voel je je?'

'Ach, wat was het alternatief?'

'Goed gezegd. Kim, ik heb weinig tijd, dus ik zal er geen doekjes om winden. We hebben de man gevonden die verantwoordelijk is voor de bomaanslag, een Zuidkoreaanse officier en – ik vind het naar dat ik je dit

zó moet vertellen – maar Gregory Donald is gedood terwijl hij een van de samenzweerders probeerde in te rekenen.'
Hwan voelde zich alsof hij nog een keer werd neergestoken. Hij kon geen lucht krijgen en had een brandend gevoel in zijn ingewanden.
'Het spijt me dat ik je hiermee zo rauw op je dak moet vallen. Ik had het liever anders gedaan,' zei Hood, 'of in ieder geval even willen wachten. Maar de Noordkoreanen geloven niet dat dit groepje op eigen initiatief heeft gehandeld en staan klaar om een oorlog te beginnen. Ben je daar nog?'
'Ja,' zei Hwan moeizaam slikkend.
'We hebben al eerder berichten van Seoul Oh-Miyo onderschept. Kun je haar nog steeds bereiken?'
'Ik... ik weet het niet.'
'Kim, we hebben iemand nodig die door de Noordkoreanen vertrouwd wordt en die hun kan vertellen dat dit geen officiële daad van de Zuidkoreaanse regering is. We weten welke radiofrequentie ze heeft gebruikt en we denken dat we haar radioapparatuur daarmee wel kunnen bereiken. Als ze die aan heeft laten staan, wil je dan met haar praten? Wil je haar vragen om radiocontact op te nemen met het Noorden om te proberen hen te overtuigen?'
'Ja,' zei Hwan. Terwijl de tranen over zijn wangen stroomden, wenkte hij naar Hongtack dat die hem moest helpen om rechtop te gaan zitten. 'Ik zal doen wat ik kan.'
'Heel erg bedankt,' zei Hood. 'Blijf aan de lijn, dan kijk ik even of alles hier in orde is.'
Terwijl hij lag te wachten, sloeg Hwan geen acht op Hongtacks vragende blikken. Wat was dit toch een monsterlijke, tragische dag geweest, zelfs als ze een oorlog wisten te voorkomen. En waarvoor? Voor het soort militaire en politieke kuiperijen waar Gregory altijd al zo'n hekel aan had gehad.
'Het spraakvermogen,' had hij eens gezegd, 'ons spraakvermogen en onze kunst zijn de enige zaken waarin we ons van de dieren onderscheiden. Maak er een goed gebruik van en zorg dat je er ten volle van geniet...'
Het was zo onrechtvaardig. En het ergste van alles was het feit dat de man bij wie hij anders troost gezocht zou hebben, niet meer in leven was.
'Kim?'
Hwan drukte de hoorn tegen zijn oor en vocht tegen de nawerking van het verdovingsmiddel, waardoor hij weer in slaap dreigde te vallen.
'Hier ben ik, Paul.'
'Kim, we zitten met een probleem...'
Plotseling werd de statische achtergrondruis doorsneden door een panische stem, die Hood in de rede viel.

'Ze willen me neerschieten!'
Toen hij de stem van Kim Chong herkende, was Hwan onmiddellijk weer bij zijn positieven. 'Kim, met Hwan. Kun je me verstaan?'
'Ja...!'
'Wie wil je neerschieten?'
'Een helikopter, en er komen twee motorfietsen aan. Ik sta op een bergtop... ik kan ze zien aankomen. Ze rijden onder aan de helling.'
Hwan richtte zijn blik op Hongtack. 'Zijn dat onze mensen?'
'Ik weet het niet,' zei Hongtack. 'Directeur Yung-Hoon zei dat er te veel verschillende organisaties bij betrokken waren om...'
'Dat kan me niet schelen. Al had God zelf er iets mee te maken. Roep ze terug.'
'Meneer...'
'Hongtack, je gaat nu bellen en je zegt tegen Yung-Hoon dat ik me volledig garant stel voor mevrouw Chong. Doe dat, nú, want anders zit je morgen bij dat Amerikaanse radiosurveillanceteam in McMurdo.'
Na een korte aarzeling, waarin hij kennelijk het verlies van zijn waardigheid afwoog tegen een verblijf op Antarctica, liep Hongtack de kamer uit.
Hwan sprak weer in de hoorn. 'Ik heb het geregeld, Kim. Waar zit je nu?'
'In de bergen van het Nationale Park Sorak-san. Ik ben onder een rotsrichel gaan staan waar de helikopter niet kan landen.'
'Oké. Ga mijn oom Zon Pak opzoeken. Hij woont in Yangyang en hij is visser. Niemand vindt hem aardig, maar iedereen kent hem, en hij zal er wel voor zorgen dat je veilig op je bestemming komt. Heeft meneer Hood je ons probleem al uitgelegd?'
'Ja. Hij heeft me over majoor Lee verteld.'
'Kun je ons helpen? Wíl je ons helpen?'
'Ja, natuurlijk. Blijf aan de lijn terwijl ik contact opneem met Pyongyang.'
'Wil je je koptelefoon opzetten? Dan kun je meneer Hood en mij horen zonder dat zij meeluisteren.'
Kim zei tegen Hwan dat ze dat zou doen, en terwijl hij lag te luisteren, werd er nog een deelnemer toegevoegd aan de teleconferentie tussen het ziekenhuis, het Op-Center en het Sorak-san; het was kapitein Ahn Il op de 'thuisbasis'. Hwan wist dat dat het hoofdkwartier was van de Noordkoreaanse inlichtingendienst en dat het gevestigd was in de diepste kelders van het Haebangsang Hotel op de westelijke oever van de Taedong-rivier.
'Thuisbasis,' zei Kim, 'ik heb materiaal ontvangen dat onweerlegbaar bewijst dat een cel Zuidkoreaanse soldaten, en níet – ik herhaal, níet – de regering of het leger in Seoul, verantwoordelijk is voor de bomaanslag en de mislukte gasaanval op de legerbasis aan de grens. Majoor Lee, de officier met het ooglapje, is degene die de hele operatie op touw heeft gezet.'

Het bleef een ogenblik stil, en toen: 'Seoul Oh-Miyo, welke man met een ooglapje?'
'De man die het gifgas de kazernegebouwen in wilde laten lopen.'
'Die had geen ooglapje.'
Paul zei: 'Mevrouw Chong, wilt u hem zeggen dat hij even moet wachten? Ik zal proberen om majoor Lee te vinden, en als ik daarin slaag, zullen ze snel moeten handelen om hem alsnog tegen te houden.'

79

Dinsdag, 18.17 uur
Het Op-Center

Paul Hood zette Kim Hwan in de wacht en belde Bob Herbert.
'Bob, hebben we een foto van majoor Lee?'
'In zijn dossier...'
'Scan die snel in en stuur hem naar het NRO. En als je daarmee klaar bent, kom dan snel hierheen, samen met Lowell Coffey, McCaskey en Mackall.'
Daarna belde Hood Stephen Viens op het NRO.
'Steve, Bob Herbert stuurt jullie zo dadelijk een foto. Het zou kunnen dat die man zich nog steeds in Panmunjom bevindt, ten noorden van de gedemilitariseerde zone. Zorg dat je hem vindt, en blijf hem volgen. Begin bij de omgeving van het conferentiegebouw en gebruik daar twee satellieten voor.'
'Ik neem aan dat minister Colon toestemming heeft gegeven voor het gebruik van een tweede satelliet?'
'Als hij ervan afwist, zou hij zeker zijn toestemming geven,' zei Hood droogjes.
'Dat dacht ik al,' zei Viens. 'Het fotootje komt nu binnen. Is hij daar op zijn eentje?'
'Waarschijnlijk wel,' zei Hood, 'en vermoedelijk draagt hij een Zuidkoreaans uniform.'
'Blijf aan de lijn.'
Hood bleef luisteren terwijl Viens een tweede satellietcamera op het gebied liet richten en opdracht gaf om een gezichtspunt te kiezen dat op

zevenenhalve meter boven de grond lag. Toen liet hij de foto van majoor Lee invoeren in de computer van de satelliet: die zou de hele omgeving afspeuren naar iemand met dergelijke gelaatstrekken en zijn silhouet dan markeren met een blauw randje.
Het dak van het conferentiegebouw verscheen in beeld; daar kon hij niet op zitten, want dan zou hij vanuit de wachttorens aan weerszijden van de grens zijn opgemerkt. Toen, 4,4 seconden later, afgewisseld met beelden van de eerste satelliet, gaf de tweede satelliet hun een beeld van de voorkant van het gebouw... een paar wagens en een jeep met een officier erin, waarschijnlijk generaal Hong-Koo.
Bob Herbert kwam de kamer binnen rijden, gevolgd door Martha, Coffey, McCaskey en Ann Farris. Hood had al gedacht dat zij ook mee zou komen, niet zozeer om het verloop van de crisis in de gaten te houden, maar wel om een beetje op hem te passen. Bij die gedachte voelde hij zich niet alleen nogal ongemakkelijk, maar tegelijkertijd op een vreemde manier heel tevreden. Voorlopig sloeg hij maar geen acht op het ongemakkelijke gevoel. Toen ze een tijdje geleden haar hand op zijn schouder had gelegd, was hem dat heel goed bevallen.
'Darrell,' zei Hood, 'waarom blijft Hong-Koo daar maar zitten? Hij moet nu toch wel weten wat er is gebeurd.'
'Dat maakt niet uit,' antwoordde Martha in plaats van McCaskey, die haar een nijdige blik toewierp. 'De Noordkoreanen zouden nog doorgaan met een verjaardagsfeestje als het feestvarken net was doodgeschoten. Ze willen graag onverstoorbaar zijn. Dat is nog een overblijfsel van president Kim Il Sungs ideologie, die heel veel waarde hechtte aan *juche*: een soort van zelfstandigheid, niemand anders nodig hebben.'
Ann zei: 'Waarschijnlijk zal hij de bespreking willen gebruiken om een of andere politieke verklaring af te leggen.'
'Dat ze zijn aangevallen en een enorme zelfbeheersing hebben getoond door daar niet op te reageren met een tegenaanval,' zei Martha.
Darrell hief wanhopig zijn armen op en ging zitten.
Hood zat aandachtig te kijken hoe de beelden bleven binnenkomen, respectievelijk linksboven en rechtsonder op zijn scherm. Ieder nieuw beeld werd aangekondigd door het snorren van de harde schijf waarop de beelden werden opgeslagen en een code in de rechteronderhoek van de beelden – het rangnummer plus '1S', wat *first sweep* betekende – maakte het mogelijk om elk beeld onmiddellijk terug te halen. De computer kon de beelden ook verbeteren: ze scherper maken bijvoorbeeld, of helderder, en door middel van extrapolatie uit de beeldinformatie was het zelfs mogelijk om de gezichtshoek te veranderen van recht van boven naar ertegenover op gelijk niveau.

'Houd 17-1S vast,' blafte Hood terwijl hij rechtop in zijn stoel ging zitten. 'Die gedaante die daar in zijn eentje achter een boom staat, op ongeveer honderd meter van de wagens...'
Bob en Darrell kwamen naast hem staan om het ook te kunnen zien.
'Zijn gezicht gaat schuil achter het gebladerte,' zei Viens. 'Ik zal de camera even een beetje verschuiven.'
'Een beetje betekende een duizendste centimeter of zo. Vermenigvuldigd met de afstand van de camera tot de aarde, zou het lijken alsof het denkbeeldige standpunt van de camera ongeveer dertig centimeter verschoven was.
Meteen toen het nieuwe beeld binnenkwam, verscheen er een dun blauw lijntje om de gestalte.
'Canasta!' zei Viens. 'Ik zal de andere satelliet ook op hem richten.'
'Nee. Ik wil een overzicht van het hele terrein, van een hoogte van vierhonderd meter.'
'Oké,' zei Viens.
Hood nam de tweede hoorn weer op en keek toe hoe Lee op de volgende foto zijn lichaam iets meer naar de wagen van de generaal toe draaide. Het bezorgde Hood hetzelfde onheilspellende gevoel dat hij altijd kreeg als hij naar de Zapruder-opnamen van de moord op Kennedy zat te kijken; de gebeurtenissen ontvouwden zich zonder dat hij bij machte was om ze te stoppen.
De volgende foto van Lee kwam er aan. Het was duidelijk dat hij van de ene boom naar de andere liep.
'Mevrouw Chong, kunt u me horen?' zei Hood.
'Ja!'
'Zeg tegen uw mensen daar dat de renegate officier nu te voorschijn komt van achter een eikeboom op een afstand van honderdtwintig tot honderddertig meter van het conferentiegebouw. We vermoeden dat hij van plan is om generaal Hong-Koo aan te vallen. Zeg uw mensen daar dat ze majoor Lee met alle middelen moeten zien tegen te houden.'
'Begrepen,' zei ze en gaf de boodschap door. Terwijl ze daarmee bezig was, zei Hood tegen Bugs dat hij generaal Schneider moest bellen. Terwijl Bugs haastig de verbinding tot stand probeerde te brengen, bleef Hood toekijken hoe Lee van boom tot boom sloop. Hij had een pistool in zijn handen. De mensen vóór hem hadden hun aandacht op generaal Hong-Koo gericht, die nu rechtop in de jeep stond en aanstalten maakte om uit te stappen. Het andere beeld bood Hood een overzicht van het gehele terrein rondom het conferentiegebouw, inclusief de noord- en zuidzijde van de aangrenzende gedemilitariseerde zone. Aan de zuidelijke kant, ongeveer driehonderd meter ten zuidwesten van Lee, zag hij wat hij gehoopt had.

'Ik heb generaal Schneider aan de lijn!' zei Bugs en hij verbond Hood door met de generaal, die op dit moment persoonlijk toezicht hield op de opstelling van zijn troepen.
'Meneer Hood!' snauwde de generaal. 'Ik praat alleen maar met u omdat u aan het hoofd staat van de Crisisgr...'
'Majoor Lee bevindt zich achter het conferentiegebouw, aan de Noordkant.'
'Wat?'
Hood zei dringend: 'Vanuit uw wachttorens ten zuidwesten van het conferentiegebouw moet u hem kunnen zien. Hebt u daar een schutter gestationeerd?'
'Ja...'
'Laat hem dan schieten. En snèl!'
'U wilt dat ik een van onze eigen officieren neerschiet... en het vuur laat openen op Noordkoreaans grondgebied?' zei Schneider.
'Dat wilde u toch zo graag? Lee is gewapend en hij gaat Hong-Koo neerschieten. U móet hem zien te stoppen, anders staat u over een minuut tot aan uw nek in de lijken!'
'En de man in de wachttoren? Ze zullen terugschieten...'
'Ik hoop van niet. Mijn mensen zijn nu in gesprek met hen.'
'Ik hoop van niet,' snoof Schneider. 'Die opdracht zal ik geven, maar de gevolgen zijn volledig voor uw rekening.'
Schneider verbrak de verbinding en Hood vroeg Viens om de ene satelliet op Lee gericht te houden en de andere op de wachttoren in te stellen.
Het gezichtspunt van de tweede satelliet schoof naar voren en liet zien dat een van de twee soldaten de telefoon opnam, terwijl de andere door zijn verrekijker stond te kijken.
In het eerste beeld kwam Lee uit zijn schuilplaats te voorschijn en liep recht op Hong-Koo af.
In het tweede beeld liet de man zijn verrekijker zakken.
Lee was nu dichterbij... zo dichtbij, dat Hong-Koo en hij nu samen in beeld waren. Hong-Koo stapte rechts uit de jeep en zijn manschappen vormden een halve cirkel om hem heen, een erewacht. Iets ter zijde van de generaal stonden verslaggevers en fotografen.
De soldaat in de wachttoren pakte zijn geweer.
Lee bracht zijn pistool in de aanslag.
De soldaat zette de kolf van de Colt M-16 aan zijn schouder.
Hoods maag voelde aan als een vlammenzee en zijn mond was zo kurkdroog, dat het hem pijn deed. Eén seconde te laat, één woord te veel, en het hele schiereiland zou in een bloedige oorlog verwikkeld raken...
Tegelijk met de flitslampen ging Lee's pistool af. Terwijl de wachtpost met

zijn geweer in de aanslag bleef staan, voelde Hood zijn hart in zijn keel kloppen. Het leek een eeuwigheid te duren voordat de volgende beelden arriveerden.
Lee had zijn gezicht afgewend, waarschijnlijk vanwege de felle lichtflitsen. Hong-Koo viel achterover en op zijn rechterarm zat iets wat op een vlek leek.
De M-16 spuwde rook uit.
Vreemd genoeg moest Hood ineens terugdenken aan zijn kindertijd, toen hij zich verstopt had in de gedempte, wollige stilte van de cederhouten kleerkast van zijn ouders. De stilte in zijn kantoor was net zo intens.
Op de volgende foto van de Noordkoreaanse zijde lag generaal Hong-Koo op zijn rug terwijl hij zijn arm vasthield. Vlak naast hem stond Lee. Er kringelde rook uit de loop van zijn revolver... zijn hoofd ging schuil in een wolk van bloed.
'Het is ze gelukt,' zei Herbert terwijl hij zijn vuist schudde.
McCaskey klopte Hood op zijn rug.
Op de volgende foto viel Lee achterover en kwam Hong-Koo weer overeind. In het Zuiden zochten de mannen in de wachttoren dekking.
'Meneer Hood?' zei Kim Chong. 'Ik heb de boodschap overgebracht en ze geven hem nu door aan Panmunjom.'
'Denkt u dat ze u geloofden?'
'Natuurlijk,' zei ze. 'Ik ben een spion, en geen politicus.'
Toen Hood opstond, liep Ann naar hem toe en omhelsde hem. 'Het is je gelukt, Paul.'
Coffey stond met een ongelukkige uitdrukking op zijn gezicht toe te kijken. 'Precies. We hebben een Zuidkoreaanse officier neergeschoten. Dat zal zeker gevolgen hebben.'
'Hij was krankzinnig,' zei Herbert. 'We hebben een dolle hond afgemaakt.'
'Maar die heeft misschien wel een gezin, of andere familieleden. Dolle honden hebben geen rechten, maar soldaten en hun naaste verwanten wèl.'
Hij werd onderbroken door een bericht van Bugs: generaal Schneider was aan de lijn. Hood zei Bugs dat hij moest proberen contact op te nemen met Mike Rodgers, ging toen op de rand van zijn bureau zitten en nam de hoorn op.
'Ja, generaal?'
'Het lijkt erop dat het u gelukt is. Er wordt niet geschoten... De Noordkoreanen lijken ergens op te wachten.'
'Kunt u generaal Hong-Koo zien?'
'Nee,' zei Schneider. 'Mijn jongens daar zitten nog steeds in dekking.'

Hood wierp een blik op de monitor. 'Nou, de generaal zit rechtop in de jeep en drukt een doek tegen de wond in zijn schouder. Nu wordt hij weggereden. Verder lijkt hij in orde.'
'Colon zal nog steeds razend zijn.'
'Dat weet ik nog zo net niet,' zei Hood. 'De afloop hiervan zou de president best wel eens kunnen bevallen. Zelf de orde handhaven levert goede publiciteit op. Net als ferm optreden tegen een geallieerde natie die we al meer dan veertig jaar overeind houden...'
'Pardon, meneer,' viel Bugs hem in de rede, 'maar ik heb overste Squires hier op de TAC SAT. Ik denk dat u hem wel zult willen spreken.'
Hood werd doorverbonden, en toen hij hoorde waar Rodgers mee bezig was, maakte zijn opgetogenheid onmiddellijk plaats voor een nieuwe golf maagzuur...

80

Woensdag, 09.00 uur
Het Taibak-gebergte, Noord-Korea

De tocht heuvelafwaarts kostte meer tijd dan Rodgers had gehoopt. Ze hadden een omtrekkende beweging gemaakt en bijna vierhonderd meter afstand bewaard van de onder aan de heuvel gestationeerde troepen. Om zo weinig mogelijk op te vallen waren ze achterstevoren, met hun voeten voor zich uit, op hun buik naar beneden gekropen. De rotsen waren zo nu en dan behoorlijk scherp, stekelige planten prikten in hun armen, en hoe lager ze kwamen, des te steiler het werd. Ze hadden alle drie al verscheidene keren hun evenwicht verloren en zich met handen en voeten aan de rotsen moeten vastklampen om niet het legerkamp in te glijden. Rodgers besefte dat dat de reden moest zijn waarom de tent van de commandant juist daar was neergezet waar hij stond; zelfs overdag was hij al heel moeilijk te benaderen. In het donker zou het zelfs met nachtzichtbrillen vrijwel onmogelijk zijn geweest.
Rodgers ging voorop, daarna kwam Moore, en Puckett vormde de achterhoede. Rodgers liet zijn beide manschappen stoppen achter een rotsblok twintig meter boven de tent en stak toen voorzichtig zijn hoofd eromheen

om naar activiteiten op het terrein onder hen te speuren.
Hij hoorde een paar zachte, sterk gedempte stemmen, maar zag geen enkele beweging in de tent.
Verdomde raar, dacht hij. Dit was beslist niet volgens de standaardprocedure. Zodra de Nodongs waren opgesteld en gericht, zou de commandant zich doorgaans in het veld bevinden. Een opdracht tot lancering werd nooit over de telefoon gegeven; zoiets deed je in eigen persoon. Het ergerde Rodgers dat hij niet kon verstaan wat er in de tent werd gezegd. De enige manier waarop ze zouden kunnen voorkomen dat de raketten werden gelanceerd, was om die tent binnen te lopen en degene die daar de leiding had, wie dat ook mocht zijn, ervan zien te overtuigen dat hij de raketten weer moest laten zakken. Hoewel hij het gesprek in de tent niet kon verstaan, durfde hij er zijn pensioen om te verwedden dat degenen die hier op dit moment het heft in handen hadden, geen Noordkoreanen waren.
Hij boog zich weer naar de anderen. 'Er zitten twee of drie man in die tent,' fluisterde hij. 'We vallen rechtsonder aan, aan de achterkant. Moore... jij snijdt de tent open en stapt dan naar links. We zullen snel moeten zijn. Ik ga als eerste naar binnen, daarna Puckett en dan jij. Ik neem de linkerkant onder schot. Puckett, jij neemt de rechterkant en Moore, jij de voorkant. We vallen aan met onze pistolen, niet met messen; we willen niet dat iemand het in zijn hoofd haalt om om hulp te gaan roepen.'
Beide mannen knikten. Moore trok zijn mes en kroop centimeter voor centimeter het laatste deel van de helling af; opnieuw met zijn voeten eerst, maar dit keer op zijn rug. Rodgers kroop met getrokken Beretta achter hem aan en Puckett was ook dit keer de laatste.
Toen hij de voet van de heuvel had bereikt, bleef Moore de anderen opwachten. De drie mannen hurkten neer in de donkere schaduw van de tent, en terwijl Rodgers bleef zitten luisteren, kroop Moore er nog dichter naartoe.
'... zult merken dat ik hier veel steun heb,' zei de stem. 'Uw eigen mensen hebben dit mogelijk gemaakt. Hereniging is net zoiets als hertrouwen met dezelfde vrouw. Een leuk idee, maar uiteindelijk werkt het niet.'
Het is duidelijk dat de Zuidkoreanen hier de dienst uitmaken, dacht Rodgers. Hij keek toe hoe Moore vlak naast de tent langzaam opstond. Hij hield het lange mes in zijn linkerhand; het lemmet was naar de grond gericht, klaar voor de aanval. Rodgers kroop naar hem toe, met Puckett vlak achter zich. Ze zaten nu alle twee op de bal van hun voeten, klaar om naar binnen te springen.
Als hij maar wist wie de infiltrant was en wie de Noordkoreaanse officier. De eerste zou hij zonder aarzeling van kant maken.
Moore knikte één keer en duwde toen met zijn rechterhand het lemmet

naar beneden. Het mes sneed door de stof. Moore trok de lap weg en stapte snel opzij. Rodgers sprong door de opening en richtte zijn pistool op de kolonel die op de rand van de brits zat; de man was kaal en hield een bebloede lap tegen zijn hand gedrukt. Uit die wond, en uit het feit dat de man ongewapend was, maakte Rodgers onmiddellijk op dat dit de Noordkoreaanse officier was, en dat de andere twee hem gevangen hielden. Puckett kwam nu ook door de opening springen en richtte zijn pistool op de officier aan de rechterkant van de tent. Daarna griste hij het Type 64-pistool weg en duwde zijn eigen Beretta tegen het voorhoofd van de kolonel.

Moore kwam de tent binnen toen Kong, die naast het voorzeil stond, zijn linkerhand omhoogstak en het Type 64 dat hij daarmee had vastgehouden, op de grond liet vallen. Terwijl hij zijn eigen pistool op het hoofd van de forsgebouwde soldaat gericht hield, bukte Moore zich om het op te rapen.

Met zijn rechterhand achter zijn rug trok Kong razendsnel de TT-33 Tokarev uit zijn riem en schoot Moore in zijn linkeroog. De soldaat viel achterover en Kong mikte op Puckett.

Rodgers had naar Kong staan kijken, en toen hij de forsgebouwde man met zijn rechterhand achter zijn rug zag reiken, bracht hij zijn eigen pistool in de aanslag. De generaal was niet snel genoeg om Moore nog te redden, maar hij wist een kogel in Kongs voorhoofd te schieten voordat die zijn pistool op Puckett kon richten. De Zuidkoreaanse soldaat zakte in elkaar en viel tegen het zeil voor de tentopening, dat daardoor bol kwam te staan.

Met een strak gezicht en vonkende ogen, zei Puckett: 'Heb het lef eens, klootzak.'

Buiten hoorde Rodgers soldaten schreeuwen. Hij keek naar de officier die op de brits lag.

'Ik moet u wel vertrouwen,' zei Rodgers, die er niet zeker van was of de man hem wel kon verstaan. 'We moeten die raketten zien tegen te houden.'

Langzaam en nadrukkelijk bracht hij zijn pistool naar beneden en zette een stap achteruit. Daarna wenkte hij dat Ki-Soo moest opstaan.

De officier maakte een lichte buiging.

'Verraders!' brulde kolonel Sun. 'Ik zal jullie laten zien hoe een patriot sterft!'

Sun greep Pucketts arm beet en trok hem naar zich toe. De soldaat had geleerd hoe hij in dergelijke situaties moest reageren, en schoot. Sun kreunde, klapte dubbel en viel aan Pucketts voeten neer.

Rodgers knielde naast hem op de grond en voelde zijn pols. 'Hij is dood,' zei hij en draaide zich om naar Moore. Hij had al geweten dat de soldaat

dood was, maar voelde toch zijn pols maar. Daarna trok hij een deken van de brits en overhandigde die aan Puckett, die hem over Moores lijk legde.
'Kolonel,' zei Rodgers, 'spreekt u Engels?'
Ki-Soo schudde zijn hoofd.
'Pu-t'ak hamnida,' zei Rodgers. Het was een van de weinige Koreaanse woorden die hij kende. 'Alstublieft. De Nodongs... Tokyo.'
Ki-Soo knikte toen de soldaten in de tentopening verschenen. Met opgestoken hand hield hij hen tegen en blafte een bevel. Daarna wees hij naar de dode.
Hij zei iets dat Rodgers niet verstond. Daarna dacht de kolonel een ogenblik na en zei: *'Il ha-na, i tul, sam set...'*
'Een, twee, drie,' zei Rodgers. 'U bent aan het tellen. Aftellen? Nee... dan zou u bij drie zijn begonnen.'
'Chil il-gop, sa net, il ha-na...' ging Ki-Soo verder.
'Zeven, vier, één... een code? Het wachtwoord?' Rodgers voelde de rillingen over zijn rug lopen. Hij wees naar de dode officier. 'U bedoelt dat hij de wachtwoorden heeft veranderd en dat hij zelfmoord heeft gepleegd om die voor ons geheim te kunnen houden.' Hij dacht snel na. De bedrading van de Nodongs zat in een metalen doos en als daarmee geknoeid werd, zou de raket automatisch gelanceerd worden. Er was geen enkele manier om ze tegen te houden, tenzij ze de code te weten kwamen. Rodgers vroeg: '*On-che-im-nika?*'
Ki-Soo keek naar een van de soldaten in de tentopening. Hij stelde hem dezelfde vraag, en de soldaat gaf antwoord.
Het enige woord dat Rodgers herkende, was '*ship yol*'.
Tien.
Ze hadden nog tien minuten voordat de drie Nodongs op Tokyo werden afgevuurd.
Snel pakte hij Ki-Soo's radio, nam contact op met Squires en vroeg hem om hem aan te sluiten op de TAC SAT.

81

Dinsdag, 19.20 uur
Het Op-Center

Hood en zijn top-assistenten zaten nog steeds in zijn kantoor toen Rodgers' radiobericht binnenkwam. Hood zette het op de luidspreker en de anderen kwamen om hem heen staan.
'Paul,' zei de adjunct-directeur, 'ik zit nu bij die Nodong-lanceerinrichting en maak gebruik van hun radio, die weer is aangesloten op de TAC SAT in de heuvels boven het kamp. De Zuidkoreanen hadden het kamp in handen, en tijdens de herovering zijn we Bass Moore kwijtgeraakt. Kolonel Ki-Soo hier stelt zich zeer behulpzaam op... maar hij weet níet wat de code is waarmee de raketten kunnen worden uitgeschakeld. De Zuidkoreanen die de code hebben veranderd, zijn nu allemaal dood. We hebben nog ruim acht minuten voordat die dingen op Tokyo worden afgevuurd.'
'Dat is niet voldoende om Zuidelijke of Noordelijke vliegtuigen in te zetten,' zei Hood.
'Precies.'
'Een minuut graag,' zei Hood en toetste het nummer van Matt Stoll in. 'Matty, zet het bestand over de Nodongs even op het scherm. Hoe kunnen we die lancering tegenhouden zonder codewoord?'
Op het beeldscherm werd Stolls gezicht vervangen door het Nodongbestand. Snel liet hij lange rijen schema's en lijsten over het scherm flitsen. 'De controlecircuits zitten in een doos met wanden van vijf centimeter dik staal; dat is om ze te beschermen tijdens de lancering... laat me eens kijken. We hebben hier drie rijen cijfers. De bovenste rij is een aftelklok en de coördinaten van het doelwit staan in de tweede rij. De vier getallen die je moet intikken om een nieuw doel te kunnen kiezen, blijven nadat ze zijn ingetikt nog één minuut zichtbaar, zodat je ze nog kunt veranderen voordat ze definitief worden. Daarna worden er in de onderste rij vier cijfers zichtbaar; die vormen een soort dubbele vergrendeling. Je kunt pas bij de middelste rij cijfers komen als je op de onderste rij een code hebt ingetikt, en die cijfers worden eveneens na een minuut weer onzichtbaar. Dus... je hoeft alleen de eerste vier cijfers, de middelste rij dus, op nul-nul-nul-nul te zetten om de lancering te verhinderen.'
'Maar om dat te doen, moet je eerst het programma zien binnen te komen.'
'Juist.'
'En we beschikken niet over die tweede reeks cijfers.'

'In dat geval staan jullie machteloos. En om iedere mogelijke combinatie van vier getallen tussen nul en negen in te tikken hebben jullie...'
'Ik heb ongeveer zeven minuten.'
'... meer tijd nodig,' zei Stoll. Plotseling klaarde zijn stem op. 'Wacht even, Paul. Misschien weet ik er iets op.'
Het Nodong-bestand verdween van het scherm en werd vervangen door een beeld van de lanceerinrichting.
'Een ogenblik,' zei Stoll.
Er kwamen klikkende geluiden uit de luidspreker; Stoll zat druk te tikken op het toetsenbord van zijn computer. Toen Hood naar de aftelklok keek, wilde hij zijn armen uitsteken en zijn handen op de cijfers leggen om ze tegen te houden, zodat de tijd langzamer zou verstrijken en ze langer de tijd zouden krijgen om deze klus te klaren. Opnieuw had hij het gevoel dat ze op het punt stonden om in de laatste minuut van de finale de wedstrijd te verliezen, en dat alle doden die er tot nu toe waren gevallen, hun leven voor niets hadden gegeven. In de functieomschrijving had over dit soort gevoelens niets vermeld gestaan, maar kennelijk hoorden die wel bij het werk.
'Martha,' zei Hood terwijl Stoll bezig was, 'bel het Witte Huis even en vertel Burkow wat er aan de hand is. Misschien zal de president even met Tokyo moeten bellen.'
'O, wat zullen ze dat leuk vinden,' zei Martha terwijl ze de deur uit liep.
'Als er nieuws is, bel ik je wel in je kantoor,' zei Hood.
Bob Herbert zei: 'Ik heb er alle vertrouwen in dat de Verenigde Staten uiteindelijk de schuld in de schoenen geschoven zullen krijgen van alles wat er vandaag is gebeurd.'
'De dag is nog niet voorbij.' Hood merkte dat hij een opgewekte toon aansloeg. Hij weigerde om te geloven dat ze nu machteloos stonden.
Terwijl Hood naar het scherm zat te staren, werd het beeld van de Nodongs vergroot en verscherpt. Een van de raketten werd iedere vijf seconden duizend procent uitvergroot.
'Ik ben toch wel verdomd goed hoor,' zei Stoll. 'Zie je wat we hier hebben, Paul?'
'De Nodongs...'
'Ja, maar dit is de foto die we binnen hebben gekregen toen we het systeem weer aan de praat kregen,' zei Stoll.
Hood leunde voorover. 'Jezus, je bent inderdaad briljant.' Hij tuurde naar het scherm en fronste zijn wenkbrauwen. 'Shit!'
Ze konden drie van de vier nummer op de onderste rij zien. Degene die de nummers had ingetikt, stond in het zicht van het meest rechtse cijfer.
'Ik denk dat het een acht is,' zei Stoll. 'We hebben vandaag al meer achten gehad.'

'Laten we hopen dat je gelijk hebt,' zei Hood terwijl hij de hoorn die hem met Rodgers verbond weer opnam.
'Mike, je moet de raketten als volgt programmeren: één-negen-acht-acht op de onderste rij en nul-nul-nul-nul op de middelste. Herhaal dat even...'
'Negentienachtentachtig op de onderste rij en vier nullen in het midden. Blijf aan de lijn.'
'Maak je geen zorgen,' fluisterde Hood. 'Ik blijf hier wel zitten hoor.'

82

Woensdag, 09.24 uur
Het Taibak-gebergte, Noord-Korea

De van takken en bladeren gemaakte overkappingen lagen nu naast de raketten, die in de ochtendzon stonden te glimmen als gepolijst ivoor.
Rodgers klom naar het controlepaneel van de dichtstbijzijnde Nodong en gaf Puckett en kolonel Ki-Soo opdracht om de codes in de tweede en derde raket in te voeren. De kolonel werd op de hielen gezeten door een woedend kijkende arts die al rennend zijn hand probeerde te verbinden.
Rodgers tikte één-negen-acht-acht in en bleef staan wachten tot de middelste rij cijfers ziohtbaar zou worden.
Er gebeurde niets.
'Hier gebeurt niets, generaal,' zei Puckett.
'Ik weet het, soldaat,' zei Rodgers.
Hij nam niet de moeite om het nog eens te proberen. Niet met nog maar vier minuten en vijfentwintig seconden op de aftelklok. Hij rende weer naar de tent.
'Paul,' zei hij. 'Het werkt niet. Weet je zéker dat die cijfers kloppen?'
'De eerste drie wel,' gaf Hood toe. 'Die laatste weten we niet zeker.'
'Geweldig,' snauwde Rodgers terwijl hij de tent weer uit rende. Terwijl hij weer naar de Nodongs holde, dacht hij: nog niet eens vijf minuten. Het duurt ongeveer vijf seconden voordat zo'n cijfer geregistreerd wordt. Dat geeft ons weinig tijd.
'Soldaat Puckett,' schreeuwde Rodgers, 'begin met negentientachtig en...'
Er kwam een soldaat op Pucketts Nodong af rennen. Zijn borst hing vol

met medailles. Hij duwde Puckett van de Nodong af, zodat die uit Rodgers' zicht verdween, trok snel zijn pistool uit de holster en schoot één keer in de richting van de grond. Daarna draaide hij zich om en slaagde erin om verscheidene schoten op het toetsenbord af te vuren voordat Ki-Soo kans zag om zijn manschappen erop af te sturen. De Noordkoreanen werkten de nu luid schreeuwende man tegen de grond.
Uit de veldradio klonk Squires' krakerige stem: 'We hebben een schot gehoord. Wat was dat?'
Rodgers trok de radio van zijn koppelriem. 'Iemand stelt onze aanwezigheid hier niet op prijs,' zei hij. 'Maak je geen zorgen. Ze hebben hem te pakken.'
'Ik voel me hier niet erg nuttig, generaal,' zei Squires.
Rodgers gaf geen antwoord; hij begreep het best, maar hij had nu belangrijker zaken aan zijn hoofd.
De arts liet Ki-Soo in de steek en rende naar Puckett. Rodgers bedwong de opwelling om achter hem aan te hollen; hij klom naar de dichtstbijzijnde Nodong en begon de cijfers in te tikken.
Een-negen-acht-nul.
Niets.
Een-negen-acht-één.
Niets. Pas toen hij bij een-negen-acht-negen was gebeurde er wel iets. Er klonk een piep, de middelste rij cijfers lichtte op en hij veranderde de cijfers snel in nul-nul-nul-nul. Meteen nadat hij daarmee klaar was, begon de raket naar beneden te zakken.
De bovenste klok stond op twee minuten en twee seconden. Hij rende naar Pucketts raket. Het toetsenbord was onherstelbaar beschadigd, maar gelukkig was Puckett nog in leven. De arts had hem zijn overhemd uitgetrokken en stond nu het bloed van een schouderwond te vegen.
'Kolonel!' zei Rodgers terwijl hij van de raket af sprong en zijn handen op de zijkant van de vrachtwagen legde. 'We moeten dúwen.' Hij wees. 'Verlaten... niemand zal daar sterven.'.
Ki-Soo begreep het en riep zijn manschappen. Terwijl de arts Puckett uit de weg trok, renden vijftien mannen naar de raket en begonnen ertegen te duwen. Ki-Soo liep om de vrachtwagen heen en schoot aan één kant de banden lek. Terwijl de manschappen stonden te duwen, rende Rodgers naar de laatste raket. Er is nog tijd, zei hij in zichzelf. 'We halen het wel.'
Achter zich hoorde hij een metalen stut kreunen terwijl het gewicht van de raket zich verplaatste. Zonder te stoppen keek hij achterom en zag de vrachtwagen met raket en al opzij zakken. De raket schoof naar één kant van de constructie die hem overeind hield... en de mensen eromheen begonnen te schreeuwen toen er ineens een dikke rookwolk uit de raket

kolkte, gevolgd door een grote geel-oranje vlam. De raket ontbrandde terwijl de truck aan het kantelen was.
Dat kan niet! dacht Rodgers terwijl hij zich op plat op de grond liet vallen en zijn armen om zijn hoofd sloeg. Het kantelen van de vrachtwagen kon de raket niet doen ontbranden.
De raket schoot weg uit de omgeslagen vrachtwagen en flitste razendsnel over het terrein. Terwijl hij alles wat zich op zijn pad bevond – tenten, jeeps, bomen – aan flarden scheurde, stoven de soldaten uit elkaar om de vuurstraal te ontwijken. De zich door alles heen borende raket had meer dan een halve kilometer afgelegd voordat hij tegen een heuvelhelling tot stilstand kwam: een bal van vuur vloog meer dan driehonderd meter de lucht in en een allesverzengende massa hete lucht stroomde op het legerkamp af.
Meteen nadat hij de golf gloeiend hete lucht over zich heen had voelen rollen, stond Rodgers op en rende snel naar de laatste Nodong.
Terwijl hij erheen rende, had hij het akelige gevoel dat de Zuidkoreaanse officier degene zou zijn die het laatst lachte. Ze waren er allemaal van uitgegaan dat de Zuidkoreanen de raketten zo ingesteld hadden, dat ze op hetzelfde tijdstip gelanceerd zouden worden.
Maar wat als ze dat niet gedaan hadden? Waarom zouden ze eigenlijk? Hij rende van de ene naar de andere. Misschien zouden er een paar minuten tussen de verschillende raketten zitten. De raket die ze het eerst opnieuw geprogrammeerd hadden, was zojuist ontbrand. De raket die hij net buiten werking had gesteld, zou de tweede geweest kunnen zijn die de Zuidkoreanen onder handen hadden genomen, maar ook de derde. En dat betekende dat hij misschien maar één minuut had om...
Rodgers was nog maar twintig meter van de Nodong verwijderd toen hij rook uit de staart zag komen.
En toen drong het pas werkelijk tot hem door. De tijdklokken waren verschillend ingesteld. Natuurlijk. Waarom ook niet?
Er zou geen tijd meer zijn om snel wat straaljagers te laten opstijgen of luchtdoelraketten te lanceren, niet met een raket die een snelheid van meer dan drieduizend kilometer per uur kon halen. En zelfs Patriotraketten die werden afgevuurd vanuit Japan hadden weinig kans: wat als de Nodong er niet vlak langs zou vliegen?
'Kolonel,' schreeuwde Rodgers terwijl hij terugrende naar Ki-Soo.
Ze hadden maar één kans en hij vermoedde dat de officier hem voor was geweest. Terwijl de Nodong begon te sissen op zijn lanceerplatform en de eerste vlammen uit de staart lekten, stond Ki-Soo al in zijn radio te roepen en zijn manschappen zochten snel dekking achter rotsblokken en oneffenheden in het terrein.

Goeie vent, dacht Rodgers terwijl hij letterlijk over de rokende puinhopen van een door de vorige Nodong vernietigde jeep heen dook. Hij kwam hard op zijn zij terecht en sloeg juist zijn armen om zijn hoofd toen de laatste raket op een smalle, felle straal vuur opsteeg en brullend als een ontketende draak de ochtendhemel doorkliefde.
Toen herinnerde Rodgers zich Squires en het Striker Team weer. Snel trok hij de radio van zijn riem. Maar die was te pletter geslagen toen hij er in zijn val op terecht was gekomen, zodat hij nu alleen nog maar kon hopen en bidden dat ze wat ze zagen niet verkeerd zouden interpreteren...

83

Dinsdag, 19.35 uur
Het Op-Center

'Slecht nieuws, Paul,' klonk de stem van Stephen Viens over de telefoonlijn vanuit het NRO. 'Het lijkt erop dat een van de Nodongs hun is ontglipt.'
'Wanneer?'
'Een paar seconden geleden. We zagen hem opbranden. We zitten nu op het volgende beeld te wachten.'
'Kijkt Hephaestus ook mee?' vroeg Hood.
'Ja. We laten je wel weten waar hij heen gaat.'
'Ik blijf aan de lijn,' zei Hood, en nadat hij de beveiligde verbinding had overgezet op de luidspreker, richtte hij zijn blik op Darrell McCaskey en Bob Herbert, die zich alle twee in zijn kantoor bevonden.
'Wat is er, chef?' vroeg Herbert.
'Er is een Nodong gelanceerd,' zei hij, 'en hij vliegt naar Japan. Bob, probeer erachter te komen of er een AWACS in de omgeving is en zeg tegen het Pentagon dat ze in Osaka snel wat jachtvliegtuigen laten opstijgen.'
'Die raket onderscheppen ze nooit,' zei Herbert. 'Dat is net zoiets als een naald vinden in een hooiberg die zo groot is als heel Georgia.'
'Dat weet ik,' zei Hood, 'maar we moeten het in ieder geval proberen. Als ze hem recht tegemoet vliegen, zouden ze geluk kunnen hebben. Darrell, het NRO zal proberen om de warmte-uitstraling van de raket op te pikken met de Hephaestus-satelliet. Op die manier kunnen we te weten komen

wat zijn baan is, zodat we de vliegers in ieder geval kunnen vertellen waar ze ongeveer moeten zoeken.' Hij zweeg even. Al die levens, dacht hij. De president moet onmiddellijk op de hoogte gebracht worden, zodat hij de Japanse premier kan bellen. 'Misschien kunnen we de mensen op de grond daar een paar minuten de tijd geven om dekking te zoeken,' zei Hood. 'Dat is tenminste iets.'

'Juist,' zei McCaskey.

Hood wilde net het Witte huis bellen over de tweede telefoonlijn, toen de stem van Viens uit de luidspreker klonk.

'Paul... we hebben nog iets op het scherm.'

'Wat?'

'Lichtflitsen,' zei Viens 'Nog meer dan in Bagdad in de eerste nacht van Desert Storm.'

'Wat is het?'

'Ik weet het niet... we zitten op het volgende beeld te wachten. Maar dit is ongelóóflijk!'

84

Woensdag, 09.36 uur
Het Taibak-gebergte, Noord-Korea

Door zijn verrekijker zag luitenant-kolonel Squires hoe de eerste Nodong opsteeg en het luchtdoelgeschut het vuur opende.

Het eerste wat hem inviel, was dat er een luchtaanval was ingezet, en zijn eerste opwelling was om zijn manschappen te laten uitwaaieren en het luchtdoelgeschut aan te vallen. Maar waarom zouden ze tegen elkaar in vuren? Als ze op naderende vliegtuigen schoten, zouden ze allemaal in één bepaalde richting vuren, de richting waaruit volgens het radarscherm de vijandelijke vliegtuigen in aantocht waren. Maar toen hij de lopen van het geschut tijdens het vuren iets zag zakken, begreep hij wat er aan de hand was.

Aan iedere zijde van het kamp waren twee stuks geschut opgesteld, zodat de 27-mm-granaten van alle zijden de lucht in schoten en op ongeveer driehonderd meter boven de lanceerinrichting een scherm van explosief

vuur vormden. De radargeleide granaten botsten voortdurend tegen elkaar, maar werden iedere halve seconde vervangen door nieuwe.
De Noordkoreanen legden een barrière; ze probeerden hun eigen raket neer te schieten. De Nodong versnelde zijn vaart... hij vloog nu dertig meter hoog, toen zestig... en ging steeds sneller, het kruisvuur tegemoet.
Terwijl de granaten de ochtendhemel doorzeefden, vielen er voortdurend lege hulzen naar beneden; de doffe klappen waarmee ze op de grond terechtkwamen, klonken als rotjes die in een vat gegooid werden. Het beeld deed Squires aan een Romeinse kaars denken: terwijl de raket bleef stijgen, kwamen de ontploffingen steeds lager.
Er waren nog maar twee of drie seconden verstreken sinds de lancering van de raket, maar hij was nu al bijna bij de flitsende, vonkende barrière. Het was niet zeker dat het luchtdoelgeschut de raket ook werkelijk zou kunnen stoppen. De granaten zouden hem natuurlijk ook alleen maar vleugellam kunnen maken of uit zijn koers kunnen brengen, zodat hij recht naar beneden zou duiken of op een dorpje in het Noorden of Zuiden terecht zou komen.
Het vuur regende neer op de lanceerinrichtingen als de vurige hagel uit de bijbel. Squires hoopte maar dat alles met Rodgers en zijn manschappen in orde was... en dat de raket àls hij ontplofte de mensen onder zich ongedeerd zou laten.
Hoe vaak had zijn hart geklopt sinds de Nodong werd gelanceerd? Maar een paar keer, zei hij in zichzelf. Maar toen de neus van de raket zich door het vurige scherm boorde, leek zijn hart stil te staan.
Het leek wel een droom: een hel van vuur en metaal waarin alles zich tergend langzaam bewoog. De raket werd over zijn hele lengte getroffen door granaten. Hij werd van de ene kant naar de andere geschopt, als een boef uit een gangsterfilm die in een hinderlaag is gelopen. En terwijl de granaten insloegen, werden de knallende geluiden van de in de lucht ontploffende granaten overstemd door een zwaar pok-pok-pok.
In een oogwenk verplaatsten de granaatinslagen zich van de top naar het midden van de raket, en van daaruit naar de vurige staart. Toen ontplofte de hemel en zag Squires alles wat blauw geweest was rood worden.

85

Woensdag 09.37 uur
Het Taibak-gebergte, Noord-Korea

Rodgers had naar het geluid van de exploderende granaten geluisterd en de granaatscherven om zich heen horen suizen. Hoewel hij besefte dat het gezicht van Medusa nu niet ver achter hem kon zijn, wilde hij toch weten wat er precies gebeurde, en daarom tilde hij zijn armen van zijn hoofd en tuurde door half dichtgeknepen ogen naar de lucht.
Het spektakel boven hem was adembenemend.
Van alle geschiedkundigen, filosofen en toneelschrijvers die hij had bestudeerd en die hij blindelings kon citeren, was er maar één, een Amerikaanse advocaat, van wie hem een citaat te binnen schoot toen hij zag hoe de raket de muur van ontploffende granaten binnendrong.
'*... And the rocket's red glare, the bombs bursting in air...*'
De doldrieste raket probeerde zich een weg te banen door de muur van explosieven en werd aan flarden gescheurd; en toen hij ontplofte, ging dat met zo'n geweld, dat het leek of hij maar een paar meter van Rodgers verwijderd was in plaats van bijna een halve kilometer.
Rodgers sloeg zijn armen weer om zijn hoofd heen. De hitte van de ontploffing schroeide de haartjes op zijn polsen en op de rug van zijn handen weg, en het koude zweet op zijn rug werd van het ene op het andere moment heet. Hij drukte zijn wijs- en middelvingers tegen zijn oren om ze te beschermen tegen het geluid van de klap, dat pas een ogenblik later arriveerde. De geluidsgolf smakte zo hard op hem neer, dat zijn borst letterlijk als een trommel aanvoelde.
Toen kwam het brandende puin van de vernietigde Nodong de hemel uit regenen; sommige brokstukken waren niet groter dan een flinke munt, andere waren zo groot als borden. Terwijl ze om hem heen op de grond kletterden, wurmde hij zich half onder de vernietigde jeep. Plotseling trok hij heftig met zijn been en schreeuwde het uit van de pijn: een stukje metaal zo groot als zijn duimnagel was op zijn scheenbeen terechtgekomen en door zijn broekspijp heen gebrand.
Een ogenblik later viel er een stilte, een drukkende en diepe stilte, gevolgd door de stemmen van mensen die voorzichtig overeind kwamen en naar elkaar begonnen te roepen.
Terwijl hij moeizaam onder de jeep uit kroop, voelde Rodgers zijn botten kraken. Hij ging op zijn hurken zitten, leunde iets achterover en keek omhoog naar de lucht. Op een paar snel vervliegende donkere rookflarden

na was die volkomen helder.
Rodgers ging rechtop staan en keek om zich heen. Ki-Soo was niet gewond, en hoewel het merendeel van zijn manschappen nogal overstuur leek te zijn, en sommigen een paar flinke schrammen hadden, was er niemand ernstig gewond geraakt.
De Amerikaan bracht de kolonel de militaire groet, en nu leek Shakespeare hem toepasselijker:

'Want nooit is iets verkeerd of ongepast,
wat eenvoud in oprechten ijver biedt.'

86

Woensdag, 09.50 uur
Het Taibak-gebergte, Noord-Korea

Nadat Rodgers Ki-Soo duidelijk had weten te maken dat ze een team in de heuvels hadden zitten, had de kolonel een truck gestuurd om de manschappen op te halen. De meeste Amerikanen waren nogal gespannen toen ze het kamp binnen reden, maar Squires was blij om Rodgers weer te zien en Puckett was blij dat hij zijn radio terugzag. Toen de overste het ding bij hem achterliet, was de Noordkoreaanse arts de wond in zijn schouder aan het verbinden.
'Gelukkig maar dat jullie niet zijn gaan schieten,' zei Rodgers terwijl hij een slok uit Squires' veldfles nam. 'Ik was bang dat jullie misschien zouden proberen om de mensen met de geweren uit te schakelen.'
'Dat had ik misschien ook wel gedaan,' zei Squires, 'als ze niet al hun geweren tegelijk hadden afgevuurd. Ik moest even nadenken, maar toen had ik door waar ze mee bezig waren.'
Puckett was degene die Hoods oproep vanuit het Op-Center beantwoordde. Rodgers en Squires stonden op dat moment een eindje uit de buurt, bij de jeep waarin Moores met een doek overdekte stoffelijk overschot was neergelegd. Rodgers rende meteen naar de radio toe, gevolgd door Squires.
'Ja, meneer,' zei Puckett. 'De generaal staat naast me.'

Hij overhandigde Rodgers de koptelefoon.
'Goedemorgen, Paul.'
'Goedenavond, Mike. Jullie hebben een wonder verricht. Gefeliciteerd.'
Rodgers bleef even stil. 'Het heeft ons wel iets gekost, Paul.'
'Dat weet ik, maar ik wil niet dat je achteraf gaat twijfelen,' zei Hood. 'We zijn vandaag een paar goede mensen kwijtgeraakt, maar dat is nu eenmaal de rottige prijs die je in deze branche moet betalen.'
'Dat weet ik,' zei Rodgers. 'Maar dat is niet wat je tegen jezelf zegt als je 's avonds je hoofd op het kussen legt. Het zal lang duren voordat ik dit kwijtraak.'
'Als je maar zorgt dat je de levens die je hebt gered niet buiten beschouwing laat. Die andere soldaat... Charlie zei dat er nog een gewonde was.'
'Puckett. Een schouderwond, maar hij komt er wel overheen. Hoor eens, ik heb begrepen dat kolonel Ki-Soo ons naar het ophaalpunt wil begeleiden. Dus we blijven hier niet lang meer,'
'Een beetje vreemd,' zei Hood, 'zo'n plotselinge détente.'
'Zo vreemd is het nu ook weer niet,' antwoordde Rodgers. 'Robert Louis Stevenson heeft ooit eens geschreven dat je de zeden en gebruiken van andere landen maar beter eerst op de proef kunt stellen voordat je je er een oordeel over vormt. Ik heb altijd al gedacht dat daar iets in zat.'
'Maar ik denk niet dat het Congres, het Witte Huis of welke andere regering ter wereld dan ook het met je eens zal zijn,' merkte Hood op.
'Dat is waar,' zei Rodgers. 'En daarom heeft Stevenson ook *Doctor Jekyll and Mr. Hyde* geschreven. Ik denk dat hij eveneens van mening was dat de menselijke natuur onveranderlijk is. Paul, ik neem weer contact met je op tijdens de vlucht vanuit Japan. Ik wil weten wat de president hierover te zeggen heeft.'
Hood grinnikte luid. 'Ik ook, Mike.'
Nadat hij Hood had verzocht om Martha Mackall iets te vragen over een bepaald Koreaans woord, klommen Rodgers en zijn manschappen in twee van de vier vrachtwagens waarin ze samen met de manschappen van Ki-Soo de heuvels in zouden rijden.
Tijdens de rit hield Rodgers zijn hand over het kleine, nietmachine-achtige apparaatje dat hij Squires een tijdje geleden had laten zien. Zo ongeveer om de tweehonderd meter drukte hij op een kleine hefboom boven op het apparaatje, en liet die dan weer omhoogkomen.
'Generaal, dat is toch de EBC?' vroeg Squires.
Rodgers knikte.
'Wat bent u aan het doen?'
'Ze aan het opblazen,' zei hij. 'Vertrouwen is aardig,' zei Rodgers, 'maar er is ook iets te zeggen voor voorzichtigheid.'

Terwijl de open vrachtwagen met grommende motor over het hobbelige terrein reed, moest Squires dat wel beamen.
De Sikorsky S-70 Black Hawk kwam precies op schema het Taibakgebergte binnenvliegen. Toen Squires hem vertelde dat hij gewoon kon komen aanvliegen en landen, reageerde de piloot verrast.
'Geen laddertjes? Geen snelle aftocht?' vroeg hij.
'Nee,' zei Squires. 'Land maar gewoon. We vertrekken als echte heren.'
Het elfzitsvliegtuig landde precies op tijd. Terwijl de langs de romp gemonteerde M-60-machinegeweren dreigend zwegen, klommen de manschappen aan boord en namen Rodgers en Ki-Soo onder het toeziend oog van Squires afscheid van elkaar.
Ki-Soo hield een kort toespraakje. Zijn woorden waren onverstaanbaar, maar wat hij bedoelde was duidelijk: hij bedankte hen voor alles wat ze gedaan hadden voor de veiligheid van zijn land.
Toen hij klaar was, maakte Rodgers een buiging en zei: '*Annyong-hi kaship-shio.*'
Er verscheen een verraste en verheugde uitdrukking op Ki-Soo's gezicht, en hij antwoordde: '*Annyong-ha-simni-ka.*'
Terwijl Ki-Soo zijn verbonden hand stijf langs zijn been liet hangen, brachten de twee mannen elkaar de militaire groet. Daarna draaiden de Amerikanen zich om en liepen weg. Nadat ze aan boord van de helikopter waren gegaan, keek Squires even hoe het met Puckett ging, die nu op een brancard op de vloer lag. Daarna liet hij zich op de stoel naast Rodgers ploffen.
'Wat hebt u daarnet tegen elkaar gezegd?' vroeg Squires.
'Toen ik verbinding met Paul had, heb ik hem gezegd dat hij Martha Mackall even moest vragen wat het Koreaans is voor: "Vaarwel en moge het u goed gaan." '
'Aardig van u.'
'Natuurlijk kunnen Martha en ik niet zo goed met elkaar overweg... dus voor zover ik weet, kan ik hem net zo goed verteld hebben dat ik allergisch ben voor penicilline.'
'Dat denk ik niet,' zei Squires, 'want wat hij zei, klonk min of meer hetzelfde. Dus tenzij u alle twee allergisch bent voor penicilline...'
'Dat zou me niets verbazen,' zei Rodgers terwijl het helikopterluik werd dichtgeschoven en de Black Hawk opsteeg, de steeds helderder wordende hemel tegemoet. 'Elke dag dat ik leef, Charlie, is er telkens minder waarover ik me nog verbaas.'

87

Woensdag, 10.30 uur
Seoul

Kim Hwan zat op het bed. Het voorste deel van de matras was schuin omhooggezet en het kussen was eraf gevallen. Hij wilde het weer oppakken, maar het leek wel of hij na de fysieke en emotionele klappen die hij de afgelopen paar uur had gekregen, daar de energie niet meer voor kon opbrengen.
De man die het schiereiland had willen redden, was niet in staat om zijn arm op te tillen en zijn kussen op te rapen. Waarschijnlijk zat daar een vreemde tegenstrijdigheid in, maar hij was niet in de stemming om de situatie te analyseren.
De doffe pijn in zijn zij hield hem uit zijn slaap, en de knellende verbanden bemoeilijkten zijn ademhaling. Maar wat het hem werkelijk onmogelijk maakte om rust te vinden, waren de gebeurtenissen van de afgelopen paar uur. De dood van Gregory Donald hield hem in zijn greep als een nachtmerrie waaruit hij maar niet kon ontwaken, maar hoewel het nog steeds ongeloofwaardig scheen, leek het op een vreemde manier ook onvermijdelijk. Donalds leven was al ten einde geweest toen zijn vrouw was gedood – was het echt nog maar een dag geleden? – en nu waren ze in ieder geval weer samen. Donald zou dat niet geloofd hebben, maar Soonji wel, en Hwan ook. Er was met meerderheid van stemmen besloten, en dus was die atheïstische ouwe bok nu een engel, of hij dat nu leuk vond of niet.
Terwijl Hwan naar de bakstenen muur tegenover zijn raam lag te staren, kreeg hij een telefoontje van Bob Herbert, die hem vertelde over de gebeurtenissen in het Taibak-gebergte en over de andere mensen die bij het komplot betrokken waren geweest: de twee mannen die het Striker Team bij de Nodong-lanceerinrichtingen had gedood. Hwan vermoedde dat het Noorden de lijken van die twee waarschijnlijk niet snel vrij zou geven, maar dat het Zuiden wel vingerafdrukken toegestuurd zou krijgen om ze te kunnen identificeren.
'Verder hebben we nog niets gehoord,' zei Herbert. 'Dus òf we hebben de hele groep nu te pakken, òf ze hebben hun klauwen ingetrokken om het later nog eens te proberen.'
'Ik weet zeker,' zei Hwan zachtjes, 'dat we nog wel meer van die lui zullen horen.'
'Waarschijnlijk heb je gelijk,' zei Herbert. 'Radicalen zijn net bananen: ze groeien in trossen.'

Hwan zei dat hij dat een leuk beeld vond en net toen hij besloot dat hij nu toch echt zijn kussen ging oprapen, merkte hij tot zijn verrassing dat iemand anders zich al over hem heen boog om het voor hem te doen. Twee sterke handen tilden voorzichtig zijn hoofd op, schoven het kussen eronder en propten de zijkanten van het kussen op om ervoor te zorgen dat zijn hoofd er niet vanaf zou rollen.
Hwan keek opzij.
'Directeur Yung-Hoon,' zei hij verrast. 'Waar is...'
'Hongtack? Die is inmiddels op weg naar zijn nieuwe post in de Gele Zee. Daar gaat hij Chinese radiouitzendingen beluisteren. Hij leek te geloven dat onze verschillen in stijl geen kracht waren, maar een zwakte.'
'Misschien... misschien kunt u daar voor mij dan ook een plaats reserveren,' zei Hwan. 'Dat vind ik namelijk ook.'
Yung-Hoon kromp in elkaar. 'We schijnen zo nu en dan een beetje langs elkaar heen gewerkt te hebben, maar na vandaag zal dat niet meer gebeuren.'
Waarschijnlijk had iemand van de regering kritiek geuit op de manier waarop Yung-Hoon deze zaak had aangepakt. Het zou hem niet verbazen als Bob Herbert of Paul Hood een goed woordje voor hem had gedaan. Yung-Hoon was altijd al erg gevoelig voor zulke dingen geweest.
De directeur legde zijn hand op die van Hwan. 'Als je hier uitkomt, zullen we wel eens kijken hoe we de zaken anders kunnen regelen. We zullen je taken toewijzen waarbij je niet aan mijn kantoor hoeft te rapporteren...'
Jazeker. Iemand had hem gebeld.
'... en waar je rustig op je eigen manier te werk kunt gaan. En ik heb de president gesuggereerd dat er een speciale Gregory Donald-beurs wordt ingesteld aan de universiteit. Ik zat te denken aan de afdeling Politicologie.'
'Dank u wel,' zei Hwan. 'Maar zorg dat u Cho's vrouw niet vergeet. Ze zal hulp nodig hebben.'
'Is al gebeurd,' zei Yung-Hoon.
Terwijl hij de directeur indringend aankeek, vroeg Hwan: 'En hoe gaat het met mevrouw Chong?'
Het leek ineens of Yung-Hoons stropdas te strak zat. 'Ze is verdwenen. Zoals je had... gevraagd, hebben we haar laten wegrijden.'
'Ze heeft mijn leven gered. Dat was ik haar wel verschuldigd. Maar u hebt haar zeker wel laten volgen?'
'Nou... ja,' zei Yung-Hoon. 'We wilden graag weten waar ze heen ging.'
'En?'
'En,' zei de directeur, 'ze is naar Yangyang gegaan, naar het huis van je oom.'
Hwan glimlachte. Ze zouden haar nooit weten te vinden. Oom Pak zou

haar het land uit smokkelen op zijn boot, die ze niet zouden durven enteren, en op de een of andere manier zou hij haar wel Japan binnen weten te krijgen.
'Denk je niet dat ze weer voor het Noorden zal gaan spioneren?' vroeg Yung-Hoon.
'Nee,' zei Hwan. 'Ze wilde helemaal niet spioneren. Nu krijgt ze de kans om datgene te gaan zoeken wat ze wel wilde, en daar ben ik blij om.'
Yung-Hoon gaf hem een klopje op zijn hand. 'Nou, als je dat zo zeker weet....' De directeur stond op. 'Ik heb Park voor de deur gezet, een van je eigen mensen. Als je iets nodig hebt, kun je dat tegen hem zeggen of mij bellen.'
Hwan zei dat hij dat zou doen, en Yung-Hoon vertrok... en niet alleen hij, maar ook de geestverschijningen die hem hadden geplaagd, de bitterzoete herinneringen aan Soonji en Gregory Donald, aan Cho, zijn arme chauffeur, en aan de gereserveerde maar betoverende mevrouw Chong. Hij wist niet zeker of zijn oom hem zou vertellen waar hij de vrouw heen had gebracht, maar hij beloofde zichzelf plechtig dat hij haar op de een of andere manier zou weten te vinden. Zoals vandaag weer eens gebleken was, bestonden er vriendschappen en loyaliteiten die de politieke grenzen overschreden, en er was niet altijd voldoende tijd om die grondig te exploreren. Er moest tijd vrijgemaakt worden om die banden te laten rijpen. Want wat hij zich uiteindelijk van al die mensen herinnerde, was wat ze in hun hart met zich meedroegen, en niet wat er in hun dossiers stond.

88

Dinsdag, 21.00 uur
Het Op-Center

De president arriveerde onaangekondigd op het Op-Center.
Hij kwam in zijn verlengde, gepantserde limousine en had niemand anders bij zich dan twee agenten van de geheime dienst en zijn chauffeur. Geen adjudanten en geen verslaggevers.
'Geen verslaggevers?' zei Ann nadat de schildwacht aan de poort van luchtmachtbasis Andrews zijn komst had aangekondigd. 'Dan moet het

wel een voormalige president zijn.'
'Je bent te cynisch,' zei Hood terwijl hij zich onderuit liet zakken in zijn stoel. Hij zat aan zijn bureau en had juist zijn afdelingshoofden op de hoogte gesteld van de recente gebeurtenissen: Bob Herbert, Martha Mackall, Darrell McCaskey, Matt Stoll, Lowell Coffey, Liz Gordon, Phil Katzen, en Ann. Bovendien had hij hen bedankt, niet alleen voor hun harde werk, maar ook voor hun vernuft en goede samenwerking. Hij had hun verteld dat hij nog nooit een team had gezien dat beter wist samen te werken, op alle fronten, en dat hij trots was, niet alleen op de klus die ze samen hadden geklaard, maar ook op hèn, op ieder van hen afzonderlijk.
Hij had net op het punt gestaan om zijn kantoor te verlaten toen het telefoontje kwam, en nu leunde hij achterover en wachtte af.
Ann wachtte met hem mee.
Ze kon maar niet ophouden met glimlachen. Ann was blij: niet alleen omdat alles goed was afgelopen voor het Op-Center; niet alleen omdat alle grote tv-zenders hun *prime-time* programma's hadden onderbroken met het nieuws over de vernietiging van de Nodong-raketten; niet alleen omdat zij en Andrew Porter, haar collega op het Pentagon, de pers ervan hadden weten te overtuigen dat Gregory Donald en generaal Michael Schneider uit menslievende motieven hadden gehandeld, en niet slechts het belang van hun eigen partij hadden behartigd. Ze waren snel genoeg met hun verhaal naar buiten gekomen en eerlijk en overtuigend genoeg geweest om alles wat de Noordkoreanen nog over het komplot van majoor Lee zouden kunnen zeggen, kleingeestig en wraakzuchtig te doen klinken.
Ann was ook heel blij voor Paul.
Hij was erin geslaagd om zich goed van zijn verantwoordelijkheden te kwijten: niet alleen als leider van het Op-Center, maar ook als vader en echtgenoot. Geen van beide banen was gemakkelijk, geen van beide was parttime. Ze wist niet hoe hij erin geslaagd was om overeind te blijven. Sharon Hood zou misschien nooit beseffen hoeveel deze dag hem had gekost, maar Ann wel. Ze wilde dat er een manier was waarop ze hem dat kon laten weten... maar er schoot haar niets te binnen.
De persvoorlichtster was sprakeloos! lachte ze in zichzelf.
Nee, dat was niet helemaal waar. Wat Ann te zeggen had, was niet iets wat een toegewijde bewonderaarster aan een echtgenote kon vertellen. Het was dat Paul Hood een heel speciale man was, een man met een goed hart, met integriteit, en met een enorme voorraad liefde in zich. Dat laatste wist ze zeker. Wat Ann Sharon wèl zou zeggen, al was het alleen maar in haar verbeelding, was dat ze Paul voeding moest geven, en moest toelaten dat hij háár voeding gaf... dat ze niet moest vergeten dat hij op een dag zijn werk eraan zou geven, dat zijn kinderen dan volwassen zouden zijn, en dat

hun liefde dan zou kunnen opbloeien en hen beiden zou verrijken.
Paul vertelde hun dat hij een herdenkingsdienst wilde laten houden voor Gregory Donald en voor Bass Moore, maar eigenlijk hoorde ze niet veel van wat hij zei. Ze was met haar gedachten en gevoelens ergens anders... bij Paul, in een denkbeeldige wereld waar hij, nadat alle anderen waren vertrokken, zijn armen om haar heen zou slaan en haar mee uit eten zou nemen, naar een gezellig restaurantje waar je snel geholpen werd, en haar dan naar huis zou rijden, met haar zou vrijen en dan in slaap zou vallen met zijn borst dicht tegen haar rug gedrukt.
'Meneer Hood?' zei Bugs door de computer.
'Ja?'
'De president komt er aan.'
Hood moest lachen toen Bugs het beeld uit de videocamera in de hal op het scherm zette. De president liep te wuiven naar de operators van het Op-Center in hun kleine hokjes. Zo nu en dan bleef hij even stilstaan om mensen die hij niet kende de hand te schudden, maar telkens liep hij vrijwel meteen weer door en iedere keer als hij oogcontact had gemaakt, verbrak hij dat weer zodra er een nieuw gezicht kwam opdagen.
Toen de president de kamer binnen kwam, stond Paul op, samen met de afdelingshoofden die nog zaten. De president tuitte afkeurend zijn lippen en wuifde dat ze allemaal weer konden gaan zitten.
Dat deden ze, op Paul na. De president zocht zich een weg door het kantoor en gaf hem een hand.
'Goed werk, hoofd van de Crisisgroep.'
'Dank u wel, meneer.'
Achter hen kookte Ann van woede. Het was de Crisisgroep niet. Paul en het Op-Center, die hadden het werk gedaan.
De president draaide zich om en wreef in zijn handen. 'Uitstekend werk. Werkelijk uitstekend. Iedereen die bij dit project betrokken is geweest – Paul, het Striker Team, de mensen van Steve Burkows National Security Council, u hier – u hebt allemaal veel beter werk geleverd dan redelijkerwijs van u verwacht had mogen worden.'
'We hebben allemaal hulp gehad,' zei Hood. 'Gregory Donald, Kim Hwan van de KCIA, die Noordkoreaanse officier bij de Nodong-raket...'
'Natuurlijk, Paul, maar jij bent degene die het allemaal gecoördineerd heeft. De eer komt jou toe. Jij hebt ervoor gezorgd dat alle andere instellingen die zich met het management van deze crisis hebben beziggehouden, hun bijdrage konden leveren. Generaal Schneider heeft trouwens gezegd dat hij een verzoek om een eervolle vermelding voor meneer Donald zal indienen. Hij zegt dat hij die zelf wil toekennen. En er zal ook een onderscheiding worden uitgereikt aan de manschappen van het Striker Team

die een offer hebben moeten brengen.'
Een offer, dacht Ann. Dat zeggen presidenten als ze niet zeker weten hoeveel doden en gewonden er zijn. Maar ze wilde president Lawrence dit ogenblik niet laten bederven en hoopte dat Paul zijn best zou blijven doen voor de mensen die hen geholpen hadden. Het leek wel of alles wat hij deed haar beeld van hem nog gunstiger maakte.
In gedachten schreef ze een brief. *Beste Sharon, ik hoop dat je het me zult vergeven, maar ik heb je man ontvoerd. Je krijgt hem weer terug als ik zwanger van hem ben, want ik wil wanhopig graag iets van hem voor mezelf hebben, voor altijd...*
'Maar,' zei de president, 'ik ben hier niet alleen maar gekomen om jullie allemaal te bedanken. Toen ik het Op-Center zes maanden geleden oprichtte, was dat een proef. Ik en een paar anderen, zoals minister Colon en Steve Burkow, hadden het idee dat het Op-Center een nuttige functie zou kunnen vervullen: een crisismanagementteam dat verbinding zou kunnen houden met bestaande operaties van de strijdkrachten en de inlichtingendiensten. Niemand van ons was er zeker van dat het resultaat zou opleveren.' Er verscheen een brede glimlach op het gezicht van de president. 'En niemand van ons kon vermoeden dat het zo'n goed resultaat zou opleveren.'
Lowell Coffey klapte zachtjes in zijn handen.
De president ging verder: 'Wat mijn adviseurs en mij betreft, is het Op-Center geslaagd voor het examen. Van nu af aan zijn jullie niet langer op proef, en ik zou dat graag morgen formeel en definitief bekrachtigen tijdens een besloten lunch op het Witte Huis. En daarna, Paul, kunnen we bespreken wat je verder nog nodig denkt te hebben om je organisatie nog slagvaardiger te maken. Niet dat het Congres dat zal toekennen, maar we zullen ons er in ieder geval voor inzetten.'
'Meneer de president,' zei Hood terwijl hij overeind kwam, 'we stellen uw vertrouwensvotum allemaal zeer op prijs. Hoewel de afgelopen zes maanden soms heel lang hebben geleken, leek deze dag nog veel langer te duren... en we zijn blij dat het allemaal zo goed is afgelopen. Maar wat morgen betreft: ik ben bang dat ik dan verhinderd ben.'
In al die tijd dat ze hem nu kende, had Ann Farris de president nog nooit zo verbaasd zien kijken.
'Werkelijk?' zei de president. Hij krabde aan zijn voorhoofd. 'Als je kaartjes hebt voor de beslissingsmatch, wil ik graag mee.'
'Dat is het niet, meneer,' zei Hood. 'Morgen neem ik vrij om mijn zoontje te leren schaken en hem een paar gewelddadige strips voor te lezen.'
De president knikte en er verscheen een oprechte glimlach op zijn gezicht.
Ann Farris klapte zachtjes in haar handen.

Lees ook van A.W. Bruna Uitgevers B.V.

Tom Clancy

De jacht op de Red October

De *Red October*, een Russische onderzeeër boordevol zeer geavanceerde apparatuur, bevindt zich op de bodem van de oceaan. De moedige gezagvoerder, Marko Ramius, koestert een persoonlijke wrok tegen de Russische autoriteiten en hij is bereid zijn leven èn dat van de elitebemanning op het spel te zetten om zijn ontsnapping naar Amerika te realiseren. Hij heeft de vlucht tot in de kleinste details uitgedacht. De Amerikanen, die maar al te graag bereid zijn de *Red October* in veilig vaarwater te loodsen, zetten de agressieve commandant van de *Dallas*, Bart Mancuso, in. Hij vertrouwt op zijn niet onaanzienlijke capaciteiten en op een reusachtige, nieuw ontwikkelde computer. De Russen, die de ontsnapping als hoogverraad ervaren, zetten Viktor Tupolev in, eens Ramius' meest toegewijde leerling.
Achttien dagen duurt de zenuwslopende jacht over de bodem van de oceaan.
Achttien dagen waarin de lezer wordt meegevoerd van de geheime vergaderkamers in Washington en Moskou naar een rijk dat maar weinigen uit ervaring kennen, een wereld waarin de jagers en de gejaagden met angstwekkende gevolgen volledig van de buitenwereld worden afgesneden.

De jacht op de Red October werd zeer spannend verfilmd met Sean Connery op zijn best als Marko Ramius.

ISBN 90 449 2626 8

Lees ook van A.W. Bruna Uitgevers B.V.

Charles McCarry

De novembermoorden

Paul Christopher, CIA-agent en anti-held, vermoedt dat er een verband bestaat tussen de Amerikaanse inmenging in Vietnam, Kennedy's opdracht tot de staatsgreep waarbij de Vietnamese president Ngo Dinh Diem en zijn broer Ngo Dinh Nhu werden vermoord en de moord op Kennedy in Dallas.
Paul begint op eigen houtje een onderzoek...
Van zijn superieuren krijgt hij de opdracht zijn privé-missie te staken en hij wordt daarbij gechanteerd met het leven van zijn vriendin. Hij weet nu zeker dat hij op de goede weg is, en gaat door. Zijn speurtocht voert hem van Parijs naar Rome en Zürich en van Washington naar de Kongo en Saigon.
Hij ontdekt dat de Ngo-familie wijd vertakt is en leden heeft in Noord-Vietnam, die in hun zucht naar wraak contact zoeken met Cuba.
Vandaaruit gaat het spoor naar Mexico, waar iemand toezegt de bloedschuld te vereffenen...

ISBN 90 449 2600 4

Lees ook van A.W. Bruna Uitgevers B.V.

Ken Follett

De man van St. Petersburg

Londen 1914: enkele maanden voordat Europa zich in een alles veranderende oorlog zal storten brengt een adellijke Russische afgezant in het diepste geheim een bezoek aan het Engelse Hogerhuis om een overeenkomst tot stand te brengen die Engeland en Rusland tot bondgenoten zou kunnen maken.
Tegelijkertijd is een Russische anarchist bezig zich via een labyrint van ondergrondse enclaves te mengen in de diplomatieke missie. Zijn roekeloze handelwijze zal een stempel op de geschiedenis drukken.

ISBN 90 449 2426 5

Lees ook van A.W. Bruna Uitgevers B.V.

Ken Follett

Sporen naar de dood

Parijs. Een door Turkse studenten geplande moordaanslag op Ahmet Yilmaz wordt op het laatste moment verijdeld.
Afghanistan. Niet ver van de Russische grens wordt het leven van de boerenbevolking bedreigd door plundering, moord en door bombardementen door het Russische leger.
In beide gevallen speelt Ellis Thaler een cruciale rol. Hij is meedogenloos als zijn idealisme gedwarsboomd wordt en vurig en zorgzaam als het Jane Lambert aangaat.
Op beide locaties wordt zijn weg gekruisd door Jean-Pierre, een arts die in de afgelegen gebieden van Afghanistan medische hulp biedt. Maar ook hij blijkt meer dan één rol te spelen...

ISBN 90 449 2437 0